365 dni

BLANKA LIPIŃSKA

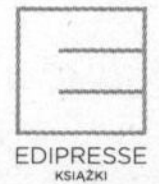

Copyright for Polish Edition © 2018 Edipresse Polska SA
Copyright for text © 2018 Blanka Lipińska

Edipresse Polska SA, ul. Wiejska 19, 00-480 Warszawa

Dyrektor ds. książek: Iga Rembiszewska
Redaktor inicjujący: Natalia Gowin
Produkcja: Klaudia Lis
Marketing i promocja: Renata Bogiel-Mikołajczyk, Beata Gontarska
Digital i projekty specjalne: Katarzyna Domańska
Dystrybucja i sprzedaż: Izabela Łazicka (tel. 22 584 23 51)
Barbara Tekiel (tel. 22 584 25 73)
Andrzej Kosiński (tel. 22 584 24 43)
Koordynator projektu: Marta Kordyl

Redakcja: Jaga Miłkowska
Korekta: Ewa Mościcka, Jaga Miłkowska, Ewdokia Cydejko

Projekt okładki i stron tytułowych: Magdalena Zawadzka
Zdjęcie na okładce: kiuikson/Shutterstock
Skład: Perpetuum

EDIPRESSE
KSIĄŻKI

Biuro Obsługi Klienta
www.hitsalonik.pl
e-mail: bok@edipresse.pl
tel.: 22 584 22 22
(pon.–pt. w godz. 8:00–17:00)
www.facebook.com/edipresseksiazki
www.instagram.com/edipresseksiazki

Druk i oprawa: Abedik SA
Książkę wyprodukowano na papierze Creamy 60 g vol. 2.0
dostarczonym przez firmę ZiNG sp. z o.o.

ISBN: 978-83-8117-647-7

Wszelkie prawa zastrzeżone. Reprodukowanie, kodowanie
w urządzeniach przetwarzania danych, odtwarzanie w jakiejkolwiek
formie oraz wykorzystywanie w wystąpieniach publicznych
w całości lub w części tylko za wyłącznym zezwoleniem właściciela
praw autorskich.

ROZDZIAŁ 1

– Massimo, czy ty wiesz, co to oznacza?

Obróciłem głowę w stronę okna, patrząc na bezchmurne niebo, a później przeniosłem wzrok na mojego rozmówcę.

– Przejmę tę spółkę, czy to się rodzinie Manente podoba, czy nie.

Wstałem, a Mario i Domenico niespiesznie podnieśli się z krzeseł i ustawili się za mną. To było miłe spotkanie, ale zdecydowanie zbyt długie. Uścisnąłem obecnym w pomieszczeniu mężczyznom ręce i ruszyłem w stronę drzwi.

– Zrozum, tak będzie dobrze dla wszystkich.

Uniosłem palec wskazujący.

– Jeszcze mi za to podziękujesz.

Zdjąłem marynarkę i rozpiąłem kolejny guzik w swojej czarnej koszuli. Siedziałem na tylnym siedzeniu samochodu, delektując się ciszą i chłodem klimatyzacji.

– Do domu – warknąłem pod nosem i zacząłem przeglądać wiadomości w telefonie.

Większość dotyczyła interesów, ale wśród nich znalazłem także SMS od Anny: „Jestem mokra, potrzebuję kary". Mój penis poruszył się w spodniach, a ja z westchnieniem poprawiłem go i mocno ścisnąłem. O tak, moja dziewczyna dobrze wyczuwała mój nastrój. Wiedziała, że to spotkanie nie będzie miłe i nie przyniesie mi spokoju. Wiedziała też, co mnie relaksuje. „Bądź gotowa na dwudziestą”, odpisałem krótko i wygodnie się rozsiadłem, patrząc, jak świat za oknem samochodu znika. Zamknąłem oczy.

I znowu ona. Mój kutas w sekundę zrobił się twardy jak stal. Boże, zwariuję, jeśli jej nie znajdę. Od wypadku minęło już pięć lat; pięć długich lat od – jak to powiedział lekarz: cudu – śmierci i zmartwychwstania, podczas których śni mi się kobieta, której nie widziałem w prawdziwym życiu. Poznałem ją w swoich wizjach, kiedy byłem w śpiączce. Zapach jej włosów, delikatność skóry – niemal czułem, jak ją dotykam. Za każdym razem, kiedy kochałem się z Anną czy jakąkolwiek inną kobietą, kochałem się z nią. Nazywałem ją Panią. Była moim przekleństwem, obłędem i podobno wybawieniem.

Samochód zatrzymał się. Wziąłem do ręki marynarkę i wysiadłem. Na płycie lotniska czekali już Domenico, Mario i chłopaki, których ze sobą zabrałem. Może przesadziłem, ale czasami pokaz siły jest potrzebny, by zmylić przeciwnika.

Przywitałem się z pilotem i usiadłem na miękkim fotelu, a stewardesa podała mi whisky z jedną kostką lodu. Zerknąłem na nią; wiedziała, co lubię. Patrzyłem pustym wzrokiem, a ona czerwieniła się i uśmiechała zalotnie. A czemu nie?, pomyślałem i energicznie podniosłem się z miejsca.

Chwyciłem zaskoczoną kobietę za rękę i pociągnąłem w stronę prywatnej części odrzutowca.

– Startujcie! – krzyknąłem do pilota i zamknąłem drzwi, znikając za nimi z dziewczyną.

Kiedy znaleźliśmy się w pomieszczeniu, złapałem ją za szyję i zdecydowanym ruchem obróciłem, przypierając do ściany. Patrzyłem jej w oczy, była przerażona. Zbliżyłem usta do jej ust i chwyciłem dolną wargę, a ona jęknęła. Jej ręce swobodnie zwisały wzdłuż ciała, a wzrok utkwiła w moich oczach. Złapałem ją za włosy, by jeszcze mocniej odchyliła głowę, zamknęła powieki i kolejny raz wydała z siebie jęk. Była śliczna, taka dziewczęca, cały mój personel musiał taki być, lubiłem wszystko, co ładne.

– Klękaj – warknąłem, pociągając ją w dół.

Bez wahania wykonała polecenie. Zamruczałem, chwaląc ją za odpowiedni rodzaj uległości, i kciukiem przejechałem po ustach, które posłusznie rozchyliła. Nigdy nie miałem z nią nic wspólnego, a mimo to dziewczyna dobrze wiedziała, co ma robić. Oparłem jej głowę o ścianę i zacząłem rozpinać rozporek. Stewardesa głośno przełknęła ślinę, a jej wielkie oczy cały czas były we mnie wpatrzone.

– Zamknij – powiedziałem spokojnie, przejeżdżając kciukiem po jej powiekach. – Otworzysz dopiero, kiedy ci pozwolę.

Mój kutas wyskoczył ze spodni, twardy i niemal boleśnie napompowany. Oparł się o wargi dziewczyny, a ta grzecznie i szeroko rozchyliła usta. Nie wiesz, co cię czeka, pomyślałem i wsadziłem go aż do samego końca, przytrzymując jej głowę tak, by nie miała możliwości ruchu. Poczułem, jak się krztusi, natarłem jeszcze głębiej. O tak, lubiłem, kiedy z przerażeniem otwierały oczy, jakby naprawdę sądziły, że zamierzam je udusić. Powoli się wycofałem i pogłaskałem ją po policzku, niemal pieszczotliwie, delikatnie. Patrzyłem, jak się uspokaja i zlizuje z warg gęstą ślinę, wyciągniętą z gardła.

– Zerżnę cię w usta. – Kobieta lekko zadrżała. – Mogę?

Na twarzy miałem zero emocji, zero uśmiechu. Dziewczyna przez chwilę patrzyła na mnie gigantycznymi oczami, a po kilku sekundach twierdząco pokiwała głową.

– Dziękuję – wyszeptałem, przesuwając obie ręce po jej policzkach. Oparłem dziewczynę o ścianę i kolejny raz wsunąłem się po jej języku aż do gardła. Zacisnęła wokół mnie wargi. O tak! Moje biodra zaczęły mocno się w nią wpychać. Czułem, że nie może oddychać, po chwili zaczęła walczyć, więc złapałem ją mocniej. Dobrze! Jej paznokcie wbiły się w moje nogi, najpierw próbowała mnie odsunąć, a później okaleczyć, drapiąc. Lubiłem to, lubiłem, kiedy walczyły, kiedy były bezradne wobec mojej siły. Zamknąłem oczy i zobaczyłem moją Panią, klęczała przede mną, jej niemal czarne spojrzenie przeszywało mnie na wskroś. Lubiła, kiedy ją tak brałem. Jeszcze mocniej zacisnąłem dłonie na włosach, w jej oczach biło pożądanie. Dłużej nie mogłem wytrzymać, jeszcze dwa mocne pchnięcia i zamarłem, a sperma wylała się ze mnie, przyduszając dziewczynę jeszcze bardziej. Otworzyłem oczy i popatrzyłem na jej rozmazany makijaż. Wycofałem się nieco, by zrobić jej miejsce.

– Łykaj – warknąłem, pociągając ją za włosy kolejny raz.

Po jej policzkach popłynęły łzy, ale posłusznie wykonała moje polecenie. Wyjąłem kutasa z jej ust, a ona opadła na pięty, zsuwając się po ścianie.

– Wyliż go. – Dziewczyna zamarła. – Do czysta.

Oparłem obie ręce o ścianę przede mną i patrzyłem na nią gniewnie. Uniosła się kolejny raz i chwyciła moją męskość w drobną dłoń. Zaczęła zlizywać resztki nasienia. Uśmiechnąłem się lekko, widząc, jak się stara. Gdy uznałem, że skończyła, odsunąłem się od niej, zapinając rozporek.

– Dziękuję. – Podałem jej rękę, a ona na lekko trzęsących się nogach stanęła koło mnie. – Tam jest łazienka. – Wskazałem dłonią kierunek, mimo że to ona znała ten samolot jak własną kieszeń. Kiwnęła głową i poszła w stronę drzwi.

Wróciłem do swoich towarzyszy i na powrót usiadłem w fotelu. Upiłem łyk doskonałego trunku, który już nieco stracił odpowiednią temperaturę. Mario odłożył gazetę i popatrzył na mnie.

– Za czasów twojego ojca oni by nas wszystkich zastrzelili.

Westchnąłem, przewracając oczami, i z irytacją stuknąłem szkłem o blat.

– Za czasów mojego ojca handlowalibyśmy nielegalnie alkoholem i narkotykami, a nie prowadzili największe spółki w Europie. – Oparłem się o fotel i wbiłem gniewny wzrok w mojego consigliere. – Jestem głową rodziny Toriccellich i to nie jest przypadek, tylko przemyślana decyzja mojego ojca. Niemal od dziecka byłem przygotowywany do tego, by rodzina weszła w nową erę, gdy obejmę władzę – westchnąłem i rozluźniłem się nieco, kiedy stewardesa niemal niepostrzeżenie przemknęła koło nas. – Mario, wiem, że lubiłeś się strzelać. – Starszy mężczyzna, którym był mój doradca, uśmiechnął się lekko.

– Niebawem postrzelamy. – Popatrzyłem na niego poważnie. – Domenico – teraz zwróciłem się do brata, który zerknął na mnie. – Niech twoi ludzie zaczną już szukać tej kurwy Alfreda. – Wróciłem wzrokiem do Maria. – Chcesz strzelanki? No ta cię raczej nie ominie.

Upiłem kolejny łyk.

Słońce nad Sycylią zachodziło, gdy wreszcie wylądowaliśmy na lotnisku w Katanii. Włożyłem marynarkę i ruszyliśmy w stronę wyjścia z terminalu. Wyciągnąłem ciemne okulary i poczułem uderzenie gorącego powietrza. Zerknąłem na Etnę – dzisiaj widać ją było w całej okazałości.

Turyściaki mają radochę, pomyślałem i wszedłem do klimatyzowanego budynku.

– Ludzie z Aruby chcą się spotkać w sprawie, o której rozmawialiśmy wcześniej – zaczął Domenico, idąc obok mnie. – Musimy zająć się też klubami w Palermo.

Słuchałem go uważnie, układając w głowie spis spraw, które muszę jeszcze dziś załatwić. Nagle, mimo że miałem otwarte oczy, zrobiło się ciemno. I wtedy ją zobaczyłem. Mrugnąłem nerwowo kilka razy; wcześniej widywałem moją Panią tylko wtedy, kiedy to ja tego chciałem. Otworzyłem szeroko oczy i zniknęła. Czyżby mój stan się pogorszył, a halucynacje nasiliły? Muszę iść na wizytę do tego kretyna, żeby zrobił mi badania. Ale to później, teraz czas, by do końca załatwić sprawę kontenera kokainy, który mi zginął. Choć „zginął" nie było w tej sytuacji najtrafniejszym określeniem. Dochodziliśmy już do auta, kiedy znowu ją ujrzałem. Ja pierdolę, to niemożliwe. Wsiadłem do zaparkowanego samochodu i niemal wciągnąłem do środka Domenica, który otworzył drugą parę tylnych drzwi.

– To ona – wyszeptałem ze ściśniętym gardłem, pokazując na plecy dziewczyny, która szła chodnikiem, oddalając się od nas. – To ta dziewczyna.

W głowie mi dzwoniło, nie mogłem w to uwierzyć. A może mi się tylko przywidziało? Traciłem zmysły. Samochody ruszyły.

– Zwolnij – powiedział młody, kiedy zbliżaliśmy się do niej. O kurwa! – jęknął, kiedy zrównaliśmy się z nią.

Moje serce na sekundę zamarło. Dziewczyna patrzyła wprost na mnie, nie widząc nic przez niemal czarną szybę. Jej oczy, nos, usta, cała ona – była dokładnie taka, jak ją sobie wymyśliłem.

Chwyciłem za klamkę, ale brat mnie powstrzymał. Potężny łysy mężczyzna wołał moją Panią, a ona poszła w jego stronę.

– Nie teraz, Massimo.

Siedziałem jak sparaliżowany. Była tu, żyła, istniała. Mogłem ją mieć, dotknąć jej, zabrać i już na zawsze z nią być.

– Co ty robisz, do cholery?! – wrzasnąłem.

– Jest z ludźmi, nie wiemy kto to.

Auto przyspieszyło, a ja nadal nie mogłem oderwać wzroku od znikającej sylwetki mojej Pani.

– Już wysyłam za nią ludzi. Zanim dojedziemy do domu, będziesz wiedział, kim jest. Massimo! – Podniósł głos, gdy nie reagowałem. – Czekałeś tyle lat, to zaczekasz jeszcze kilka godzin.

Popatrzyłem na niego z taką furią i nienawiścią, jakbym miał go za chwilę zabić. Rozsądne resztki moich myśli przyznawały mu rację, ale cała reszta, której było zdecydowanie więcej, nie chciała go słuchać.

– Masz godzinę – warknąłem, gapiąc się bezmyślnie na siedzenie przed sobą. – Masz jebane sześćdziesiąt minut, by powiedzieć mi kto to.

Zaparkowaliśmy na podjeździe, a gdy wysiedliśmy z samochodu, podeszli do nas ludzie Domenica, wręczając mu kopertę. Podał ją mi, a ja bez słowa poszedłem w stronę biblioteki. Chciałem być sam, by móc uwierzyć, że to wszystko prawda.

Usiadłem za biurkiem i lekko drżącymi rękami oderwałem górną część koperty, wysypując jej zawartość na blat.

– Ja pierdolę! – Złapałem się za głowę, gdy zdjęcia – już nie obrazy malowane przez artystów, ale fotografie ukazały twarz mojej Pani. Miała imię, nazwisko, przeszłość i przyszłość, której nawet się nie spodziewała. Usłyszałem pukanie do drzwi. – Nie teraz! – krzyknąłem, nie odrywając wzroku od zdjęć i notatek. – Laura Biel – wyszeptałem, dotykając jej twarzy na kredowym papierze.

Po półgodzinie analizowania tego, co dostałem, usiadłem w fotelu i zacząłem się gapić na ścianę.

– Mogę? – zapytał Domenico, wsuwając głowę przez drzwi. Ponieważ nie reagowałem, wszedł i usiadł naprzeciwko.

– I co teraz?

– Sprowadzimy ją tu – odparłem beznamiętnie, przenosząc wzrok na młodego. Siedział, kiwając głową.

– Ale jak zamierzasz tego dokonać? – Popatrzył na mnie jak na idiotę, co mnie nieco zirytowało.

– Pojedziesz do hotelu i opowiesz jej, że kiedy umarłeś, miałeś wizje, a w nich... – Popatrzył w notatkę, która leżała przede mną.

A w nich ciebie, Lauro Biel, i teraz będziesz moja, dopowiedziałem w myślach.

– Porwę ją – zdecydowałem bez wahania. – Wyślij ludzi do mieszkania tego... – zawiesiłem się, szukając imienia jej chłopaka w notatkach – Martina. Niech dowiedzą się, kim on jest.

– Może lepiej poprosić Karla? Jest na miejscu – podsunął Domenico.

– Dobrze, niech ludzie Karla wykopią tyle, ile się da. Muszę znaleźć sposób, by ona pojawiła się tu jak najszybciej.

– Nie musisz szukać sposobu. – Spojrzałem w stronę drzwi, skąd dobiegł kobiecy głos. Domenico też się odwrócił.

– Tu jestem. – Uśmiechnięta Anna szła w naszym kierunku. Jej długie nogi w niebotycznie wysokich szpilkach sięgały nieba.

Kurwa, przekląłem w myślach. Zupełnie o niej zapomniałem.

– To ja was zostawię. – Domenico z głupim uśmiechem podniósł się i poszedł w stronę wyjścia. – Zajmę się tym, o czym mówiliśmy, a jutro to załatwimy do końca – dodał.

Blondynka podeszła do mnie. Nogą delikatnie rozdzieliła moje kolana. Pachniała jak zwykle obłędnie, połączeniem seksu i władzy. Podwinęła skąpą koktajlową sukienkę z czarnego jedwabiu i usiadła na mnie okrakiem, wciskając mi bez ostrzeżenia język do ust.

– Uderz mnie – poprosiła, gryząc moją wargę, a cipką ocierając się o rozporek garniturowych spodni. – Mocno!

Lizała i gryzła moje ucho, a ja patrzyłem na fotografie rozsypane na biurku. Ściągnąłem poluzowany wcześniej krawat i wstałem, zsuwając Annę na podłogę. Obróciłem ją i zawiązałem jej oczy. Uśmiechnęła się, oblizując dolną wargę. Wymacała ręką stół. Rozstawiła szeroko nogi i położyła się na dębowym blacie, mocno wypinając pupę. Była bez majtek. Podszedłem do niej od tyłu i wymierzyłem jej mocnego klapsa. Głośno krzyknęła i szeroko otworzyła usta. Widok zdjęć rozsypanych na stole i fakt, że Pani była na wyspie, sprawił, że mój kutas zrobił się twardy jak skała.

– O tak – warknąłem, pocierając jej wilgotną szparkę i nie spuszczając wzroku ze zdjęć Laury. Uniosłem ją za szyję i zgarnąłem wszystkie papiery, które przykryła swoim ciałem, po czym znowu położyłem ją na blacie, podnosząc jej ręce wysoko nad głowę. Ułożyłem fotografie tak, by patrzyły na mnie. Posiąść kobietę ze zdjęć – niczego nie pragnąłem w tej chwili bardziej.

Byłem gotów dojść w każdej chwili. Zdjąłem szybko spodnie. Wsadziłem w Annę dwa palce, a ona jęknęła, wiercąc się pode mną. Była wąska, mokra i niebywale gorąca. Zacząłem zataczać dłonią koła na jej łechtaczce, a ona jeszcze mocniej chwyciła się biurka, na którym leżała. Złapałem ją lewą ręką za kark, a prawą uderzyłem, odczuwając niewytłumaczalną ulgę. Kolejny raz popatrzyłem na zdjęcie i uderzyłem jeszcze mocniej. Moja dziewczyna krzyczała, a ja biłem ją, jakby to miało sprawić, że zamieni się w Laurę. Jej pośladek był niemal fioletowy. Pochyliłem się i zacząłem go lizać, był gorący i pulsował. Rozsunąłem jej pośladki i zacząłem jeździć językiem po jej słodkiej dziurce, a przed oczami miałem swoją Panią.

– Tak – jęknęła cicho.

Muszę mieć Laurę, muszę mieć ją całą, pomyślałem, wstając i nabijając Annę na siebie. Wygięła plecy w łuk i po chwili opadła na mokre od potu drewno. Pieprzyłem ją mocno, ciągle patrząc na Laurę. Już niedługo. Już za chwilę te czarne oczy będą patrzyły na mnie, kiedy uklęknie przede mną.

– Ty suko! – Zagryzłem zęby, czując, jak ciało Anny sztywnieje.

Mocno i natarczywie wciskałem się w nią, nie zwracając uwagi na to, że zalewa ją fala orgazmu. Nie obchodziło mnie to. Oczy Laury sprawiały, że nie miałem dość, a jednocześnie nie mogłem już dłużej wytrzymać. Musiałem poczuć więcej, mocniej. Wyciągnąłem kutasa z Anny i pewnym ruchem wsadziłem go w jej wąską dupkę. Z jej gardła wydobył się dziki krzyk bólu i rozkoszy, poczułem, jak cała zaciska się wokół mnie. Mój kutas eksplodował, a ja przed oczami miałem tylko swoją Panią.

8 godzin wcześniej

Dźwięk budzika dosłownie wdarł mi się do mózgu.

– Wstawaj, kochanie, już dziewiąta. Za godzinę musimy być na lotnisku, żeby po południu zacząć sycylijskie wakacje. Zbieraj się! – Martin z szerokim uśmiechem stał w progu sypialni.

Niechętnie otworzyłam oczy. Przecież jest środek nocy, co za barbarzyński pomysł, by latać o tej godzinie, pomyślałam. Odkąd kilka tygodni temu rzuciłam pracę, doba zupełnie straciła proporcje. Chodziłam spać zbyt późno, budziłam się zbyt późno, a najgorsze było to, że nic nie musiałam, a wszystko mogłam. Zbyt długo tkwiłam w bagnie hotelarstwa, a kiedy wreszcie doczekałam się upragnionej posady dyrektora sprzedaży, rzuciłam to wszystko, bo straciłam serce do pracy. Nigdy nie sądziłam, że w wieku dwudziestu dziewięciu lat powiem, że jestem wypalona, ale tak właśnie było.

Praca w hotelu dawała mi satysfakcję i spełnienie, pozwalała mojemu wybujałemu ego rosnąć. Zawsze kiedy negocjowałam duże kontrakty, czułam dreszcz podniecenia, a kiedy negocjowałam je ze starszymi i bardziej biegłymi w sztuce manipulacji osobami, szalałam ze szczęścia, szczególnie gdy wygrywałam. Każde zwycięstwo w bojach finansowych dawało mi poczucie wyższości i zaspokajało próżną stronę mojego charakteru. Ktoś może powiedzieć, że to głupie, ale dla dziewczyny z niewielkiego miasta, która nie skończyła studiów, udowodnienie wszystkim wokół, ile znaczy, było sprawą priorytetową.

– Laura, chcesz kakao czy herbatę z mlekiem?

– Martin, błagam! Jest środek nocy! – Przekręciłam się na drugi bok i przykryłam głowę poduszką.

Do sypialni wpadało jasne sierpniowe słońce. Martin nie lubił ciemności, dlatego nawet w oknach sypialni nie było zaciemniających rolet. Twierdził, że mrok powoduje u niego stany depresyjne, o które było łatwiej niż o kawę w Starbucksie. Okna znajdowały się od wschodniej strony i jak na złość słońce co rano przeszkadzało mi w spaniu.

– Zrobiłem kakao i herbatę z mlekiem. – Zadowolony z siebie Martin stanął w drzwiach sypialni ze szklanką zimnego napoju i kubkiem gorącego. – Na dworze jest jakieś sto stopni, więc sądzę, że wybierzesz zimne – powiedział i podał mi szklankę, podnosząc kołdrę.

Wkurzona wychyliłam się ze swojej jamki. Wiedziałam, że i tak mnie to nie minie. Martin stał uśmiechnięty; już tak miał, że rano rozpierała go energia. Był potężnym mężczyzną z łysą głową – to o takich w moim mieście mówiło się „karki”. Poza fizycznością nic go jednak nie łączyło z takimi facetami. Był najlepszym człowiekiem, jakiego poznałam w życiu, prowadził własną firmę, a za każdym razem, kiedy zarobił większe pieniądze, przelewał sporą kwotę na hospicjum dziecięce, mówiąc: „Bóg mi dał, więc się podzielę".

Miał niebieskie oczy, dobre i pełne ciepła, duży, złamany kiedyś nos – no cóż, nie zawsze był mądry i grzeczny, pełne usta, które uwielbiałam w nim najbardziej, i zachwycający uśmiech, którym potrafił w sekundę mnie rozbroić, gdy wpadłam w szał.

Jego ogromne przedramiona zdobiły tatuaże, w zasadzie wytatuowane miał całe ciało z wyjątkiem nóg. Był potężnym, ważącym ponad sto kilogramów mężczyzną, przy którym zawsze czułam się bezpiecznie. Wyglądałam przy nim groteskowo – ja i moje sto sześćdziesiąt pięć centymetrów wzrostu, pięćdziesiąt kilogramów wagi. Przez całe życie mama kazała mi uprawiać sport, więc trenowałam, co popadnie, a że na drugie miałam słomiany zapał, to przećwiczyłam chyba wszystko: od chodu sportowego do karate. Dzięki temu moja sylwetka, w przeciwieństwie do postury mojego mężczyzny, była bardzo fit, mój brzuch był twardy i płaski, nogi umięśnione, pośladki mocno napięte i odstające – symbol miliona przysiadów, które wykonały.

– Już wstaję – powiedziałam, duszkiem wypijając pyszne, zimne kakao.

Odstawiłam szklankę i ruszyłam w stronę łazienki. Kiedy stanęłam przed lustrem, uświadomiłam sobie, jak bardzo potrzebuję wakacji. Moje prawie czarne oczy były smutne i zrezygnowane, brak zajęcia jednak powodował apatię. Kasztanowe włosy spływały po mojej szczupłej twarzy i opadały na ramiona. W moim przypadku ich długość to był spory sukces, bo zwykle nie przekraczały piętnastu centymetrów. W normalnych okolicznościach uważałabym się za naprawdę niezłą laskę, ale niestety nie teraz. Byłam przytłoczona własnym postępowaniem, niechęcią do pracy, brakiem pomysłu na to co dalej. Moje życie zawodowe zawsze wpływało na moje poczucie wartości. Bez wizytówki w portfelu i służbowego telefonu miałam wrażenie, że nie istnieję.

Umyłam zęby, pospinałam spinkami włosy, pociągnęłam tuszem rzęsy i uznałam, że tylko na tyle mnie dziś stać. Zresztą było to wystarczające, gdyż jakiś czas temu, z powodu lenistwa, zrobiłam sobie makijaż permanentny brwi, oczu i ust, który zostawiał mi maksymalnie dużo czasu na sen, ograniczając poranne wizyty w łazience do minimum.

Ruszyłam do garderoby po przygotowane wczoraj ubranie. Niezależnie od nastroju i spraw, na które wpływu nie miałam, ubrana musiałam być zawsze tak doskonale, jak tylko było to możliwe. W odpowiednim stroju od razu lepiej się czułam i zdawało mi się, że było to widać.

Moja mama powtarzała mi, że kobieta nawet jak cierpi, powinna być piękna, a skoro moja twarz nie mogła być tak atrakcyjna jak zwykle, należało odwrócić od niej uwagę. Na podróż wybrałam krótkie szorty z jasnego dżinsu, białą luźną koszulkę i mimo że na dworze było trzydzieści stopni już o dziewiątej rano, lekką, bawełnianą marynarkę w kolorze szarego melanżu. Zawsze w samolocie marzłam i nawet jeśli wcześniej prawie się ugotuję, to przynajmniej w powietrzu poczuję się komfortowo, o ile ktoś, kto panicznie boi się latać, może czuć się tam komfortowo. Wsunęłam nogi w moje szaro-białe trampki na koturnach od Isabel Marant i już byłam gotowa.

Weszłam do salonu połączonego z kuchnią. Wnętrze było nowoczesne, zimne i surowe. Ściany wyłożono czarnym szkłem, bar podświetlały ledy, a zamiast stołu – jak w normalnych domach – był tylko blat z dwoma stołkami obitymi skórą. Ogromny szary narożnik stojący na środku sugerował, że właściciel nie należy do najmniejszych. Sypialnię dzieliło od salonu wielkie akwarium. Próżno było szukać w tym wnętrzu ręki kobiety. Idealnie pasowało do wiecznego singla, jakim był pan i władca tego domu.

Martin jak zawsze siedział z nosem w komputerze. Nie miało znaczenia, co robił: czy pracował, czy przyjmował kogoś albo zwyczajnie oglądał film w telewizji, jego komputer jako jego najlepszy przyjaciel zawsze był nieodłączną częścią jego jestestwa. Doprowadzało mnie to do szału, ale niestety od początku tak było, więc nie dawałam sobie prawa, aby to zmieniać. Nawet ja ponad rok temu znalazłam się w jego życiu dzięki temu urządzeniu, więc hipokryzją byłoby, gdybym nagle kazała mu z niego rezygnować.

To był luty, a ja, o dziwo, od ponad pół roku nie byłam w związku. Nudziło mnie to już, a może bardziej doskwierała mi samotność, postanowiłam zatem założyć profil na portalu randkowym, który dawał mi wiele radości i zdecydowanie podnosił i tak już wysoką samoocenę. Podczas jednej z bezsennych nocy, grzebiąc wśród profili setek mężczyzn, natknęłam się na Martina, który szukał kolejnej kobiety, by jednorazowo wypełniła jego świat. Zaskoczyło i tak oto drobna dziewczynka poskromiła wytatuowanego potwora. Nasz związek był niestandardowy, gdyż oboje mieliśmy bardzo silne i wybuchowe charaktery, oboje także dysponowaliśmy intelektem i dużą wiedzą w dziedzinach naszych zawodów. To nas wzajemnie przyciągało, intrygowało i imponowało nam. Jedyne, czego w tym związku brakowało, to zwierzęcy pociąg, przyciąganie i namiętność, która nigdy między nami nie wybuchła. Jak to eufemistycznie kiedyś określił Martin: „on się już w swoim życiu naruchał". Ja natomiast byłam kipiącym wulkanem seksualnej energii, której uwolnienie znajdowałam w niemal codziennej masturbacji. Ale było mi z nim dobrze, czułam się bezpieczna i spokojna, a to stanowiło dla mnie większą wartość niż seks. A przynajmniej tak sądziłam.

– Kochanie, jestem gotowa, muszę tylko jakimś cudem zamknąć walizkę i możemy jechać.

Martin ze śmiechem podniósł się znad komputera, zapakował go do torby i ruszył w kierunku mojego bagażu.

– Jakoś sobie z tym poradzę, dziecinko – powiedział, ściskając walizkę, w której spokojnie mogłam zmieścić się ja sama. – Za każdym razem powtórka: nadbagaż, trzydzieści par butów i bezsensowne wożenie połowy szafy, podczas gdy użyjesz może dziesięciu procent tego, co zabrałaś.

Skrzywiłam się i zaplotłam ręce na piersiach.

– Ale mam wybór! – przypomniałam, wkładając na nos okulary.

Na lotnisku jak zawsze czułam niezdrową ekscytację, a raczej strach, gdyż z uwagi na swoją klaustrofobię nienawidziłam latać. Poza tym odziedziczyłam po mamie czarnowidztwo, więc wszędzie wyczuwałam czyhającą na mnie śmierć, a latająca puszka z silnikami nigdy nie wzbudzała mojego zaufania.

W jasnym holu terminala odlotów czekali już na nas przyjaciele Martina, którzy wybrali kierunek naszych wakacji. Karolina i Michał byli parą od wielu lat, myśleli o ślubie, ale na myśleniu się kończyło. On był typem podrywacza gawędziarza, krótko ostrzyżony, opalony, dość przystojny facet z niebieskimi oczami i jasnymi blond włosami. Interesowały go wyłącznie kobiece piersi, z czym zupełnie się nie krył. Ona natomiast była wysoką, długonogą brunetką o delikatnych dziewczęcych rysach. Na pierwszy rzut oka nic szczególnego, ale kiedy poświęciło się jej więcej uwagi, okazywała się bardzo interesująca. Skutecznie ignorowała samcze zapędy Michała. Zastanawiałam się, jak to robi. Ja ze swoją zaborczością nie dałabym rady z facetem, którego głowa na widok kobiet obraca się jak peryskop łodzi podwodnej w poszukiwaniu wroga. Łyknęłam dwie tabletki uspokajające, by na pokładzie nie wpaść w panikę i nie narobić sobie obciachu.

Międzylądowanie mieliśmy w Rzymie. Tam godzinny postój i już bezpośredni, dzięki Bogu tylko godzinny, lot na Sycylię. Ostatni raz byłam we Włoszech, kiedy miałam szesnaście lat, i od tego momentu nie miałam najlepszej opinii o ludziach, którzy tam mieszkali. Włosi byli głośni, natarczywi i nie mówili po angielsku. Dla mnie natomiast angielski był jak język ojczysty. Po tylu latach spędzonych w sieciowych hotelach czasem nawet myślałam po angielsku.

Kiedy wreszcie wylądowaliśmy na lotnisku w Katanii, słońce już zachodziło. Facet z wypożyczalni samochodów zdecydowanie zbyt długo obsługiwał klientów, utknęliśmy w kolejce na godzinę. Podenerwowanie głodnego Martina dawało mi się we znaki, więc postanowiłam porozglądać się po okolicy, w której niewiele było do oglądania. Wyszłam z klimatyzowanego budynku i poczułam obezwładniający upał. W oddali widać było dymiącą

Etnę. Ten widok mnie zaskoczył, mimo że wiedziałam, iż ten wulkan jest aktywny. Idąc z zadartą do góry głową, nie zauważyłam, że chodnik się kończy, i zanim się zorientowałam, wyrósł przede mną ogromny Włoch, o którego prawie się potknęłam. Stanęłam jak wryta pięć centymetrów od pleców mężczyzny, a ten nawet nie drgnął, jakby zupełnie nie zauważył, że niemal wylądowałam mu na plecach. Z budynku lotniska pospiesznie wychodzili faceci w ciemnych garniturach, a ten wyglądał, jakby ich eskortował. Nie czekałam, aż przejdą, tylko odwróciłam się na pięcie i ruszyłam z powrotem w stronę wypożyczalni, modląc się, aby samochód był już gotowy. Kiedy dochodziłam do budynku, przemknęły obok mnie trzy czarne SUV-y, środkowy jakby zwolnił, mijając mnie, ale przez czarne szyby nie dało się zajrzeć do środka.

– Laura! – usłyszałam krzyk Martina, który trzymał w ręku kluczyki do auta. – Gdzie ty łazisz, jedziemy!

Hilton Giardini Naxos przywitał nas wielkim wazonem w kształcie głowy, w którym stały ogromne białe i różowe lilie. Ich zapach unosił się w imponującym holu bogato zdobionym złotem.

– No grubo, kochanie. – Odwróciłam się z uśmiechem do Martina. – Taki trochę Ludwik XVI. Ciekawe, czy w pokoju będzie wanna z lwimi łapami.

Wszyscy wybuchliśmy śmiechem, bo chyba cała nasza czwórka miała identyczne odczucia. Hotel nie był tak luksusowy, jak powinien, należąc do sieci Hilton. Miał wiele niedociągnięć, które moje wprawne oko specjalisty od razu wychwyciło.

– Ważne, żeby było wygodne łóżko, wódka i pogoda – dodał Michał. – Reszta nie jest istotna.

– No tak, zapomniałam, że to kolejny patologiczny wyjazd, czuję się pokrzywdzona, że nie jestem alkoholikiem jak wy – odezwałam się ze sztucznie skwaszoną miną. – Jestem głodna, ostatni raz jadłam w Warszawie. Możemy się pospieszyć i ruszyć w miasto na kolację? Już czuję w ustach smak pizzy i wina.

– Powiedziała niealkoholiczka uzależniona od wina i szampana – kąśliwie rzucił Martin, obejmując mnie ramieniem.

Ogarnięci podobnie silnym głodem wyjątkowo szybko rozpakowaliśmy walizki i już po piętnastu minutach zwarliśmy szyki na korytarzu między naszymi pokojami.

Niestety, mając tak mało czasu, nie byłam w stanie odpowiednio się przygotowywać do wyjścia, ale już idąc do pokoju, przeczesywałam w myślach zawartość walizki. Moje myśli krążyły wokół rzeczy najmniej pomiętych po podróży. Padło na czarną długą sukienkę z metalowym krzyżem na plecach, do tego czarne japonki, skórzana torba z frędzlami w tym samym kolorze, złoty zegarek i ogromne złote koła do uszu. W pośpiechu obrysowałam oczy czarną kredką, dołożyłam trochę tuszu na rzęsy, poprawiając to, co jeszcze na nich pozostało po podróży, i lekko przypudrowałam twarz. Wychodząc, chwyciłam błyszczyk ze złotymi drobinkami i ruchem „na pamięć bez lusterka" obrysowałam wargi.

Karolina i Michał ze zdziwieniem popatrzyli na mnie na korytarzu. Byli dokładnie w tych samych strojach, w których podróżowali.

– Laura, powiedz, jak to możliwe, że ty zdążyłaś się przebrać, pomalować i wyglądasz, jakbyś cały dzień szykowała się do tego wyjścia? – wymamrotała Karolina w drodze do windy.

– Cóż... – Wzruszyłam ramionami. – Wy macie talent to picia wódki, a ja potrafię szykować się w myślach cały dzień, by w realne piętnaście minut być gotowa.

– Dobra, skończcie pieprzyć i chodźmy się napić – zagrzmiał stanowczym tonem Martin.

Całą czwórką ruszyliśmy przez lobby hotelowe do wyjścia.

Giardini Naxos nocą było piękne i malownicze. Wąskie uliczki tętniły życiem i muzyką, byli i młodzi ludzie, i matki z dziećmi. Sycylia dopiero nocą zaczynała żyć, ponieważ w ciągu dnia upał był nie do wytrzymania. Dotarliśmy do portowej i najbardziej zaludnionej o tej porze części miasta. Wzdłuż promenady ciągnęły się dziesiątki restauracji, barów i kafejek.

– Zaraz umrę z głodu, przewrócę się tu i już nie wstanę – powiedziała Karolina.

– A mnie zabije brak alkoholu we krwi. Popatrzcie na to miejsce, będzie dla nas idealne. – Michał wskazał palcem restaurację na plaży.

Tortuga była elegancką restauracją z białymi fotelami, sofami w tym samym kolorze i szklanymi stołami. Wszędzie paliły się świece, a dachem były ogromne, jasne płachty żeglarskiego płótna, które falując na wietrze, sprawiały wrażenie, jakby cała knajpka unosiła się w powietrzu. Boksy, w których ustawiono stoliki, oddzielały od siebie grube drewniane bele, do których przymocowana była konstrukcja prowizorycznego, płóciennego dachu. Miejsce lekkie, świeże i magiczne. Mimo dość wysokich cen tętniące życiem. Martin skinął ręką na kelnera i już po chwili dzięki kilku euro siedzieliśmy wygodnie na sofach, wertując menu. Ja i moja sukienka nie wtopiłyśmy się w otoczenie. Odnosiłam wrażenie, że wszyscy patrzą wyłącznie na mnie, bo pośród całej tej bieli świeciłam jak czarna żarówka.

– Czuję się obserwowana, ale kto mógł wiedzieć, że będziemy jedli w dzbanku mleka – wyszeptałam do Martina z głupim, przepraszającym uśmiechem.

Rozejrzał się badawczo dokoła, pochylił się do mnie i wyszeptał:

– Masz manię prześladowczą, dziecinko, poza tym wyglądasz zachwycająco, więc niech się gapią.

Popatrzyłam raz jeszcze, niby nikt nie zwracał na mnie uwagi, ale czułam się, jakby ciągle ktoś mnie obserwował. Odepchnęłam od siebie kolejną chorobę psychiczną odziedziczoną po mamie, odnalazłam w karcie swoją ulubioną ośmiornicę z grilla, dodałam do tego różowe prosecco i już byłam gotowa do zamawiania. Kelner, mimo że był Sycylijczykiem, był także Włochem, co oznaczało, że nie możemy się spodziewać demona prędkości i chwilę tu poczekamy, zanim zdecyduje się do nas podejść, aby zebrać zamówienie.

– Muszę do toalety – poinformowałam, rozglądając się na boki.

W rogu obok pięknego, drewnianego baru znajdowały się małe drzwi, więc udałam się w ich kierunku. Przeszłam przez nie, ale niestety za nimi był jedynie zmywak. Odwróciłam się, by zawrócić, i wtedy z impetem uderzyłam o stojącą przede mną postać. Jęknęłam, kiedy moja głowa zderzyła się z twardym męskim torsem. Skrzywiona, masując czoło, podniosłam wzrok. Przede mną stał wysoki, przystojny Włoch. Czy ja go już gdzieś nie widziałam? Jego lodowate spojrzenie przeszywało mnie na wylot. Nie byłam w stanie się ruszyć, kiedy tak patrzył na mnie prawie zupełnie czarnymi oczami. Było w nim coś, co przerażało mnie tak, że w sekundę wrosłam w ziemię.

– Chyba się zgubiłaś – powiedział piękną, płynną angielszczyzną z brytyjskim akcentem. – Jeśli powiesz mi, czego szukasz, pomogę ci.

Uśmiechnął się do mnie białymi równymi zębami, położył mi rękę między łopatkami, dotykając mojej nagiej skóry, i odprowadził mnie do drzwi, przez które tu trafiłam. Kiedy poczułam jego dotyk, przez moje ciało przeszedł dreszcz, co nie ułatwiało mi chodzenia. Byłam tak oszołomiona, że mimo usilnych starań nie potrafiłam wykrztusić z siebie ani słowa po angielsku. Uśmiechnęłam się jedynie, a raczej skrzywiłam się, i ruszyłam w stronę Martina, ponieważ z tych emocji już całkowicie zapomniałam, po co wstałam z sofy. Kiedy dotarłam do stolika, towarzystwo w najlepsze wlewało w siebie alkohol – pierwszą kolejkę wypili i już zamawiali kolejną. Opadłam na sofę, chwyciłam do ręki kieliszek prosecco i opróżniłam go jednym łykiem. W międzyczasie, nie odrywając go od ust, dałam kelnerowi wyraźny znak, że potrzebuję dolewki.

Martin popatrzył na mnie z rozbawieniem.

– Menel! A podobno to ja mam kłopot z alkoholem.

– Jakoś wyjątkowo zachciało mi się pić – odpowiedziałam lekko zamroczona zbyt szybko wypitym trunkiem.

– W toalecie chyba się dzieją jakieś czary, skoro wizyta tam tak na ciebie zadziałała, mój patolu.

Na te słowa rozejrzałam się nerwowo w poszukiwaniu Włocha, który sprawił, że moje kolana trzęsły się jak wtedy, kiedy pierwszy raz prowadziłam motocykl po odebraniu prawa jazdy kategorii A. Łatwo byłoby odszukać go pośród bieli, gdyż był ubrany jak ja, zupełnie nie pasując do otoczenia. Czarne, luźne płócienne spodnie, czarna koszula, spod której wystawał drewniany różaniec, i mokasyny bez sznurowadeł w tym samym kolorze. Mimo że widziałam go tylko przez chwilę, dokładnie zapamiętałam ten widok.

– Laura! – Z poszukiwań wyrwał mnie głos Michała. – Nie taksuj tych wszystkich ludzi wzrokiem, tylko pij.

Nawet nie zauważyłam, że na stole pojawił się kolejny kieliszek musującego trunku. Postanowiłam powoli sączyć różowy płyn, mimo że miałam ochotę wlać go w siebie tak jak poprzedni kieliszek, gdyż drżenie nóg nadal nie ustawało. Podano nam jedzenie, na które łakomie się rzuciliśmy. Ośmiornica była idealna; dodatek stanowiły jedynie słodkie pomidory. Martin zajadał się gigantycznym kalmarem, wprawnie pociętym i rozrzuconym po talerzu w towarzystwie czosnku i kolendry.

– Cholera jasna! – wrzasnął Martin, zrywając się z białej kanapy. – Wiecie, która jest godzina? Już po dwunastej, a zatem, Lauro! „Sto lat, sto lat...”. – Pozostała dwójka też poderwała się z miejsc i zaczęli wesoło, głośno i bardzo w polskim stylu wyśpiewywać mi urodzinową pieśń. Goście restauracji patrzyli na nich z zaciekawieniem, po czym dołączyli do chóru, śpiewając po włosku. W restauracji rozległy się gromkie brawa, a ja miałam ochotę zapaść się pod ziemię. Była to jedna z najbardziej znienawidzonych przeze mnie piosenek. Nie ma chyba nikogo, kto by ją lubił, prawdopodobnie dlatego, że nikt nie wie, co robić, kiedy trwa – śpiewać, klaskać, uśmiechać się do wszystkich? Każde rozwiązanie jest złe i za każdym razem człowiek wygląda jak kompletny idiota. Ze sztucznym alkoholowym uśmiechem podniosłam się z kanapy i pomachałam do wszystkich, zginając się wpół i dziękując za życzenia.

– Musiałeś mi to zrobić, co? – warknęłam z uśmiechem do Martina. – Przypominanie mi, że jestem stara, to nic miłego. Poza tym czy musieli brać w tym udział ci wszyscy ludzie?

– No cóż, kochanie, prawda w oczy kole. W ramach zadośćuczynienia i rozpoczęcia naszej dzisiejszej fety zamówiłem twój ulubiony trunek. – Kiedy skończył mówić, pojawił się kelner, trzymając kubełek z szampanem Moët & Chandon Rosé i cztery kieliszki.

– Uwielbiam! – krzyknęłam, podskakując na kanapie i klaszcząc rękami jak mała dziewczynka.

Moja radość nie umknęła uwadze kelnera, który uśmiechnął się do mnie, pozostawiając na stole cooler z na wpół rozlaną już butelką.

– A zatem na zdrowie! – powiedziała Karolina, unosząc swój kieliszek. – Za ciebie, żebyś znalazła to, czego szukasz, miała to, czego chcesz, i była tam, gdzie sobie zamarzysz. Sto lat!

Stuknęliśmy się kieliszkami i wychyliliśmy je do dna. Po skończeniu butelki już naprawdę musiałam iść do toalety – tym razem postanowiłam odszukać ją z pomocą obsługi. Kelner wskazał mi kierunek, w którym miałam podążać. Po godzinie dwunastej restauracja zamieniała się w nocny klub, kolorowe oświetlenie zupełnie zmieniło charakter tego miejsca. Białe, eleganckie i niemal sterylne wcześniej wnętrze eksplodowało barwami. Nagle biel nabrała zupełnie innego sensu, brak koloru powodował, że światło mogło nadać salom każdą barwę. Przedzierałam się przez tłum w stronę toalety, kiedy kolejny raz ogarnęło mnie to dziwne uczucie, że jestem obserwowana. Stanęłam i badawczo przyjrzałam się otoczeniu. Na podwyższeniu, oparty o belkę jednego z boksów, stał ubrany na czarno mężczyzna i kolejny raz mroził mnie spojrzeniem. Spokojnie i bez emocji taksował mnie wzrokiem od kostek aż po czubek głowy. Wyglądał jak typowy Włoch, choć był najmniej typowym mężczyzną, jakiego w życiu widziałam. Czarne włosy opadały mu niesfornie na czoło, twarz zdobił kilkudniowy, wypielęgnowany zarost, jego usta były pełne i wyraźnie zarysowane – jakby stworzone do tego, by dawać nimi rozkosz kobiecie. Wzrok miał zimny i przenikliwy, jak u dzikiego zwierzęcia, które szykuje się do ataku. Dopiero widząc go z oddali, uzmysłowiłam sobie, że był dość wysoki. Zdecydowanie przewyższał kobiety, które stały nieopodal, więc musiał mieć około stu dziewięćdziesięciu centymetrów. Nie wiem, jak długo patrzyliśmy na siebie; miałam wrażenie, że czas się zatrzymał. Z osłupienia wyrwał mnie mężczyzna, który szturchnął mój bark, przechodząc obok. Ponieważ od tego wpatrywania się zesztywniałam jak deska, zakręciłam się tylko na jednej nodze i padłam na ziemię.

– Nic ci nie jest? – zapytał Czarny, który wyrósł koło mnie jak duch. – Gdyby nie to, iż widziałem, że tym razem to nie ty go potrąciłaś, sądziłbym, że wpadanie na obcych mężczyzn to twój sposób na zwrócenie na siebie uwagi.

Złapał mnie mocno za łokieć i podniósł do góry. Był zaskakująco silny, zrobił to z taką łatwością, jakbym nic nie ważyła. Tym razem zebrałam się w sobie, a buzujący we krwi alkohol dodał mi odwagi.

– A ty zawsze robisz za ścianę lub dźwig? – odburknęłam, starając się posłać mu najbardziej lodowate spojrzenie, jakie udało mi się przygotować.

Odsunął się ode mnie i nadal nie spuszczając ze mnie wzroku, oglądał mnie całą, jakby nie mógł uwierzyć, że jestem prawdziwa.

– Patrzysz na mnie cały wieczór, prawda? – zapytałam poirytowana. Miewam manie prześladowcze, ale przeczucie nigdy mnie nie zawodzi.

Mężczyzna uśmiechnął się, jakbym sobie z niego kpiła.

– Patrzę na klub – odparł. – Kontroluję obsługę, sprawdzam zadowolenie gości, szukam kobiet, które potrzebują ściany albo dźwigu.

Jego odpowiedź rozbawiła mnie i zmieszała zarazem.

– A więc dziękuję za bycie dźwigiem i życzę udanego wieczoru. – Rzuciłam mu prowokujące spojrzenie i ruszyłam w stronę toalety. Kiedy został z tyłu, odetchnęłam z ulgą. Przynajmniej tym razem nie wyszłam na kompletną kretynkę i byłam w stanie się odezwać.

– Do zobaczenia, Lauro – usłyszałam za plecami.

Kiedy się odwróciłam, był za mną już tylko rozbawiony tłum, Czarny zniknął.

Skąd znał moje imię? Czy słyszał nasze rozmowy? Nie mógł być aż tak blisko, zobaczyłabym go, wyczułabym. Karolina chwyciła mnie za rękę.

– Chodź, bo w życiu nie dotrzesz do tej toalety, a my utkniemy tu na zawsze.

Kiedy wróciłyśmy do stolika, na szklanym blacie stała kolejna butelka moëta.

– No proszę, kochanie, widzę, że dziś mamy urodziny na bogato – rzuciłam ze śmiechem.

– Myślałem, że ty to zamówiłaś – powiedział zdziwiony Martin. – Ja już zapłaciłem i chcieliśmy iść dalej.

Rozejrzałam się po klubie. Wiedziałam, że butelka nie jest tu przypadkiem, a on wciąż patrzy.

– To prawdopodobnie prezent od restauracji. Po takim chóralnym *Sto lat* pewnie nie mogli postąpić inaczej – zaśmiała się Karolina. – Skoro już tu jest, napijmy się.

Do końca butelki niespokojnie wierciłam się na kanapie, zastanawiając się, kim był mężczyzna ubrany na czarno, dlaczego tak na mnie patrzył i jakim cudem znał moje imię.

Resztę wieczoru spędziliśmy na pielgrzymce od klubu do klubu. Do hotelu wróciliśmy, kiedy już świtało.

Obudził mnie potworny ból głowy. No tak... Moët. Uwielbiam szampana, ale kac po nim dosłownie rozsadza czaszkę. Kto normalny się nim upija? Resztką sił zwlekłam się z łóżka i dotarłam do łazienki. W kosmetyczce odszukałam tabletki przeciwbólowe, połknęłam trzy i wróciłam pod kołdrę. Kiedy ocknęłam się po paru godzinach, Martina nie było obok, ból głowy minął, a zza otwartego okna dobiegały dźwięki zabawy na basenie. Mam wakacje, więc muszę wstać i się opalić. Zmobilizowana tą myślą wzięłam szybki prysznic, wskoczyłam w kostium i już po półgodzinie byłam gotowa na plażowanie.

Michał i Karolina sączyli butelkę zimnego wina, wylegując się nad basenem.

– Lekarstwo – powiedział Michał, podając mi plastikowy kieliszek. – Sorry, że z plastiku, ale sama wiesz, regulamin.

Wino było pyszne, zimne i mokre, więc duszkiem opróżniłam kieliszek.

– Widzieliście Martina? Obudziłam się, a jego nie było.

– Pracuje w hotelowym lobby, w pokoju internet był zbyt słaby – wyjaśniła Karolina.

No tak – komputer najlepszy przyjaciel, praca – ulubiona kochanka, pomyślałam, kładąc się na leżaku. Resztę dnia spędziłam sama w towarzystwie obściskujących się narzeczonych. Co jakiś czas Michał przerywał to miłosne preludium stwierdzeniem: „Ale cycki!".

– Może zjemy lunch? – zapytał. – Pójdę po Martina, co to za wakacje, kiedy on ciągle siedzi i gapi się w monitor.

Wstał z leżaka, wrzucił na siebie koszulkę i ruszył w stronę wejścia do hotelu.

– Czasem mam go dość. – Odwróciłam się do Karoliny, a ona popatrzyła na mnie wielkimi oczami. – Nigdy nie będę najważniejsza. Ważniejsza niż praca, niż koledzy, niż przyjemności. Miewam wrażenie, że jest ze mną, bo nie ma nic lepszego do roboty i tak mu wygodnie. To trochę jak posiadanie psa – kiedy chcesz, głaszczesz go, kiedy masz ochotę, bawisz się z nim, ale kiedy nie masz chęci na jego towarzystwo, po prostu odganiasz go, bo przecież on jest dla ciebie, a nie ty dla niego. Martin częściej rozmawia z kolegami na Facebooku niż ze mną w domu, nie mówiąc już o łóżku.

Karolina przekręciła się na bok i wsparła się na łokciu.

– Wiesz, Laura, to już tak jest w związkach, że z czasem pożądanie zanika.

– Ale nie po półtora roku... ba, żeby po półtora. Czy ja jestem garbata? Czy ze mną jest coś nie tak? Czy to źle, że zwyczajnie chce mi się pieprzyć?

Karolina zerwała się ze śmiechem z leżaka i pociągnęła mnie za rękę.

– Chyba musimy się napić, bo nic nie zmienisz tym, że się zamartwiasz. Popatrz, gdzie jesteśmy! Jest bosko, a ty jesteś chuda i śliczna. Pamiętaj – jak nie ten, to inny. Chodź.

Zarzuciłam na siebie lekką kwiecistą tunikę, z chusty zamotałam turban, zakryłam oczy uwodzicielskimi okularami Ralpha Laurena i ruszyłam za Karoliną do baru w lobby. Moja towarzyszka poszła do pokoju zostawić torbę i zorientować się, jak sytuacja z lunchem, gdyż w lobby nie odnalazłyśmy naszych partnerów. Podeszłam do baru i skinęłam ręką na barmana. Poprosiłam o podanie dwóch kieliszków zimnego prosecco. O tak, zdecydowanie właśnie tego potrzebowałam.

– Tylko tyle? – usłyszałam męski głos za plecami. – Myślałem, że twoje podniebienie należy do moëta?

Odwróciłam się i zastygłam bez ruchu. Znowu stał przede mną. Dziś nie mogłam powiedzieć o nim, że był czarny. Miał na sobie lniane płócienne spodnie w kolorze złamanej bieli i jasną rozpiętą koszulę, która idealnie pasowała do jego opalonej skóry. Zsunął okulary z nosa i kolejny raz przeszył mnie lodowatym wzrokiem. Zwrócił się do barmana po włosku, który od momentu jego pojawienia się przy barze zupełnie mnie ignorował, stojąc na baczność i oczekując na zamówienie mojego prześladowcy. Schowana za ciemnymi okularami byłam tego dnia wyjątkowo odważna, wyjątkowo wściekła i wyjątkowo skacowana.

– Czemu odnoszę nieodparte wrażenie, że mnie śledzisz? – zapytałam, splatając ręce na piersiach. Podniósł prawą dłoń i powoli zsunął mi okulary, tak aby zobaczyć moje oczy. Poczułam, jakby ktoś zabrał mi tarczę, która była moją ochroną.

– To nie jest wrażenie – powiedział, patrząc mi głęboko w oczy. – Nie jest to także przypadek. Wszystkiego najlepszego z okazji dwudziestych dziewiątych urodzin, Lauro. Oby nadchodzący rok był najlepszym w twoim życiu – wyszeptał i delikatnie pocałował mnie w policzek.

Byłam tak skonfundowana, że nie mogłam wydobyć z gardła żadnych słów. Skąd wiedział, ile mam lat? I jak, do cholery, znalazł mnie na drugim końcu miasta? Z natłoku myśli wyrwał mnie głos barmana; odwróciłam się w jego stronę. Stawiał przede mną butelkę różowego moëta i małą kolorową babeczkę, na której szczycie zatknięta była zapalona świeczka.

– Jasna cholera! – Odwróciłam się do Czarnego, który dosłownie rozpłynął się w powietrzu.

– No ładnie – powiedziała Karolina, podchodząc do baru. – Miał być kieliszek prosecco, a skończyło się na butelce szampana.

Wzruszyłam ramionami i nerwowo przebiegłam wzrokiem hol w poszukiwaniu Czarnego, ale zapadł się pod ziemię. Wyjęłam z portfela kartę kredytową i podałam barmanowi. Łamaną angielszczyzną odmówił przyjęcia zapłaty, twierdząc, że rachunek już jest uregulowany. Karolina obdarzyła go promiennym uśmiechem, chwyciła cooler z butelką i ruszyła w stronę basenu. Zdmuchnęłam świeczkę, która wciąż paliła się na ciastku, i poszłam za nią. Byłam wkurzona, zdezorientowana i zaintrygowana. W mojej głowie kłębiły się różne scenariusze opisujące, kim był tajemniczy mężczyzna. Pierwszą rzeczą, jaką podpowiadał mi mózg, była teoria, że to zboczeniec-prześladowca. Nie do końca jednak zgadzała się z obrazkiem zachwycającego Włocha, który raczej ucieka od fanek, a nie je śledzi. Sadząc po butach i markowych ciuchach, które za każdym razem miał na sobie, nie był biedny. I wspominał coś o sprawdzaniu zadowolenia gości w restauracji. Więc kolejną naturalną teorią było, że jest menedżerem w lokalu, w którym byliśmy. Ale co robił w hotelu? Pokręciłam głową, jakbym chciała strzepnąć z niej nadmiar myśli, i sięgnęłam po kieliszek. Co mnie to w ogóle obchodzi?, pomyślałam, popijając łyk. To pewnie był absolutny przypadek, a ja ubzdurałam sobie coś.

Kiedy opróżniłyśmy butelkę, zjawili się nasi panowie. Byli w szampańskich humorach.

– To co, lunch? – zapytał z zadowoleniem Martin.

W głowie buzował mi wypity szampan, ten z dziś i ten z wczoraj. Wściekłam się z powodu jego beztroski i wypaliłam:

– Martin, kurwa! Są moje urodziny, a ty znikasz na cały dzień, nie obchodzi cię, co robię ani jak się czuję, a teraz zjawiasz się i jak gdyby nigdy nic pytasz o lunch? Mam dość! Dość tego, że zawsze jest tak, jak ty chcesz, że zawsze to ty mówisz, jak ma być, i że nigdy nie jestem najważniejsza, w żadnej sytuacji. A lunch to był parę godzin temu, teraz to już raczej czas na kolację!

Złapałam tunikę, torbę i niemalże biegiem rzuciłam się do drzwi hotelowego lobby. Przebiegłam przez hol i znalazłam się na ulicy. Czułam, jak w oczach wzbiera mi potok łez, który zaraz wypłynie. Włożyłam okulary i ruszyłam przed siebie.

Uliczki Giardini wyglądały malowniczo. Wzdłuż chodnika rosły drzewa obsypane kwiatami, budynki były piękne i zadbane. Niestety, w tym stanie ducha nie umiałam się cieszyć pięknem miejsca, w którym się znalazłam. Czułam się sama. W pewnym momencie zorientowałam się, że po moich policzkach płyną łzy, a ja prawie biegnę, szlochając – jakbym chciała przed czymś uciec.

Słońce robiło się już pomarańczowe, a ja wciąż szłam. Kiedy minęła mi pierwsza złość, poczułam, jak bardzo bolą mnie nogi. Moje klapki na koturnach, mimo że były piękne, nie nadawały się na maraton. W uliczce zobaczyłam małą, typową włoską kafejkę, która okazała się idealnym miejscem na odpoczynek, gdyż jedną z pozycji w menu było musujące wino. Usiadłam na dworze, patrząc na spokojną taflę morza. Starsza pani przyniosła mi kieliszek zamówionego trunku i powiedziała do mnie coś po włosku, gładząc moją dłoń. Boże, nawet nie rozumiejąc ani słowa, wiedziałam, że mówi o tym, jak beznadziejni potrafią być faceci i jak niewarci są naszych łez. Siedziałam tam i gapiłam się na morze, aż zrobiło się ciemno. Nie dałabym rady wstać z krzesła po takiej ilości wypitego alkoholu, ale w międzyczasie zjadłam doskonałą pizzę z czterema serami, która okazała się lepszą receptą na smutki niż musujące wino, a tiramisu w wykonaniu starszej pani było lepsze niż najlepszy szampan.

Poczułam się gotowa, by wrócić i stawić czoło temu, co zostawiłam za sobą, uciekając. Ruszyłam spokojnie w stronę hotelu. Uliczki, którymi szłam, były prawie bezludne, ponieważ znajdowały się w oddaleniu od głównego deptaku biegnącego wzdłuż morza. W pewnej chwili minęły mnie dwa SUV-y. Skojarzyłam, że już wcześniej, kiedy czekałam przed wypożyczalnią na lotnisku, widziałam podobne samochody.

Noc był upalna, ja pijana, moje urodziny się kończyły i generalnie wszystko było nie tak, jak powinno. Skręciłam, kiedy chodnik się skończył, i zorientowałam się, że nie wiem, gdzie jestem. Cholera, ja i moja orientacja. Rozejrzałam się i jedyne, co zobaczyłam, to oślepiające światła nadjeżdżających aut.

ROZDZIAŁ 2

Kiedy otworzyłam oczy, była noc. Spojrzałam na pokój i zorientowałam się, że nie mam pojęcia, gdzie jestem. Leżałam w ogromnym łóżku, oświetlanym jedynie światłem latarni. Bolała mnie głowa i chciało mi się wymiotować. Co, do cholery, się stało, gdzie ja jestem? Próbowałam wstać, ale byłam zupełnie bez sił, jakbym ważyła tonę, nawet moja głowa nie chciała się podnieść z poduszki. Zamknęłam oczy i ponownie zasnęłam.

Kiedy znowu się obudziłam, wciąż było ciemno. Nie wiem, ile spałam, może to była kolejna noc? Nigdzie nie było zegara, nie miałam torebki ani telefonu. Tym razem udało mi się podnieść z łóżka i usiąść na brzegu. Przez chwilę czekałam, aż przestanie kręcić mi się w głowie. Zauważyłam lampkę nocną przy łóżku. Kiedy jej światło zalało pokój, zorientowałam się, że miejsce, w którym się znajduję, prawdopodobnie jest dość stare i zupełnie mi nieznane.

Ramy okien były ogromne i bogato zdobione, naprzeciwko ciężkiego, drewnianego łóżka stał gigantyczny, kamienny kominek – podobne widywałam jedynie na filmach. Na suficie były stare belki, które idealnie komponowały się kolorem z ramami okiennymi. Pokój był ciepły, elegancki i bardzo włoski. Ruszyłam w stronę okna i po chwili wyszłam na balkon, z którego rozpościerał się widok na ogród zapierający dech w piersiach.

– Świetnie, że już pani nie śpi.

Na te słowa zamarłam, a serce podeszło mi do gardła. Odwróciłam się i zobaczyłam młodego Włocha. O tym, że nim był, niepodważalnie świadczył jego akcent, kiedy mówił po angielsku. Także jego wygląd zdecydowanie utwierdzał mnie w tym przekonaniu. Nie był bardzo wysoki – jak siedemdziesiąt procent Włochów, których widziałam. Miał długie, ciemne włosy spadające mu na ramiona, delikatne rysy twarzy i gigantyczne usta. Można powiedzieć, że był ślicznym chłopcem. Doskonale i nienagannie ubrany w elegancki garnitur wciąż wyglądał jak nastolatek. Choć ewidentnie ćwiczył, i to niemało, bo barki nieproporcjonalnie rozpierały jego sylwetkę.

– Gdzie i dlaczego tu jestem?! – rzuciłam z wściekłością, idąc w stronę mężczyzny.

– Proszę się odświeżyć. Wrócę po panią niebawem, wtedy wszystkiego się pani dowie – powiedział i zniknął, zamykając za sobą drzwi. Wyglądało to tak, jakby uciekł przede mną, podczas gdy to ja byłam przerażona sytuacją.

Próbowałam otworzyć drzwi, ale albo były zatrzaskowe, albo facet miał klucz i go użył. Zaklęłam pod nosem. Czułam się bezradna.

Obok kominka znajdowały się kolejne drzwi. Zapaliłam światło i moim oczom ukazała się zjawiskowa łazienka. Pośrodku stała ogromna wanna, w jednym rogu ustawiona była toaletka, obok niej wielka umywalka z lustrem, w drugim końcu zobaczyłam prysznic, pod którym z powodzeniem zmieściłaby się drużyna piłkarska. Nie miał brodzika ani ścian, jedynie szybę i podłogę z drobnej mozaiki. Łazienka była wielkości całego mieszkania Martina, w którym razem mieszkaliśmy. Martin... pewnie się martwi. A może nie, może cieszy się, że wreszcie nikt nie zawraca mu głowy swoją obecnością. Znowu ogarnęła mnie złość, tym razem połączona ze strachem wywołanym sytuacją, w której się znalazłam.

Stanęłam przed lustrem. Wyglądałam wyjątkowo dobrze, byłam opalona i chyba bardzo wyspana, bo sińce, które miałam ostatnio pod oczami, zniknęły. Nadal byłam ubrana w czarną tunikę i kostium kąpielowy, który miałam na sobie w swoje urodziny, gdy wybiegłam z hotelu. Jak mam niby się ogarnąć bez swoich rzeczy? Rozebrałam się i wzięłam prysznic, zgarnęłam z wieszaka gruby biały szlafrok i uznałam, że jestem odświeżona.

Kiedy zwiedzałam pokój, w którym się obudziłam, szukając wskazówki, gdzie mogę się znajdować, drzwi sypialni otworzyły się. Kolejny raz stanął w nich młody Włoch, który zamaszystym gestem wskazał mi drogę. Poszliśmy wzdłuż długiego korytarza udekorowanego wazonami z kwiatami. Dom pogrążony był w półmroku, oświetlały go jedynie latarnie, których światło wpadało przez liczne okna. Kluczyliśmy labiryntem korytarzy, aż mężczyzna podszedł do jednych drzwi i otworzył je. Kiedy przekroczyłam próg, zamknął mnie w środku, nie wchodząc ze mną. Pomieszczenie było chyba biblioteką, ściany pokrywały półki z książkami i obrazy w ciężkich drewnianych ramach. W centralnym miejscu palił się kolejny zachwycający kominek, dookoła którego ustawiono ciemnozielone miękkie kanapy z wieloma poduszkami w odcieniach złota. Przy jednym z foteli był stolik, na którym dostrzegłam cooler z szampanem. Wzdrygnęłam się na jego widok; po moich ostatnich szaleństwach alkohol nie był tym, czego potrzebowałam.

– Usiądź, proszę. Źle zareagowałaś na środek usypiający, nie wiedziałem, że masz kłopoty z sercem – usłyszałam męski głos i zobaczyłam postać stojącą na balkonie tyłem do mnie.

Nawet nie drgnęłam.

– Lauro, usiądź na fotelu. Kolejny raz nie poproszę, tylko posadzę cię siłą.

W głowie szumiała mi krew, słyszałam bicie swojego serca i wydawało mi się, że zaraz zemdleję. Przed oczami zaczęło mi się robić ciemno.

– Do cholery, czemu mnie nie słuchasz?

Postać z balkonu ruszyła w moim kierunku i zanim osunęłam się na podłogę, chwyciła mnie za ramiona. Mrugałam oczami, chcąc złapać ostrość. Poczułam, jak sadza mnie w fotelu i wkłada do ust kostkę lodu.

– Possij. Spałaś prawie dwa dni, lekarz podał ci kroplówki, żebyś się nie odwodniła, ale może chcieć ci się pić i masz prawo nie czuć się najlepiej.

Znałam ten głos i przede wszystkim ten charakterystyczny akcent.

Otworzyłam oczy i wtedy napotkałam to zimne, zwierzęce spojrzenie. Klęczał przede mną mężczyzna, którego widziałam w restauracji, w hotelu i... o Boże, na lotnisku. Ubrany był tak samo jak tego dnia, kiedy wylądowałam na Sycylii i wpadłam na plecy wielkiego ochroniarza. Miał na sobie czarny garnitur i czarną koszulę rozpiętą pod szyją. Był elegancki i bardzo wyniosły. Ze wściekłością wyplułam kostkę lodu prosto w jego twarz.

– Co ja tu, do cholery, robię? Kim ty jesteś i jakim prawem mnie tu więzisz?

Wytarł z twarzy resztki wody pozostawionej przez lód, podniósł z grubego dywanu zimną przezroczystą kostkę i cisnął nią w płonący kominek.

– Odpowiedz mi, kurwa! – wrzeszczałam wściekła do granic, zapominając, jak fatalnie się czułam jeszcze przed chwilą. Kiedy próbowałam wstać z fotela, złapał mnie mocno za barki i cisnął na miejsce.

– Powiedziałem, byś siedziała, nie uznaję nieposłuszeństwa i nie zamierzam go tolerować

– warknął, wisząc nade mną wsparty o podłokietniki.

Rozjuszona podniosłam dłoń i wymierzyłam mężczyźnie siarczysty policzek. Jego oczy zapłonęły dziką furią, a ja ze strachu aż zapadłam się w siedzisko. Powoli podniósł się, wyprostował i głośno wciągnął powietrze. Tak bardzo przestraszyłam się tego, co zrobiłam, że postanowiłam nie sprawdzać, gdzie leżą granice jego wytrzymałości. Ruszył w stronę kominka, stanął przodem do niego i oparł się obiema rękami o ścianę nad paleniskiem. Mijały kolejne sekundy, a on milczał. Gdyby nie fakt, że czułam się przez niego więziona, pewnie miałabym teraz wyrzuty sumienia, a moim przeprosinom nie byłoby końca, ale w obecnej sytuacji trudno było mi odczuwać coś innego niż złość.

– Lauro, jesteś taka nieposłuszna, aż dziwne, że nie jesteś Włoszką.

Odwrócił się, a jego oczy nadal płonęły. Postanowiłam nie odzywać się, w nadziei że dowiem się, co tu robię i jak długo jeszcze to potrwa.

Nagle drzwi otworzyły się i do pokoju wszedł ten sam młody Włoch, który mnie przyprowadził.

– Don Massimo... – powiedział.

Czarny rzucił w jego stronę ostrzegawcze spojrzenie, a mężczyzna nagle jakby zastygł. Podszedł do niego i stanął tak, że niemal stykali się policzkami. Zdecydowanie musiał się schylić, gdyż między nim a młodym Włochem było kilkanaście, a może kilkadziesiąt centymetrów różnicy.

Rozmowa odbywała się po włosku, była spokojna, a człowiek, który mnie tu uwięził, stał i słuchał. Odpowiedział jednym zdaniem i młody Włoch zniknął, zamykając za sobą drzwi. Czarny chodził po pokoju, a potem wyszedł na balkon. Oparł się obiema rękami o balustradę i powtarzał coś szeptem.

Don... Pomyślałam, że tak w *Ojcu Chrzestnym* zwracali się do Marlona Brando, grającego głowę rodziny mafijnej. Nagle wszystko zaczęło się składać w całość: ochrona, samochody z czarnymi szybami, ten dom, nieznoszenie sprzeciwu. Wydawało mi się, że cosa nostra to wymysł Francisa Forda Coppoli, a tymczasem znalazłam się w środku bardzo sycylijskiej historii.

– Massimo...? – powiedziałam cicho. – Czy tak mam się do ciebie zwracać, czy mam mówić don?

Mężczyzna odwrócił się i ruszył pewnym krokiem w moją stronę. Natłok myśli w mojej głowie powodował, że brakowało mi tchu. Strach zalewał moje ciało.

– Myślisz, że teraz wszystko rozumiesz? – zapytał, siadając na kanapie.

– Myślę, że teraz wiem, jak masz na imię.

Uśmiechnął się lekko i jakby się rozluźnił.

– Zdaję sobie sprawę, że oczekujesz wyjaśnień. Ale nie wiem, jak zareagujesz na to, co chcę ci powiedzieć, więc lepiej się napij.

Wstał i nalał dwa kieliszki szampana. Wziął jeden, podał mi, a z drugiego upił łyk i z powrotem usiadł na kanapie.

– Parę lat temu miałem, nazwijmy to, wypadek, postrzelono mnie kilka razy. To część ryzyka wynikająca z przynależności do rodziny, w której przyszedłem na świat. Kiedy leżałem, umierając, zobaczyłem... – Tu urwał i wstał z miejsca. Podszedł do kominka, postawił kieliszek i głośno westchnął. – To, co ci powiem, będzie tak niesamowite, że do dnia, kiedy zobaczyłem cię na lotnisku, nie sądziłem, że to prawda. Popatrz w górę na obraz, który wisi nad kominkiem.

Mój wzrok powędrował w miejsce, które wskazał. Zamarłam. Portret przedstawiał kobietę, a dokładnie moją twarz. Złapałam kieliszek i wychyliłam go do dna. Wzdrygnęłam się na smak alkoholu, ale zadziałał łagodząco, więc sięgnęłam po butelkę, żeby sobie dolać. Massimo kontynuował.

– Kiedy moje serce zatrzymało się, zobaczyłem... ciebie. Po wielu tygodniach w szpitalu odzyskałem przytomność, a później pełną sprawność. Kiedy tylko byłem w stanie przekazać obraz, który cały czas miałem przed oczami, wezwałem artystę, by namalował kobietę, którą wtedy zobaczyłem. Namalował ciebie.

Nie dało się ukryć, że na obrazie byłam ja. Ale jak to możliwe?

– Szukałem cię na całym świecie, choć szukanie to chyba zbyt wielkie słowo. Gdzieś we mnie była pewność, że któregoś dnia staniesz przede mną. I tak też się stało. Zobaczyłem cię na lotnisku, wychodzącą z terminalu. Byłem gotów złapać cię i już nigdy nie puścić, ale to by było zbyt ryzykowne. Od tego momentu moi ludzie mieli już na ciebie oko. Tortuga, restauracja, do której trafiłaś, należy do mnie, ale to nie ja, lecz los sprawił, że się tam znalazłaś. Kiedy już byłaś w środku, nie mogłem się oprzeć możliwości rozmowy z tobą, a potem kolejny raz zrządzenie losu sprawiło, że zjawiłaś się za drzwiami, za którymi nie powinnaś była być. Nie mogę powiedzieć, że opatrzność mi nie sprzyjała. Hotel, w którym mieszkałaś, też częściowo należy do mnie...

W tym momencie zrozumiałam, skąd szampan na naszym stoliku, skąd ciągłe poczucie bycia obserwowaną. Chciałam mu przerwać i zarzucić go milionem pytań, ale postanowiłam zaczekać, co będzie dalej.

– Ty także musisz do mnie należeć, Lauro.

Nie wytrzymałam.

– Ja nie należę do nikogo, nie jestem przedmiotem. Nie możesz tak po prostu mnie mieć. Porwać i liczyć na to, że już jestem twoja – warknęłam przez zęby.

– Wiem, dlatego dam ci szansę, byś mnie pokochała i została ze mną nie z przymusu, a dlatego, że zechcesz.

Parsknęłam histerycznym śmiechem. Uniosłam się spokojnie i powoli z fotela. Massimo nie oponował, gdy podeszłam do kominka, obracając w palcach kieliszek szampana. Przechyliłam go, wypiłam do końca i zwróciłam się w stronę mojego porywacza.

– Ty sobie ze mnie jaja robisz. – Zmrużyłam oczy, piorunując go nienawistnym spojrzeniem. – Mam faceta, który będzie mnie szukał, mam rodzinę, przyjaciół, mam swoje życie. I nie potrzebuję od ciebie szansy na miłość! – Ton mojego głosu był zdecydowanie podniesiony. – Więc uprzejmie cię proszę, wypuść mnie i pozwól mi wrócić do domu.

Massimo wstał i przeszedł w drugi koniec pokoju. Otworzył szafkę i wyjął z niej dwie duże koperty. Wrócił i stanął obok. Podszedł do mnie na tyle blisko, że czułam jego zapach, obezwładniające połączenie władzy, pieniędzy i wody toaletowej z bardzo ciężką korzenną nutą. Od tej mieszanki aż zakręciło mi się w głowie. Podał mi pierwszą kopertę i powiedział:

– Nim otworzysz, wyjaśnię ci, co jest w środku...

Nie czekałam, aż zacznie, odwróciłam się od niego i jednym ruchem oderwałam wierzch koperty, a na ziemię posypały się zdjęcia.

– O Boże.... – załkałam cicho i opadłam na podłogę, chowając twarz w dłoniach.

Serce mi się zacisnęło, a po policzkach zaczęły płynąć łzy. Na zdjęciach był Martin posuwający jakąś kobietę. Fotografie ewidentnie były robione z ukrycia i niestety bezsprzecznie przedstawiały mojego faceta.

– Lauro... – Massimo ukląkł obok mnie. – Za chwilę wyjaśnię ci, co widzisz, więc mnie posłuchaj. Kiedy powiem, byś coś zrobiła, a ty postąpisz inaczej, zawsze skończy się to dla ciebie gorzej, niż powinno. Zrozum to i przestań ze mną walczyć, bo w obecnej sytuacji jesteś na przegranej pozycji.

Podniosłam zamglone od płaczu oczy i spojrzałam na niego z taką nienawiścią, że aż odsunął się ode mnie. Byłam wściekła, zrozpaczona, rozerwana na strzępy i było mi wszystko jedno.

– Wiesz co? Odpierdol się! – Cisnęłam w niego kopertą i rzuciłam się do drzwi.

Massimo wciąż klęcząc, złapał mnie za nogę i pociągnął w swoją stronę. Przewróciłam się i uderzyłam plecami o ziemię. Czarny nic sobie z tego nie robił, przeciągnął mnie po dywanie, aż znalazłam się pod nim. Błyskawicznie puścił kostkę mojej prawej nogi, za którą ciągnął, i złapał moje ręce w nadgarstkach. Rzucałam się na wszystkie strony, usiłując się oswobodzić.

– Puść mnie, kurwa! – wrzeszczałam, szamocząc się.

W pewnym momencie, kiedy mnie szarpnął, przywołując do porządku, zza jego paska wypadła broń i uderzyła o podłogę. Na ten widok zamarłam, ale Massimo zdawał się zupełnie nie zwracać na to uwagi, nie odrywając ode mnie wzroku. Coraz mocniej zaciskał dłonie na moich nadgarstkach. W końcu przestałam z nim walczyć, leżałam bezbronna i zapłakana, a on przenikał mnie swoim zimnym wzrokiem. Spojrzał w dół na moje wpół nagie ciało; szlafrok, który je okrywał, podciągnął się dość wysoko do góry. Na ten widok zasyczał i przygryzł dolną wargę. Zbliżył usta do moich, aż przestałam oddychać – zdawało mi się, że chłonie mój zapach, a za chwilę przekona się, jak smakuję. Przeciągnął wargami po moim policzku i wyszeptał:

– Nic nie zrobię bez twojej zgody i chęci. Nawet jeśli będzie mi się wydawało, że ją mam, poczekam, aż mnie zechcesz, zapragniesz i sama do mnie przyjdziesz. Co nie znaczy, że nie mam ochoty wejść w ciebie bardzo głęboko i językiem zatamować twój krzyk.

Na te słowa, wypowiedziane tak cicho i spokojnie, zrobiło mi się gorąco.

– Nie wierć się i posłuchaj przez chwilę, czeka mnie dziś ciężka noc, ostatnie dni też nie były lekkie, a ty nie ułatwiasz mi zadania. Nie przywykłem do tego, że muszę tolerować nieposłuszeństwo, nie umiem być delikatny, ale nie chcę zrobić ci krzywdy. Więc albo za chwilę przywiążę cię do krzesła i zaknebluję ci usta, albo puszczę cię, a ty grzecznie wykonasz moje polecenia.

Jego ciało przywierało do mojego, czułam każdy mięsień tego niezwykle harmonijnie zbudowanego mężczyzny. Lewe kolano, które trzymał pomiędzy moimi nogami, podsunął w górę, gdy nie zareagowałam na jego słowa. Cicho jęknęłam, tłumiąc krzyk, kiedy wbiło się między moje uda, drażniąc wrażliwe miejsce, a plecy mimowolnie wygięłam w łuk, odwracając od niego głowę. Moje ciało zachowywało się tak jedynie w sytuacjach podniecenia, a ta mimo namacalnej agresji zdecydowanie taka była.

– Nie prowokuj mnie, Lauro – wysyczał przez zęby.

– Dobrze, będę spokojna, a teraz wstań ze mnie.

Massimo z gracją podniósł się z dywanu i odłożył broń na stół. Wziął mnie na ręce i posadził na fotelu.

– Tak zdecydowanie będzie nam łatwiej. A więc jeśli chodzi o zdjęcia... – rozpoczął. – W twoje urodziny byłem świadkiem sytuacji na basenie między tobą a twoim facetem. Kiedy wybiegłaś, wiedziałem, że to jest dzień, w którym sprowadzę cię do mojego życia. Po tym, jak twój mężczyzna nawet nie drgnął, kiedy wyszłaś z hotelu, wiedziałem, że nie jest ciebie wart i długo po tobie rozpaczać nie będzie. Kiedy zniknęłaś, twoi przyjaciele poszli zjeść, jak gdyby nigdy nic. Wtedy moi ludzie zabrali twoje rzeczy z pokoju i zostawili list, w którym pisałaś do Martina, że odchodzisz od niego, wracasz do Polski, wyprowadzasz się i znikasz z jego życia. Nie ma możliwości, by tego nie przeczytał, gdy wrócił do waszego apartamentu po posiłku. Wieczorem, gdy przechodzili obok recepcji wystrojeni i w szampańskich nastrojach, zagadnął ich człowiek z obsługi, polecając odwiedzić jeden z lepszych klubów na wyspie. Toro także należy do mnie i dzięki temu mogłem kontrolować sytuację. Gdy przejrzysz zdjęcia, zobaczysz na nich całą historię, którą właśnie usłyszałaś. To, co działo się w klubie... no cóż, pili, bawili się, aż Martin zainteresował się jedną z tancerek – resztę już widziałaś. Zdjęcia chyba mówią same za siebie.

Siedziałam i patrzyłam na niego z niedowierzaniem. W ciągu kilku godzin całe moje życie wywróciło się do góry nogami.

– Chcę wrócić do Polski, proszę pozwól mi znów być w domu.

Massimo wstał z kanapy i stanął przodem do tlącego się ognia, który już lekko przygasł, tworząc w pokoju ciepły półmrok. Oparł się jedną ręką o mur i powiedział coś po włosku. Złapał głęboki oddech, odwrócił się w moją stronę i odparł:

– Niestety, przez najbliższe trzysta sześćdziesiąt pięć dni nie będzie to możliwe. Chcę, żebyś mi poświęciła najbliższy rok. Postaram się zrobić wszystko, byś mnie pokochała, a jeśli za rok w twoje urodziny nic się nie zmieni, wypuszczę cię. To nie jest propozycja, tylko informacja, ja nie daję ci wyboru, tylko mówię, jak będzie.

Nie dotknę cię, nie zrobię niczego, czego nie będziesz chciała, nie zmuszę cię do niczego, nie zgwałcę cię, jeśli się tego boisz... Bo jeżeli faktycznie jesteś dla mnie aniołem, chcę okazać ci tyle szacunku, ile warte jest dla mnie własne życie. Wszystko w rezydencji będzie do twojej dyspozycji, dostaniesz ochronę, ale nie dla kontroli, lecz wyłącznie dla twojego bezpieczeństwa. Sama wybierzesz sobie ludzi, którzy będą cię chronić pod moją nieobecność. Będziesz miała dostęp do wszystkich posiadłości, nie zamierzam cię więzić, dlatego jeśli tylko będziesz chciała bawić się w klubach czy wychodzić, nie widzę problemu...

Przerwałam mu.

– Ty chyba teraz nie mówisz poważnie, co? Jak ja mam sobie tu spokojnie siedzieć? Co pomyślą moi rodzice? Nie znasz mojej matki, ona się zapłacze, kiedy jej oznajmią, że mnie porwano, poświęci resztę życia, by mnie znaleźć. Czy ty wiesz, co chcesz jej zrobić? Wolę, żebyś mnie zastrzelił teraz, niżbym miała się winić, jeśli coś jej się stanie przeze mnie. Jeśli tylko mnie wypuścisz z tego pokoju, ucieknę i już nigdy mnie nie zobaczysz. Nie mam zamiaru być własnością – twoją ani kogokolwiek innego.

Massimo zbliżył się do mnie, jakby wiedział, że zaraz kolejny raz stanie się coś niezbyt miłego. Wyciągnął rękę i podał mi drugą kopertę.

Trzymając ją w dłoniach, zastanawiałam się, czy mam otworzyć, czy będzie tak samo jak jeszcze chwilę temu. Badawczo obserwowałam twarz Czarnego. Patrzył na ogień, jakby czekał na moją reakcję na to, co kryło się w środku.

Rozerwałam kopertę i drżącymi rękami wyciągnęłam kolejne zdjęcia. Co, do cholery?, pomyślałam. Fotografie przedstawiały moją rodzinę: mamę z tatą i brata. W zwykłych sytuacjach, zrobione obok domu, na lunchu z przyjaciółmi, przez okno w sypialni, kiedy spali.

– Co to ma być?! – zapytałam zdezorientowana i wkurwiona do granic.

– To moja polisa gwarantująca mi, że nie uciekniesz. Nie zaryzykujesz bezpieczeństwa i życia swojej rodziny. Wiem, gdzie mieszkają, jak żyją i gdzie pracują, o której chodzą spać i co jadają na śniadanie. Nie zamierzam cię pilnować, bo wiem, że nie jestem w stanie robić tego, gdy mnie nie ma, nie będę cię więzić, wiązać ani zamykać. Jedyne, co mogę zrobić, to dać ci ultimatum: ty mi dasz rok – a twoja rodzina będzie bezpieczna i chroniona.

Siedziałam naprzeciwko niego i myślałam o tym, czy jestem w stanie go zabić. Na stoliku między nami leżał pistolet, a ja chciałam zrobić wszystko, by chronić swoją rodzinę. Złapałam broń i wycelowałam w Czarnego. Wciąż siedział bardzo spokojnie, ale jego czy płonęły gniewem.

– Lauro, doprowadzasz mnie do szaleństwa i do szału jednocześnie. Odłóż broń, bo za chwilę sytuacja przestanie być zabawna i będę musiał zrobić ci krzywdę.

Kiedy skończył mówić, zamknęłam oczy i pociągnęłam za spust. Nic się nie stało. Massimo rzucił się na mnie, zabrał mi broń i szarpiąc za ramię, ściągnął mnie z fotela, ciskając na kanapę, z której się poderwał. Przekręcił mnie na brzuch i sznurem od jednej z poduszek obwiązał mi ręce. Kiedy skończył, posadził mnie, a raczej rzucił na miękkie siedzisko.

– Trzeba go najpierw odbezpieczyć!!! Wolisz tak rozmawiać? Wygodnie ci? Chcesz mnie zabić, myśląc, że to takie proste? Wydaje ci się, że nikt wcześniej tego nie próbował?

Kiedy skończył krzyczeć, przeciągnął rękami po włosach, westchnął i spojrzał na mnie wściekłym i zimnym wzrokiem.

– Domenico! – wrzasnął.

W drzwiach pojawił się młody Włoch, jakby cały czas był za ścianą, czekając na wezwanie.

– Zaprowadź Laurę do jej pokoju i nie zamykaj drzwi na klucz – powiedział po angielsku z tym swoim brytyjskim akcentem, tak abym zrozumiała. Po czym zwrócił się do mnie:

– Nie będę cię więził, ale czy zaryzykujesz ucieczkę?

Podniósł mnie za sznur, który Domenico przejął od niego, zupełnie nieporuszony całą sytuacją. Czarny wsadził pistolet za pasek w spodniach i opuścił pokój, rzucając mi w progu ostrzegawcze spojrzenie.

Młody Włoch szerokim gestem wskazał mi drogę i ruszył korytarzem, prowadząc mnie za „smycz", jaką przyszykował mi Massimo. Po przejściu plątaniny korytarzy dotarliśmy do pokoju, w którym obudziłam się parę godzin temu. Domenico rozwiązał mi ręce, skinął głową i zamknął drzwi, wychodząc. Zaczekałam kilka sekund i złapałam za klamkę – drzwi nie były zamknięte na klucz. Nie byłam do końca pewna, czy chcę przekroczyć próg. Usiadłam na łóżku, a przez moją głowę pędził potok myśli. Czy on mówił poważnie? Cały rok bez rodziny, przyjaciół, bez Warszawy? Na myśl o tym zalałam się łzami. Czy byłby w stanie zrobić coś tak okrutnego moim bliskim? Nie byłam pewna jego słów, a jednocześnie nie chciałam sprawdzać, czy blefował. Fala płaczu, która zalała moje oczy, była jak katharsis. Nie wiem, ile płakałam, ale w końcu ze zmęczenia zasnęłam.

Obudziłam się zwinięta w kłębek, nadal ubrana w biały puchowy szlafrok. Na dworze wciąż było ciemno, znowu nie wiedziałam, czy trwa ta okropna noc, czy to już może kolejna.

Z ogrodu dobiegały przyciszone męskie głosy – wyszłam na balkon, ale nikogo nie zobaczyłam. Dźwięki były zbyt ciche, aby rozmawiający mogli się znajdować blisko. Pomyślałam, że coś się dzieje po drugiej stronie posiadłości. Niepewnie złapałam za klamkę, drzwi nadal nie były zamknięte. Wyszłam za próg pokoju i przez dłuższą chwilę zastanawiałam się, czy mam zrobić krok do przodu, czy może jednak cofnąć się. Wygrała ciekawość i ruszyłam przez ciemny korytarz w stronę dobiegających mnie głosów. Była upalna, sierpniowa noc, lekkie zasłony w oknach powiewały na pachnącym morzem wietrze. Dom pogrążony w mroku był spokojny. Ciekawe, jak wyglądał za dnia. Bez Domenica zgubienie się w plątaninie korytarzy i drzwi było raczej oczywiste, już po krótkiej chwili nie miałam pojęcia, gdzie się znajduję. Jedyne, czym się sugerowałam, podążając przed siebie, były dobiegające coraz wyraźniej dźwięki męskich rozmów. Przechodząc przez lekko uchylone drzwi, dotarłam do ogromnego holu z gigantycznymi oknami, które wychodziły na podjazd. Podeszłam do tafli szkła i oparłam się rękami o ogromną framugę, częściowo się za nią chowając.

W mroku dostrzegłam Massima i kilku ludzi stojących obok. Przed nimi klęczał człowiek, który wykrzykiwał coś po włosku. Jego twarz zdradzała przerażenie i panikę, kiedy patrzył na Czarnego. Massimo stał spokojnie z rękami w kieszeniach luźnych ciemnych spodni. Przeszywał mężczyznę lodowatym spojrzeniem i czekał na koniec wywodu łkającego człowieka. Kiedy ten umilkł, Czarny powiedział spokojnym głosem do niego jedno, może dwa zdania, po czym wyciągnął zza paska pistolet i strzelił mu w głowę. Ciało mężczyzny przewróciło się na kamienny podjazd.

Na ten widok z mojej piersi wyrwał się jęk, który stłumiłam dłońmi, przytykając je do ust. Był on jednak na tyle głośny, że Czarny odwrócił wzrok od leżącego przed nim człowieka i popatrzył na mnie. Jego spojrzenie było zimne i beznamiętne, jakby zupełnie nie zrobiła na nim wrażenia czynność, której właśnie dokonał. Złapał za tłumik i podał broń mężczyźnie stojącemu obok niego; wtedy osunęłam się na podłogę.

Rozpaczliwie próbowałam złapać powietrze, ale niestety bez skutku. Słyszałam tylko coraz wolniejsze bicie swojego serca i pulsującą w głowie krew, przed oczami zaczęło mi się robić ciemno, a żołądek wyraźnie sygnalizował, że za chwilę na dywanie znajdzie się wypity wcześniej szampan. Trzęsącymi się rękami nerwowo próbowałam rozwiązać pasek szlafroka, który zdawał się coraz mocniej zaciskać, blokując mi możliwość wzięcia wdechu. Widziałam śmierć człowieka, w mojej głowie jak zacięty film przewijał się obraz padającego strzału. Powtarzająca się scena spowodowała, że tlen już całkowicie odpłynął z mojego ciała. Poddałam się temu i przestałam walczyć. Resztką świadomości zarejestrowałam, jak pasek mojego szlafroka poluźnia się, dwa palce na mojej szyi próbują wyczuć słaby puls. Jedna dłoń wsunęła się przez plecy i szyję, aż złapała mnie za głowę, druga zaś pod moje na wpół zgięte nogi. Poczułam, że się przemieszczam – chciałam otworzyć oczy, jednak nie byłam w stanie unieść powiek.

Wokół słychać było jakieś dźwięki, do mnie wyraźnie dotarł tylko jeden:

– Lauro, oddychaj.

Ten akcent, pomyślałam. Wiedziałam, że obejmują mnie ramiona Massima, ramiona człowieka, który chwilę temu odebrał komuś życie. Czarny wszedł do pokoju i kopnął drzwi, zamykając je. Kiedy poczułam, jak kładzie mnie na łóżku, nadal walczyłam z oddechem, który mimo że stawał się coraz bardziej miarowy, wciąż nie był wystarczająco głęboki, by dostarczyć mi tyle tlenu, ile potrzebowałam.

Massimo otworzył mi jedną dłonią usta, drugą zaś wsunął pod język tabletkę.

– Spokojnie, mała, to lekarstwo na serce. Lekarz, który się tobą opiekuje, zostawił je na wypadek takiej sytuacji.

Po chwili mój oddech stał się bardziej miarowy, do organizmu docierało więcej tlenu, a serce z szaleńczego galopu zwolniło do spokojnego stępa. Zapadłam się w pościeli i zasnęłam.

ROZDZIAŁ 3

Kiedy otworzyłam oczy, w pokoju było już jasno. Leżałam w białej pościeli, miałam na sobie koszulkę i figi – z tego, co pamiętałam, zasypiałam w szlafroku. Czy Czarny mnie przebrał? Żeby to zrobić, musiałby najpierw mnie rozebrać, co by znaczyło, że widział mnie nago. Ta myśl nie wydała się zbyt przyjemna, mimo że Massimo był zniewalająco przystojnym mężczyzną.

Przed oczami przeleciały mi wydarzenia ostatniej nocy. Z przerażeniem głęboko wciągnęłam powietrze i zakryłam twarz kołdrą. Te wszystkie informacje, trzysta sześćdziesiąt pięć dni, które mi dawał, moja rodzina, niewierność Martina i śmierć tego człowieka – to było za dużo jak na jedną noc.

– Nie ja cię przebrałem – usłyszałam stłumiony przez kołdrę głos.

Powoli zsunęłam ją z twarzy, by spojrzeć na Czarnego. Siedział w wielkim fotelu obok łóżka. Tym razem miał na sobie zdecydowanie mniej oficjalny strój – szare spodnie od dresu i białą koszulkę na szerokich ramiączkach, która uwidaczniała jego rozłożyste barki i pięknie wyrzeźbione ręce. Był boso, a jego włosy były potargane; gdyby nie fakt, że wyglądał świeżo i apetycznie, pomyślałabym, że dopiero wstał z łóżka.

– Maria to zrobiła – kontynuował. – Nawet nie było mnie wtedy w pokoju. Obiecałem ci, że bez twojej zgody nic się nie wydarzy, choć nie będę ukrywał, że byłem ciekaw i miałem ochotę popatrzeć. Zwłaszcza że byłaś nieprzytomna, taka bezbronna i wreszcie miałem pewność, że kolejny raz nie dostanę w twarz. – Mówiąc to, z rozbawieniem uniósł brwi, a ja pierwszy raz widziałam, jak się uśmiecha. Był beztroski i zadowolony. Zdawał się zupełnie nie pamiętać o dramatycznych wydarzeniach wczorajszej nocy.

Podniosłam się i oparłam o zagłowie drewnianego łóżka. Massimo, nadal z młodzieńczym figlarnym uśmiechem, poprawił się lekko w fotelu, zarzucił prawą nogę na lewe kolano i czekał na pierwsze słowa z moich ust.

– Zabiłeś człowieka – wyszeptałam, a do moich oczu napłynęły łzy. – Zastrzeliłeś go i zrobiłeś to tak zwyczajnie, jak ja kupuję kolejną parę butów.

Oczy Czarnego znowu zmieniły się w lodowate i zwierzęce, uśmiech zniknął z jego twarzy. Zastąpiła go maska powagi i bezkompromisowości, którą już znałam.

– Zdradził rodzinę, a rodzina to ja, więc zdradził mnie. – Pochylił się nieco. – Mówiłem ci, ale chyba sądziłaś, że to żart. Ja nie uznaję sprzeciwu i nieposłuszeństwa, Lauro, a nic nie jest dla mnie ważniejsze niż lojalność. Nie jesteś jeszcze gotowa na to wszystko, a na taki widok jak wczoraj pewnie nigdy nie zdołasz się przygotować.

Tu urwał i podniósł się z fotela. Podszedł do mnie i usiadł na brzegu łóżka. Przeczesał delikatnie moje włosy palcami, jakby sprawdzał, czy jestem prawdziwa. W pewnym momencie wsunął mi dłoń pod głowę i mocno złapał za włosy przy samej skórze. Przerzucił lewą nogę przez moje ciało i usiadł nade mną okrakiem, unieruchamiając mnie. Jego oddech przyspieszył, a oczy zapłonęły pożądaniem i zwierzęcą dzikością. Byłam sztywna ze strachu, co na pewno odmalowało się na mojej twarzy. Massimo widział ten lęk i wyraźnie go kręcił.

Po wydarzeniach wczorajszej nocy wiedziałam, że ten człowiek nie żartuje, że jeśli chcę, by moja rodzina była bezpieczna i spokojna, muszę zaakceptować warunki, które mi stawiał.

Czarny coraz mocniej zaciskał dłoń na moich włosach, wodząc nosem po mojej twarzy. Mocno wciągał powietrze do płuc, chłonąc zapach mojej skóry. Chciałam zamknąć oczy, aby okazać mu lekceważenie i udać, że mnie to nie rusza, ale zahipnotyzowana jego dzikim spojrzeniem nie mogłam oderwać od niego oczu. Nie dało się ukryć, że był przepięknym mężczyzną, bardzo w moim typie. Czarne oczy, ciemne włosy, cudowne, ogromne, pięknie zarysowane usta, kilkudniowy zarost, który teraz delikatnie łaskotał moje policzki. A do tego to ciało! Długie, smukłe oplatające mnie nogi, potężnie umięśnione ramiona i rozbudowana klatka piersiowa, którą było widać przez mocno opiętą koszulkę na ramiączkach.

– To, że nie zrobię nic bez twojej zgody, nie jest równoznaczne z tym, że będę umiał się powstrzymać – wyszeptał, patrząc mi w oczy.

Jego dłoń w moich włosach mocno pociągnęła mnie, głębiej wciskając w poduszkę. Wydałam z siebie cichy jęk. Na ten dźwięk Massimo głośno wciągnął powietrze. Delikatnie i powoli wsunął prawą nogę pomiędzy moje uda i mocno przywarł do mnie swoją męskością. Poczułam na moim biodrze, jak bardzo mnie pragnął. Ja natomiast odczuwałam jedynie strach.

– Chcę cię mieć, Lauro, chcę posiadać cię całą... – Wodził nosem po mojej twarzy. – Kiedy jesteś taka krucha i bezbronna, kręcisz mnie najbardziej. Chcę cię pieprzyć tak, jak jeszcze nikt tego nie robił, chcę zadawać ci ból i dawać ukojenie. Chcę być dla ciebie ostatnim kochankiem...

Wypowiadał wszystkie te słowa, a jego biodra rytmicznie ocierały się o moje ciało. Zrozumiałam, że gra, w której miałam wziąć udział, właśnie się rozpoczęła. Nie miałam nic do stracenia, kolejne trzysta sześćdziesiąt pięć dni mogłam spędzić albo walcząc z tym człowiekiem, co z góry skazane było na porażkę, albo poznać zasady gry, którą dla mnie szykował, i wziąć w niej udział. Podniosłam powoli ręce za głowę i położyłam je na poduszce, okazując mu poddanie i bezbronność. Czarny, widząc to, puścił moje włosy i splótł swoje palce z moim dłońmi, przyciskając je do poduszki.

– Tak zdecydowanie lepiej, mała – wyszeptał. – Cieszę się, że zrozumiałaś.

Massimo coraz szybciej i mocniej napierał na moje biodro swoim imponującym kutasem, którego czułam aż na brzuchu.

– Chcesz mnie? – zapytałam, lekko podnosząc głowę, tak że dolną wargą przejechałam po jego brodzie.

Jęknął i zanim się zorientowałam, jego język już rozsadzał moje usta, wpychał go szaleńczo i głęboko, zachłannie szukając mojego. Poluźnił uścisk na moich dłoniach tak, że mogłam uwolnić prawą rękę. Zajęty pocałunkami nie zauważył, jak uciekłam z jego uścisku. Uniosłam prawe kolano i odepchnęłam go od siebie, jednocześnie wymierzając mu siarczysty policzek uwolnioną dłonią.

– To jest ten szacunek, który mi gwarantowałeś?! – wrzasnęłam. – Jeszcze wczoraj, z tego, co pamiętam, miałeś czekać na moje wyraźne pozwolenie, a nie sugerować się źle odczytanymi znakami.

Czarny zastygł w bezruchu, a kiedy odwrócił głowę w moją stronę, oczy miał spokojne i bez wyrazu.

– Jeśli jeszcze raz mnie uderzysz...

– To co? Zabijesz mnie? – odszczeknęłam się, zanim skończył.

Massimo usiadł w nogach łóżka i patrzył na mnie przez chwilę, po czym roześmiał się czystym i szczerym śmiechem. Wyglądał jak młody chłopak, którym chyba był – nie miałam pojęcia, ile ma lat, ale w tej chwili sprawiał wrażenie młodszego ode mnie.

– Jakim cudem nie jesteś Włoszką? – zapytał. – To nie jest słowiański temperament.

– A ile znasz Słowianek?

– Taka jedna mi w zupełności wystarczy – powiedział rozbawiony i zeskoczył z łóżka. Odwrócił się w moją stronę i z uśmiechem oznajmił:

– To będzie fajny rok, ale muszę robić szybsze uniki, bo tracę przy tobie czujność, mała.

Ruszył do drzwi, ale zanim przekroczył próg, przystanął i spojrzał na mnie.

– Twoje rzeczy zostały przywiezione, a Domenico poukładał je w szafach. Nie jest ich zbyt wiele, choć jak na kogoś, kto wybrał się na pięciodniowy urlop, i tak masz zaskakująco dużo ubrań i jeszcze więcej butów. Musimy zadbać o twoją garderobę, dlatego po południu, kiedy wrócę, pojedziemy kupić ci trochę ciuchów, bielizny i czego tylko będziesz potrzebować. Ten pokój jest twój, chyba że znajdziesz w domu inny, który bardziej ci się spodoba, wtedy go zmienimy. Cała służba wie, kim jesteś, jeśli czegoś będzie ci trzeba, wystarczy, że zawołasz Domenica. Samochody i kierowcy są do twojej dyspozycji, choć wolałbym, żebyś po wyspie nie podróżowała sama. Dostaniesz ochronę, która postara się nie rzucać w oczy. Telefon i komputer oddam ci wieczorem, ale warunki korzystania z tych urządzeń będziemy musieli jeszcze omówić.

Patrzyłam na niego szeroko otwartymi oczami i zastanawiałam się, co czuję. Nie do końca mogłam się skupić, czując zapach śliny Massima na swoich wargach. Naprężona erekcja pulsowała w jego spodniach, pochłaniając moją uwagę. Niezaprzeczalnie i bezsprzecznie mój oprawca bardzo mnie kręcił. Nie potrafiłam tylko odpowiedzieć sobie na pytanie, czy chcę podświadomie zemścić się na Martinie za jego zdradę, czy może zwyczajnie chcę Czarnemu udowodnić, jaka jestem twarda.

Massimo kontynuował.

– Rezydencja ma prywatną plażę, skutery wodne i motorówki, ale na razie nie wolno ci z nich korzystać. W ogrodzie jest basen, Domenico wszystko ci pokaże, będzie twoim osobistym asystentem oraz tłumaczem, jeśli zajdzie taka potrzeba, część osób w domu nie zna angielskiego. Wybrałem go, bo tak jak ty kocha modę, a poza tym jesteście w podobnym wieku.

– Ile masz lat? – przerwałam mu. Puścił klamkę i oparł się o futrynę drzwi. Ojcowie chrzestni mafii chyba powinni być starzy?

Massimo zmrużył oczy i nie przestając patrzeć mi w oczy, odpowiedział:

– Nie jestem capo di tutti capi, oni faktycznie są starsi, jestem capofamiglia, czyli don. Ale to zbyt długa opowieść, więc jeśli tak bardzo cię to interesuje, wyjaśnię ci to później.

Odwrócił się i ruszył długim korytarzem, aż zniknął, wchodząc w któreś z dziesiątek drzwi. Leżałam tak jeszcze przez chwilę, analizując swoje położenie. Myślenie o tej sytuacji jednak mnie męczyło, więc postanowiłam zagospodarować sobie jakoś czas. Pierwszy raz miałam okazję obejrzeć posiadłość w świetle dziennym. Mój pokój miał pewnie z osiemdziesiąt metrów i było w nim wszystko, czego kobieta może zapragnąć. Na przykład wielka garderoba żywcem jak z *Seksu w wielkim mieście*, tyle tylko, że ta była prawie pusta. Rzeczy, które zabrałam ze sobą na Sycylię, wypełniły może jedną setną ogromnego pomieszczenia. Półki na buty świeciły pustkami, prowokując do zakupów, a dziesiątki szuflad skrywały jedynie atłasowe wyściółki na biżuterię.

Poza garderobą miałam do dyspozycji także gigantyczną łazienkę, z której korzystałam w nocy, biorąc prysznic. Wtedy byłam zbyt oszołomiona, aby zwrócić uwagę na jej imponujące wyposażenie. Wielka otwarta kabina miała funkcję sauny parowej oraz poprzeczne dysze do masażu, wyglądające jak uchwyty na ręczniki z dziurkami. W toaletce z lustrem z zachwytem odkryłam kosmetyki wszystkich swoich ulubionych marek: Dior, YSL, Guerlain, Chanel i całą masę innych. Na blacie umywalki stały flakony perfum, wśród których znalazłam ukochany przeze mnie zapach Lancôme Midnight Rose. W pierwszym momencie zastanawiałam się, skąd wiedział, ale przecież on wiedział wszystko, więc taka prozaiczna rzecz jak perfumy, które notabene mógł zobaczyć w moim bagażu, nie były tajemnicą. Wzięłam prysznic, długi i gorący, umyłam włosy, które już bardzo tego potrzebowały, i ruszyłam do garderoby, by wybrać coś wygodnego do ubrania. Na dworze było trzydzieści stopni, więc sięgnęłam po długą malinową lekką sukienkę bez pleców, do tego sandałki na koturnach. Miałam zamiar wysuszyć włosy, ale zanim się ubrałam, już wyschły. Pospinałam je zatem w niedbały kok i ruszyłam przez korytarz.

Dom wyglądał trochę jak willa z *Dynastii*, tyle tylko, że we włoskiej wersji. Był ogromny i imponujący. Przechadzając się po kolejnych pomieszczeniach, odkrywałam następne portrety kobiety z wizji Massima. Były niezwykle piękne i pokazywały mnie w rozmaitych ujęciach i pozach. Nadal nie mogłam zrozumieć, jak to możliwe, że tak dokładnie mnie zapamiętał.

Zeszłam do ogrodu, nie spotykając po drodze nawet jednej osoby. Co za służba?, pomyślałam, przechadzając się po zadbanych i precyzyjnie zaprojektowanych alejkach. Odkryłam zejście na plażę. Faktycznie, była tam przystań, w której przycumowano piękną białą motorówkę oraz kilka skuterów wodnych. Zdjęłam buty i weszłam na pokład łodzi. Kiedy zaskoczona odkryłam, że kluczyki leżą obok stacyjki, ucieszyłam się, a przez głowę przebiegł mi niecny plan, który przewidywał złamanie zakazów Czarnego. Kiedy tylko dotknęłam breloczka, usłyszałam za sobą głos.

– Wolałbym, żeby pani się dziś powstrzymała od tej wycieczki.

Odwróciłam się przestraszona i ujrzałam młodego Włocha.

– Domenico! Ja tylko chciałam sprawdzić, czy pasują – powiedziałam z idiotycznym uśmiechem na twarzy.

– Mogę panią zapewnić, że pasują, a jeśli chce się pani przepłynąć, to po śniadaniu to zorganizujemy.

Jedzenie! Już nie pamiętam, kiedy ostatni raz jadłam. Nie wiem, ile dni spędziłam, śpiąc, właściwie; zupełnie nie wiedziałam, jaki mamy dzień, a nawet którą godzinę. Na myśl o jedzeniu mój brzuch odezwał się do mnie „rykiem z głębi". Och, byłam naprawdę głodna, ale przez wszystkie emocje, które ostatnio mi towarzyszyły, zupełnie o tym zapomniałam.

Domenico znanym mi gestem wskazał zejście z łodzi, podał rękę i sprowadził na pomost.

– Pozwoliłem sobie przygotować śniadanie w ogrodzie, dziś nie jest bardzo upalnie, więc tak będzie przyjemniej – rzekł do mnie.

No faktycznie, pomyślałam, trzydzieści stopni to prawie chłód, więc czemu nie.

Młody Włoch poprowadził mnie przez alejki na ogromny taras z tyłu rezydencji. Mój pokój chyba ma balkon na tę część ogrodu, gdyż widok wydawał mi się zaskakująco znajomy. Na kamiennej podłodze stała prowizoryczna altana, do złudzenia przypominająca boksy w restauracji, w której jedliśmy pierwszej nocy. Miała grube drewniane podpory, do których przyczepiono ogromne płachty białego płótna chroniące przed słońcem. Pod falującym dachem ustawiono wielki stół z identycznego drewna jak podpory i kilka wygodnych foteli z białymi poduchami.

Śniadanie było iście królewskie, więc mój głód nagle potężnie wezbrał. Patery serów, oliwki, cudowne wędliny, naleśniki, owoce, jajka – było tam wszystko, co kochałam. Zasiadłam przy stole, a Domenico zniknął. Niby przyzwyczaiłam się do samotnych posiłków, ale ten widok i ta ilość jedzenia aż prosiły się o kompana. Po chwili młody Włoch wrócił i położył przede mną gazety.

– Pomyślałem, że zechce pani przejrzeć prasę. – Odwrócił się i ponownie zniknął we wnętrzu willi.

Ze zdziwieniem patrzyłam na „Rzeczpospolitą", „Wyborczą", polską wersję „Vogue'a" i kilka plotkarskich tytułów. Od razu było mi lepiej, mogłam się dowiedzieć, co słychać w Polsce. Nakładając na talerz kolejne pyszności i wertując gazety, zastanawiałam się, czy przez najbliższy rok właśnie w ten sposób będę poznawać wiadomości ze swojego kraju.

Po zakończonym posiłku nie miałam siły na nic, było mi niedobrze. Najwyraźniej zjedzenie takiej ilości po kilkudniowej głodówce nie było najlepszym pomysłem. W oddali, na krańcu ogrodu, dostrzegłam leżankę z białymi poduchami i rozpostartym nad nią baldachimem. To będzie idealne miejsce na przeczekanie niestrawności, oceniłam i ruszyłam w tę stronę, biorąc pod pachę resztę nieprzejrzanej prasy.

Zdjęłam buty i weszłam na puszysty środek drewnianego kwadratu, rzucając obok gazety. Umościłam się wygodnie. Widok był oszałamiający: małe łódeczki na morzu falowały w jego powolnym rytmie, gdzieś w oddali motorówka ciągnęła wielki spadochron z przyczepioną do niego parą, lazurowa woda aż się prosiła, by do niej wskoczyć, a wystające z głębi monumentalne skały były obietnicą cudownych widoków dla miłośników nurkowania. Od morza wiał przyjemny, chłodny wiatr, a rosnący w moim organizmie cukier powodował, że coraz głębiej zapadałam się w miękkie podłoże.

– Zamierzasz przespać kolejny dzień? – Obudził mnie cichy szept z brytyjskim akcentem.

Otworzyłam oczy, Massimo siedział na brzegu leżanki i patrzył na mnie łagodnie.

– Stęskniłem się – powiedział, biorąc moją dłoń do ust i delikatnie całując. – Nigdy w życiu nie powiedziałem tego nikomu, bo nigdy tego nie czułem. Cały dzień myślałem o tym, że wreszcie tu jesteś, i musiałem wrócić.

Częściowo jeszcze oszołomiona drzemką, leniwie przeciągałam się, prężąc w lekkiej sukience, która zdradzała moje kształty. Czarny wstał i stanął obok. Jego wzrok znowu zapłonął dziką i zwierzęcą żądzą.

– Czy możesz tego nie robić? – zapytał, rzucając mi ostrzegawcze spojrzenie. – Jeśli kogoś prowokujesz, licz się z tym, że twoje działanie może się okazać skuteczne.

Widząc jego wzrok, zerwałam się na równe nogi i stanęłam przed nim. Bez butów nie sięgałam mu nawet do brody.

– Zwyczajnie się przeciągam, to naturalny odruch po przebudzeniu, ale skoro ci to przeszkadza, oczywiście nie zrobię tego więcej w twojej obecności – powiedziałam z obrażoną miną.

– Myślę, że doskonale wiesz, co robisz, mała – odparł Massimo, unosząc mi brodę kciukiem. – Ale skoro już wstałaś, to możemy jechać. Trzeba ci kupić kilka rzeczy przed wyjazdem.

– Wyjazdem? To ja się gdzieś wybieram? – zapytałam, splatając ręce na piersiach.

– Owszem, i ja także. Mam kilka spraw do załatwienia na kontynencie, a ty będziesz mi towarzyszyć. W końcu zostało mi już tylko trzysta pięćdziesiąt dziewięć dni.

Massimo był wyraźnie rozbawiony, jego beztroski nastrój szybko mi się udzielił. Staliśmy tak zwróceni twarzami do siebie, jak dwójka flirtujących na boisku szkolnym nastolatków. Między nami przepływały napięcie, strach, pożądanie. Wydawało mi się, że oboje odczuwamy te same emocje, z tą tylko różnicą, że baliśmy się prawdopodobnie zupełnie różnych rzeczy.

Czarny trzymał ręce w kieszeniach luźnych ciemnych spodni, jego rozpięta do połowy koszula w tym samym kolorze ukazywała drobne włoski na klatce piersiowej. Wyglądał apetycznie i zmysłowo, kiedy wiatr rozwiewał jego zadbaną fryzurę. Kolejny raz potrząsnęłam głową, wyrzucając z niej niestosowne moim zdaniem myśli.

– Chciałabym porozmawiać – wydusiłam z siebie spokojnie.

– Wiem, ale nie teraz. Przyjdzie na to pora podczas kolacji, musisz wytrzymać. Chodź.

Złapał mnie za rękę w nadgarstku, podniósł z trawy moje buty i ruszył w kierunku domu. Przeszliśmy przez długi korytarz i znaleźliśmy się na podjeździe. Stanęłam na kamiennej powierzchni, jakbym wrosła w ziemię. Na znany mi już widok horror poprzedniej nocy powrócił. Massimo poczuł, jak mój nadgarstek robi się miękki i wiotki. Wziął mnie na ręce i wsadził do zaparkowanego kilka metrów dalej czarnego SUV-a. Mrugałam nerwowo oczami, próbując załapać ostrość i usiłując wyswobodzić się z koszmaru, który cały czas jak zacinający się film przewijał mi się w głowie.

– Jeśli za każdym razem, kiedy będziesz próbowała wyjść z domu, zamierzasz tracić przytomność, każę skuć i zmienić cały podjazd – oświadczył spokojnie, trzymając palce na moim nadgarstku i patrząc na zegarek. – Serce zaraz ci wyskoczy, więc postaraj się uspokoić, bo inaczej będę musiał znowu dać ci leki, a oboje wiemy, że śpisz po nich parę godzin.

Chwycił mnie i posadził sobie na kolanach. Przytulił moją głowę do swojej klatki, wplótł palce we włosy i zaczął się rytmicznie, leciutko kiwać.

– Kiedy byłem mały, moja mama tak robiła. W większości przypadków pomagało – powiedział łagodnym tonem, głaszcząc mnie po głowie.

Był pełen sprzeczności. Czuły barbarzyńca – to określenie idealnie do niego pasowało. Niebezpieczny, nieznoszący sprzeciwu, władczy, a jednocześnie opiekuńczy i delikatny. Połączenie tych wszystkich cech przerażało mnie, fascynowało i intrygowało jednocześnie.

Powiedział do kierowcy coś po włosku i przycisnął guzik na panelu obok, co spowodowało, że szyba przed nami zamknęła się, zapewniając prywatność. Samochód ruszył, a Czarny nie przestawał głaskać moich włosów. Po chwili byłam już zupełnie spokojna, a moje serce biło rytmicznie i miarowo.

– Dziękuję – wyszeptałam, zsuwając się z jego kolan i siadając obok.

Taksował mnie badawczo wzrokiem, upewniając się, że nic mi nie jest.

Chcąc uniknąć jego przenikliwego spojrzenia, wyjrzałam przez okno i zorientowałam się, że cały czas jedziemy pod górę. Spojrzałam wyżej i zobaczyłam przepiękny widok rozpościerający się ponad naszymi głowami. Miasto na skałach, zdawało mi się, że już je widziałam.

– Gdzie dokładnie jesteśmy? – zapytałam.

– Willa stoi na zboczach Taorminy, a my jedziemy do miasta. Myślę, że ci się spodoba – powiedział, nie odrywając wzroku od szyby.

ROZDZIAŁ 4

Giardini Naxos, do którego przyjechaliśmy z Martinem, leżało kilka kilometrów od Taorminy, widać ją było praktycznie z każdego miejsca w miasteczku. Miasto na skale było jednym z punktów naszego wspólnego zwiedzania. A co jeśli Martin, Michał i Karolina postępują zgodnie z planem? Jeśli natkniemy się na nich? Wierciłam się niespokojnie na siedzeniu, co nie umknęło uwadze Czarnego. Jakby czytając w moich myślach, powiedział:

– Oni wczoraj wylecieli z wyspy.

Skąd wiedział, że o tym myślę? Popatrzyłam na niego pytająco, ale nawet nie zwrócił na mnie uwagi.

Kiedy dotarliśmy na miejsce, słońce powoli zachodziło, a na ulice Taorminy wyległy tysiące turystów i mieszkańców. Miasto tętniło życiem, wąskie, malownicze uliczki kusiły setkami kawiarenek i restauracji. Szyldy drogich sklepów uśmiechały się do mnie. Ekskluzywne marki w takim miejscu, praktycznie na końcu świata? Takich butików próżno było szukać w centrum Warszawy. Samochód zatrzymał się, kierowca wysiadł i otworzył drzwi, Czarny podał mi rękę i pomógł opuścić dość wysokiego jak dla mnie

SUV-a. Po chwili zorientowałam się, że towarzyszy nam jeszcze jeden samochód, z którego wysiadło dwóch rosłych mężczyzn ubranych na czarno. Massimo chwycił moją dłoń i wprowadził mnie na jedną z głównych ulic. Jego ludzie ruszyli za nami w odległości, która miała nie przykuwać zbytnio uwagi. Wyglądało to dość groteskowo – gdyby nie chcieli rzucać się w oczy, powinni mieć na sobie spodenki i japonki, a nie kostiumy grabarza. Tyle tylko, że w plażowym outficie trudno byłoby ukryć broń.

Pierwszym sklepem, jaki odwiedziliśmy, był butik Roberta Cavallego. Kiedy przekroczyliśmy jego próg, ekspedientka rzuciła się do nas prawie biegiem, serdecznie witając mojego towarzysza i zaraz później mnie. Z zaplecza wyszedł elegancki starszy mężczyzna, który powitał Massima dwoma pocałunkami w policzki, mówiąc do niego coś po włosku, po czym zwrócił się w moją stronę.

– *Bella* – powiedział, chwytając mnie za dłonie.

To było jedno z niewielu słów po włosku, które rozumiałam. Uśmiechnęłam się do niego promiennie w podziękowaniu za komplement.

– Nazywam się Antonio i pomogę ci w wyborze odpowiedniej garderoby – zaczął płynną angielszczyzną. – Rozmiar 36, jak sądzę? – Przyglądał mi się badawczo.

– Czasem 34, zależy, jaki rozmiar stanika. Jak pan widzi, natura hojnie mnie nie obdarzyła

– powiedziałam, wskazując ze śmiechem na swoje piersi.

– Och, kochana! – wykrzyknął Antonio. – Roberto Cavalli uwielbia takie kształty. Chodźmy, a don Massimo niech spocznie i poczeka na efekty.

Czarny usiadł na kanapie ze srebrnego materiału przypominającego atłas. Zanim jego pośladki dotknęły poduszki, obok już czekała butelka zimnego dom pérignon, a jedna z ekspedientek, wdzięcząc się, napełniała kieliszek. Massimo rzucił mi pożądliwe spojrzenie, po czym zasłonił się gazetą. Antonio przyniósł do przymierzalni dziesiątki sukienek, które po kolei na mnie wkładał, cmokając z zadowoleniem. Przed oczami przelatywały mi jedynie metki z kwotami kolejnych kreacji. Za stosik, który dla mnie przygotował, można by spokojnie kupić mieszkanie w Warszawie, pomyślałam. Po ponad godzinie wybrałam kilka kreacji, które zostały zapakowane w przepiękne ozdobne pudła.

W kolejnych sklepach sytuacja wyglądała podobnie: gorące, euforyczne powitanie i niekończące się zakupy... Prada, Louis Vuitton, Chanel, Louboutin i na końcu Victoria's Secret.

Czarny za każdym razem siadał i wertował prasę, rozmawiał przez telefon albo sprawdzał coś w iPadzie. Zupełnie się mną nie interesował. Z jednej strony cieszyło mnie to, z drugiej – denerwowało. Nie rozumiałam: dziś rano nie mógł się oderwać ode mnie, a teraz, kiedy ma okazję oglądać mnie w każdej z tych wspaniałych kreacji, zupełnie nie przejawia ochoty, by to zrobić.

Zdecydowanie rozminęło się to z moim wyobrażeniem żywcem jak z *Pretty Woman* – ja serwująca mu przeróżne gorące wcielenia i on w roli mojego napalonego fana.

Victoria's Secret przywitał nas różem, ten kolor był dosłownie wszędzie: na ścianach, kanapach, na ekspedientkach, miałam wrażenie, że wpadłam do maszyny z watą cukrową i za chwilę zwymiotuję. Czarny popatrzył na mnie, odrywając od ucha telefon.

– To już ostatni sklep, nie mamy więcej czasu. Weź to pod uwagę przy swoich wyborach i potrzebach – rzucił od niechcenia, po czym odwrócił się, usiadł na kanapie i znowu zaczął rozmawiać.

Skrzywiłam się i przez chwilę stałam, patrząc na niego z dezaprobatą. Nie chodziło o to, że to już koniec tej szaleńczej gonitwy, bo tego akurat już miałam dość, ale o sposób, w jaki się do mnie odnosił.

– *Signora* – zwróciła się do mnie ekspedientka i przyjaznym gestem zaprosiła do przymierzalni.

Kiedy weszłam do boksu, ujrzałam sporą kupkę przygotowanych kostiumów kąpielowych i kompletów bielizny.

– Nie musi pani przymierzać wszystkiego. Proszę tylko włożyć jeden komplet, bym miała pewność, że rozmiar, który dla pani wybrałam, jest odpowiedni – powiedziała i zniknęła, zasuwając za sobą ciężką, różową kotarę.

Na cóż mi tyle majtek? Chyba przez całe życie tyle nie miałam. Przede mną na fotelu leżała góra kolorowych tkanin, głównie koronek. Wychyliłam się zza zasłony i zapytałam:

– Kto wybierał to wszystko?

Na mój widok zerwała się na równe nogi i podeszła bliżej.

– Don Massimo kazał przygotować dokładnie te modele z naszego katalogu.

– Rozumiem – odparłam i schowałam się za kotarą.

Wertując stertę, zauważyłam pewną prawidłowość: koronki, cienkie koronki, grube koronki, koronki... no i może trochę bawełny. Cudownie i bardzo wygodnie, zaburczałam ironicznie. Wybrałam czerwony komplet z koronki połączonej z jedwabiem i zaczęłam powoli zdejmować sukienkę, by mieć już te przymiarki z głowy. Delikatny stanik pasował idealnie na moje niewielkie piersi. Odkryłam z zaciekawieniem, że mimo iż nie była to wersja push-up, mój biust wyglądał w nim naprawdę kusząco. Schyliłam się i przeciągnęłam przez nogi koronkowe półstringi. Gdy wyprostowałam się i spojrzałam w lustro, zobaczyłam stojącego za mną Massima. Był oparty o ścianę przymierzalni, trzymał ręce w kieszeniach i lustrował mnie wzrokiem od góry do dołu. Odwróciłam się do niego, piorunując go gniewnym spojrzeniem.

– Co ty... – zdążyłam wydusić z siebie, nim złapał mnie za szyję i przycisnął plecami do lustra.

Przywarł do mnie całym ciałem i delikatnie przesuwał kciuk po moich wargach. Byłam jak sparaliżowana, jego napięte ciało blokowało każdy mój ruch. Przestał się bawić moimi ustami i przeciągnął rękę z powrotem na szyję. Uścisk nie był mocny, nie musiał być, miał mi tylko pokazać jego dominację.

– Nie ruszaj się – powiedział, przeszywając mnie na wylot lodowatym, dzikim wzrokiem. Popatrzył w dół i cicho jęknął. – Ładnie wyglądasz – wysyczał przez zęby. – Ale nie możesz tego nosić, jeszcze nie teraz.

Słowo „nie możesz" w jego ustach było jak zachęta, jak prowokacja, by zrobić dokładnie odwrotnie. Oderwałam pośladki od zimnego lustra i zaczęłam pomału stawiać pierwszy krok. Massimo nie oponował, odsuwał się w rytmie, w którym szłam, cały czas trzymając mnie na odległość zaciśniętej na mojej szyi dłoni. Kiedy byłam pewna, że jestem tak daleko od lustra, że widzi mnie całą, popatrzyłam na niego. Tak jak przypuszczałam, jego wzrok wbity był w moje odbicie. Oglądał swoją zdobycz, a ja widziałam, jak jego spodnie stają się zbyt ciasne. Głośno oddychał, a jego klatka piersiowa unosiła się w coraz szybszym tempie.

– Massimo – powiedziałam cicho.

Oderwał wzrok od moich pośladków i spojrzał mi w oczy.

– Wyjdź albo gwarantuję ci, że widzisz to po raz pierwszy i ostatni – zawarczałam, usiłując zrobić groźną minę.

Czarny uśmiechnął się, traktując moje słowa jak wyzwanie. Jego dłoń mocniej się zacisnęła na mojej szyi. Oczy zapłonęły mu gniewnym pożądaniem, zrobił krok do przodu, później kolejny i znowu przywarłam ciałem do zimnego lustra. Wtedy puścił moją szyję i spokojnym tonem powiedział:

– Ja wybrałem to wszystko i ja zdecyduję, kiedy to zobaczę – po czym wyszedł.

Stałam tam jeszcze przez chwilę, wściekła i zadowolona jednocześnie. Powoli zaczęłam rozumieć zasady tej gry i poznawałam czułe punkty przeciwnika.

Kiedy włożyłam sukienkę, złość nadal we mnie buzowała. Zgarnęłam przygotowaną górę bielizny i pewnym krokiem wyszłam z nią z przymierzalni. Ekspedientka zerwała się, ale minęłam ją obojętnie. Na kanapie zobaczyłam siedzącego Massima. Podeszłam i cisnęłam w niego wszystkim, co miałam w rękach.

– Wybrałeś sobie, to proszę!!! Wszystko jest twoje! – wrzasnęłam i wybiegłam ze sklepu.

Ochroniarze, którzy czekali przed butikiem, nawet nie drgnęli, kiedy ich minęłam, popatrzyli tylko na Czarnego i zostali w tym samym miejscu, w którym stali. Biegłam przez zatłoczone uliczki, zastanawiając się, co robię, co zrobię i co się stanie. Zobaczyłam schody między dwoma budynkami, skręciłam i wbiegłam po nich, znowu skręciłam w pierwszą napotkaną uliczkę i po chwili zobaczyłam kolejne schody. Wspinałam się coraz wyżej, do momentu aż znalazłam się dwie przecznice od miejsca, z którego uciekłam. Oparłam się o ścianę, dysząc z wysiłku. Moje buty może i były piękne, ale na pewno nie były stworzone do biegania. Patrzyłam w niebo, na zamek, który górował nad Taorminą. Kurwa, nie wytrzymam roku w ten sposób, pomyślałam.

– To kiedyś była twierdza – usłyszałam. – Chcesz biec aż tam czy oszczędzisz chłopakom tego wysiłku? Oni nie mają takiej kondycji jak ja.

Odwróciłam głowę. Na schodach stał Massimo, widać, że biegł, bo miał potargane od wiatru włosy, ale nie dyszał – w przeciwieństwie do mnie. Oparł się o ścianę i nonszalancko wsadził ręce do kieszeni spodni.

– Musimy już wracać. Jeśli chcesz poćwiczyć, w domu jest siłownia i basen. A jak masz ochotę na maratony po schodach, w willi znajdzie się ich aż nadto.

Wiedziałam, że nie mam wyjścia i muszę z nim wrócić, ale chociaż przez chwilę czułam, że robię, co chcę. Wyciągnął do mnie dłoń, zignorowałam ją i ruszyłam w dół po schodach, gdzie stali dwaj mężczyźni w czarnych garniturach. Minęłam ich z miną pełną dezaprobaty i podeszłam do zaparkowanego tuż obok SUV-a. Wsiadłam do środka i trzasnęłam drzwiami.

Minęła chwila, zanim Massimo dołączył do mnie. Usiadł na siedzeniu obok z telefonem przy uchu i aż do momentu zaparkowania na podjeździe prowadził rozmowę. Nie mam pojęcia, jaki był jej temat, bo po włosku wciąż rozumiałam tylko kilka słów. Jego ton był spokojny i rzeczowy, dużo słuchał, niewiele mówił, a z mowy jego ciała nie umiałam nic wywnioskować.

Zatrzymaliśmy się pod domem, złapałam za klamkę, ale drzwi były zamknięte. Czarny zakończył rozmowę, schował telefon do wewnętrznej kieszeni marynarki i spojrzał na mnie.

– Kolacja będzie za godzinę. Domenico przyjdzie po ciebie.

Drzwi samochodu otworzyły się i zobaczyłam młodego Włocha, który wyciągnął do mnie dłoń, by pomóc mi wysiąść. Ostentacyjnie mu ją podałam, uśmiechając się promiennie do niego. Przebiegłam do budynku, nie oglądając się na miejsce, które od wczorajszej nocy było dla mnie najgorszym koszmarem. Domenico podążył za mną.

– W prawo – powiedział cicho, kiedy skręciłam w złe drzwi.

Obejrzałam się na niego, dziękując za wskazówkę, i po chwili dotarłam do swojego pokoju.

Młody Włoch stanął w progu, jakby czekał na pozwolenie, by wejść.

– Za chwilę przyniosą wszystkie zakupione dziś rzeczy. Czy potrzebuje pani jeszcze czegoś? – zapytał.

– Tak, napiłabym się przed kolacją. Chyba że mi nie wolno?

Włoch uśmiechnął się i skinął porozumiewawczo głową, po czym zniknął w mroku korytarza.

Weszłam do łazienki, zrzuciłam z siebie sukienkę i zamknęłam drzwi. Stanęłam pod prysznicem i odkręciłam zimną wodę. Ledwo wciągałam powietrze, była naprawdę lodowata, lecz po chwili stała się przyjemna. Musiałam ochłonąć. Kiedy mroźny strumień ostudził emocje, zmieniłam nieco jego temperaturę. Umyłam włosy, nałożyłam odżywkę i usiadłam pod ścianą. Woda była przyjemnie ciepła, leciała po szybach i działała na mnie kojąco. Miałam chwilę na przemyślenie sytuacji, która wydarzyła się dziś rano, a później tego, co stało się w sklepie. Byłam skonfundowana. Massimo był tak skomplikowany, za każdym razem nieobliczalny. Powoli dochodziło do mnie, że jeśli nie pogodzę się z sytuacją i nie zacznę żyć normalnie, zamęczę się.

Wtedy mnie olśniło. Tak naprawdę nie miałam z czym walczyć ani od czego uciekać. W Warszawie nic już na mnie nie czekało, nie traciłam niczego, bo wszystko, co miałam, zniknęło. Teraz mogłam już tylko wziąć udział w przygodzie, którą zgotował mi los. Czas pogodzić się z sytuacją,

Lauro, powiedziałam do siebie, po czym się podniosłam z podłogi.

Spłukałam włosy i zawinęłam je w ręcznik, włożyłam szlafrok i wyszłam z łazienki.

Dziesiątki pudeł wypełniały sypialnię, na ich widok ogarnęła mnie wesołość. Kiedyś dałabym się pociąć za takie zakupy i teraz też zamierzałam się nimi cieszyć. Miałam plan.

Odszukałam torby z logo Victoria's Secret, przekopałam się przez dziesiątki kompletów i znalazłam ten z czerwonej koronki. Z klejonego pudła wyciągnęłam czarną przezroczystą krótką sukienkę, a z następnego pasujące do kompletu szpilki od Louboutina. Tak, ten zestaw był tym, czego Massimo nie przeżyje. Ruszyłam do toaletki w łazience, po drodze zabierając butelkę szampana, który stał na stoliku koło kominka. Nalałam sobie kieliszek i opróżniłam go jednym tchem – potrzebowałam odwagi. Nalałam kolejny, usiadłam naprzeciw lustra i wyciągnęłam kosmetyki.

Kiedy skończyłam, moje oczy były mocno zarysowane, cera idealnie przykryta podkładem, a usta błyszczały od cielistej pomadki Chanel. Włosy wysuszyłam, lekko podkręciłam i upięłam w wysoki kok.

Z pokoju dobiegł mnie głos Domenica.

– Pani Lauro, kolacja już czeka.

Wkładając bieliznę, krzyknęłam przez otwarte drzwi:

– Daj mi dwie minuty i będę gotowa.

Włożyłam sukienkę, wsunęłam na nogi niebotycznie wysokie szpilki i obficie oblałam się zawartością flakonu ukochanych perfum. Stanęłam przed lustrem i z zadowoleniem pokiwałam głową. Wyglądałam bosko, sukienka leżała idealnie, a prześwitująca przez nią czerwona koronka doskonale pasowała do czerwonych podeszew butów. Wyglądałam elegancko i prowokująco. Dopiłam trzeci kieliszek musującego płynu. Byłam gotowa i lekko już wstawiona.

Kiedy wyszłam z łazienki, na mój widok Domenico szeroko otworzył oczy.

– Wygląda pani... – Urwał, szukając odpowiedniego słowa.

– Tak wiem, dziękuję – odpowiedziałam i uśmiechnęłam się zalotnie.

– Te szpilki są boskie – dodał prawie szeptem i podał mi ramię.

Ujęłam je i pozwoliłam się poprowadzić przez korytarz.

Wyszliśmy na taras, na którym dziś jadłam śniadanie. Altanę z płóciennym dachem oświetlały setki świec. Massimo stał tyłem do budynku, patrząc w dal. Puściłam ramię młodego Włocha.

– Dalej pójdę sama.

Domenico zniknął, a ja pewnym krokiem ruszyłam w stronę Czarnego.

Na dźwięk szpilek uderzających o kamienną posadzkę odwrócił się. Ubrany był w szare lniane spodnie i lekki sweterek w tym samym kolorze z podciągniętymi rękawami. Zbliżył się do stołu i odstawił kieliszek, który trzymał w dłoni. Obserwował każdy mój krok, kiedy zbliżałam się do niego, mierząc mnie wzrokiem. Gdy zatrzymałam się przed nim, oparł się o stół i lekko rozchylił nogi. Stanęłam między nimi, nie spuszczając wzroku z jego oczu. Cały płonął, nawet gdybym była niewidoma, czułabym przez skórę jego pożądanie.

– Nalejesz mi? – zapytałam cicho, przygryzając dolną wargę.

Massimo wyprostował się, tak by mi okazać, że nawet w szpilkach wciąż jestem od niego zdecydowanie niższa.

– Czy jesteś świadoma – zaczął szeptem – że jeśli będziesz mnie prowokować, nie zapanuję nad sobą?

Oparłam dłoń o jego twardą klatkę piersiową i delikatnie pchnęłam go, dając mu wyraźny znak, by usiadł. Nie opierał się i wykonał to, co chciałam. Patrzył zaciekawiony i rozpalony – na moją twarz, na sukienkę, na buty, a przede wszystkim na czerwoną koronkę, która zdecydowanie dominowała w dzisiejszym stroju.

Stanęłam bardzo blisko niego, tak że nie mógł nie poczuć zapachu moich perfum. Wplotłam mu prawą rękę we włosy i delikatnie pociągnęłam jego głowę w dół. Poddał się temu, nie spuszczając ze mnie wzroku. Zbliżyłam usta do jego warg i raz jeszcze cicho spytałam:

– Nalejesz mi czy mam obsłużyć się sama?

Po chwili milczenia puściłam jego włosy, podeszłam do coolera i nalałam sobie do kieliszka. Czarny nadal siedział oparty o stół i taksował mnie wzrokiem, a jego usta układały się w coś na kształt uśmiechu. Usiadłam przy stole, bawiąc się nóżką kieliszka.

– Jemy? – zapytałam, rzucając mu znudzone spojrzenie.

Wstał, podszedł do mnie i położył ręce na moich barkach. Pochylił się, wciągnął głęboko powietrze i wyszeptał:

– Cudownie wyglądasz. – Musnął językiem koniec mojego ucha. – Nie pamiętam, żeby kiedykolwiek jakaś kobieta tak na mnie działała. – Jego zęby delikatnie przejechały po skórze na mojej szyi.

Moje ciało przeszył dreszcz, którego początek rodził się między nogami.

– Mam ochotę położyć cię brzuchem na stole, podciągnąć ci tę krótką sukienkę i bez zdejmowania majtek mocno wydymać.

Złapałam głęboki wdech, czując rosnące we mnie podniecenie. On kontynuował.

– Twój zapach czułem już, kiedy stanęłaś w progu domu. Chciałbym go z ciebie zlizać. – Mówiąc to, zaczął rytmicznie i mocno zaciskać dłonie na moich ramionach. – Jest jedno miejsce na twoim ciele, gdzie na pewno teraz go nie czuć. Tam chciałbym się znaleźć najbardziej.

Urwał swój zmysłowy wywód i zaczął na powrót delikatnie całować i przygryzać moją szyję. Nie oponowałam, tylko przekręciłam głowę na bok, by miał lepszy dostęp. Jego dłonie zsunęły się powoli po dekolcie, by po chwili mocno ścisnąć obie moje piersi. Jęknęłam.

– Sama widzisz, że mnie pragniesz, Lauro.

Poczułam, jak jego dłonie i usta oddalają się.

– Pamiętaj, że to moja gra, więc to ja ustalam zasady. – Pocałował mnie w policzek i usiadł na krześle obok.

Triumfował, obydwoje to wiedzieliśmy, co nie zmieniało faktu, że jego spodnie kolejny raz zrobiły się zdecydowanie za małe.

Udawałam niewzruszoną całą sytuacją, ale to tylko rozbawiło mojego towarzysza. Siedział, bawiąc się kieliszkiem szampana, z szelmowskim uśmiechem na twarzy.

Domenico pojawił się w drzwiach, by zaraz zniknąć, a chwilę później dwaj młodzi mężczyźni zaserwowali nam przystawkę. Carpaccio z ośmiornicy było wyborne i delikatne, a kolejne podawane na stół dania coraz lepsze. Jedliśmy w ciszy, od czasu do czasu zerkając na siebie. Po deserze odsunęłam się wraz z fotelem od stołu, wzięłam w rękę kieliszek różowego wina i pewnym głosem zaczęłam:

– Cosa nostra.

Massimo rzucił mi ostrzegawcze spojrzenie.

– Z tego, co wiem, nie istnieje. Prawda?

Zaśmiał się szyderczo i zapytał niskim głosem:

– I co jeszcze wiesz, mała?

Zdezorientowana zaczęłam obracać w palcach kieliszek.

– No cóż, *Ojca Chrzestnego* chyba każdy widział. Zastanawiam się, ile jest w tym prawdy o was.

– O nas? – zapytał zdziwiony. – O mnie nie ma tam nic, co do reszty, to nie mam pojęcia.

Nabijał się ze mnie. Czułam to, więc zapytałam wprost:

– Czym się zajmujesz?

– Robię interesy.

– Massimo – nie dawałam za wygraną – ja pytam poważnie. Oczekujesz ode mnie rocznej deklaracji i posłuszeństwa i nie uważasz, że powinnam wiedzieć, na co się piszę?!

Jego mina zrobiła się poważna. Utkwił we mnie lodowaty wzrok.

– Masz prawo oczekiwać wyjaśnień, a ja udzielę ci ich na tyle, na ile jest ci to potrzebne. – Przełknął łyk wina. – Po śmierci rodziców zostałem wybrany głową rodziny, dlatego ludzie zwracają się do mnie don. Mam kilka firm, kluby, restauracje, hotele – to jak korporacja, której prezesem jestem. Całość jest częścią większej działalności. Jeśli życzysz sobie pełnego spisu, dostaniesz go, jednak uważam, że szczegółowa wiedza byłaby zbędna i niebezpieczna. – Wpatrywał się we mnie gniewnym i poważnym wzrokiem. – Nie wiem, jakiej wiedzy więcej potrzebujesz. Chcesz wiedzieć, czy mam swojego consigliere? Tak, mam, myślę, że niebawem go poznasz. Na pytanie, czy mam broń, czy jestem niebezpieczny i czy sam rozwiązuję swoje problemy, odpowiedź poznałaś w nocy. Nie wiem, co jeszcze chcesz wiedzieć, pytaj.

W głowie kłębiło mi się milion myśli, ale właściwie nic więcej nie potrzebowałam wiedzieć. Sytuacja już od jakiegoś czasu była jasna, tak naprawdę od wczorajszej nocy wiedziałam już wszystko.

– Kiedy oddasz mi telefon i komputer?

Czarny spokojnie obrócił się na krześle i zarzucił nogę na kolano.

– Kiedy zechcesz, mała. Musimy tylko ustalić, co powiesz osobom, z którymi chcesz się kontaktować.

Złapałam oddech, by coś powiedzieć, ale on uniósł rękę, nie pozwalając mi zacząć.

– Zanim mi przerwiesz, powiem ci, jak jest. Zadzwonisz do rodziców, a jeśli będzie to twoim zdaniem konieczne, polecisz do Polski.

Na te słowa moje oczy rozjaśniły się, a na twarzy odmalowała się radość.

– Powiesz im, że otrzymałaś bardzo lukratywną propozycję pracy w jednym z hoteli na Sycylii i zamierzasz z niej skorzystać. Kontrakt będzie obejmował roczny okres próbny. Dzięki temu nie będziesz musiała okłamywać bliskich, kiedy zapragniesz mieć z nimi kontakt. Z mieszkania Martina zostały zabrane twoje rzeczy jeszcze przed tym, nim wrócił do Warszawy. Jutro powinny już być na wyspie. Temat tego człowieka uważam za zamknięty. Nie chcę, abyś miała z nim cokolwiek wspólnego.

Popatrzyłam na niego pytająco.

– Jeśli nie wyraziłem się jasno, może uściślę: zakazuję ci kontaktów z tym człowiekiem – powiedział stanowczo. – Coś jeszcze?

Chwilę milczałam. Wszystko doskonale przemyślał, sytuacja była dobrze zaplanowana i logiczna.

– No dobrze, a jeśli będę potrzebowała odwiedzić rodzinę? – ciągnęłam dalej. – To co wtedy?

Massimo zmarszczył czoło.

– No cóż... wtedy poznam bliżej twój piękny kraj.

Roześmiałam się, popijając wcześniej łyk wina. Już widzę, jak głowa mafijnej rodziny zjawia się w Warszawie.

– Czy mam prawo się z tobą nie zgodzić? – zapytałam badawczo.

– Niestety, to nie jest propozycja, tylko opis sytuacji, która będzie miała miejsce. – Pochylił się w moją stronę. – Lauro, jesteś taka mądra, czy jeszcze nie dotarło do ciebie, że ja zawsze dostaję to, czego chcę?

Skrzywiłam się, przypominając sobie dzisiejsze wydarzenia.

– Z tego, co mi wiadomo, don Massimo, nie zawsze. – Spuściłam wzrok na koronkową bieliznę, która wystawała spod mojej sukienki, i przygryzłam wargę.

Podniosłam się powoli z fotela. Czarny obserwował każdy mój ruch. Zdjęłam cudowne szpilki z czerwoną podeszwą i ruszyłam w stronę ogrodu. Trawa była wilgotna, a powietrze smakowało solą. Wiedziałam, że nie oprze się pokusie i pójdzie za mną. Po chwili tak się stało. Szłam w ciemnościach, widząc w oddali jedynie światła łodzi kołyszących się na morzu. Zatrzymałam się, gdy dotarłam do kwadratowej leżanki z baldachimem, na której w ciągu dnia ucięłam sobie drzemkę.

– Dobrze się tu czujesz, prawda? – zapytał Massimo, stając obok.

Właściwie miał rację, nie czułam się tu obca ani nowa, miałam wrażenie, jakbym była tu od zawsze. Poza tym która dziewczyna nie chciałaby się znaleźć w pięknej willi, ze służbą i wszelkimi wygodami.

– Powoli akceptuję sytuację, przyzwyczajam się, ponieważ wiem, że nie mam wyjścia – odparłam, popijając łyk z kieliszka.

Czarny wyjął go z mojej dłoni i rzucił na trawę. Wziął mnie na ręce i delikatnie położył na białych poduszkach. Mój oddech przyspieszył, bo wiedziałam, że mogę się spodziewać absolutnie wszystkiego. Przerzucił jedną nogę nade mną i znowu leżeliśmy tak, jak dzisiejszego poranka.

Różnica polegała na tym, że wtedy się bałam, a w tej chwili jedyne, co odczuwałam, to ciekawość i podniecenie. Może była to wina wypitego alkoholu, a może po prostu pogodziłam się z sytuacją i wszystko stało się prostsze.

Czarny, trzymając ręce po obydwu stronach mojej głowy, pochylił się nade mną.

– Chciałbym... – wyszeptał, trącając nosem moje wargi – żebyś nauczyła mnie delikatności wobec siebie.

Zamarłam. Człowiek tak niebezpieczny, potężny i władczy prosił mnie o pozwolenie, o czułość i miłość.

Moje ręce powędrowały do jego twarzy i zatrzymały się na policzkach. Przez chwilę przytrzymałam ją, by móc patrzeć w jego czarne i spokojne oczy. Delikatnym ruchem przyciągnęłam go do siebie. Kiedy nasze usta się spotkały, Massimo natarł na mnie z całą siłą, mocno i zachłannie otwierając je coraz szerzej. Nasze języki wiły się w jednym rytmie. Jego ciało opadało na mnie, a ramiona splotły się wokół moich barków. Zdecydowanie było czuć, że oboje siebie pragniemy, języki i wargi pieprzyły się ze sobą, mocno i namiętnie, pokazując nasz niemal identyczny seksualny temperament.

Po chwili, kiedy adrenalina odpłynęła, a ja lekko ochłonęłam, zorientowałam się, co robię.

– Zaczekaj, przestań – powiedziałam, odpychając go od siebie.

Czarny nie zamierzał przestawać. Chwycił mnie mocno za nadgarstki, którymi wymachiwałam, i przycisnął je do białego materaca. Uniósł moje ręce i złapał obie jedną dłonią. Druga powędrowała wzdłuż mojego uda w górę, wspinając się do chwili, kiedy napotkała koronkowe majtki. Chwycił je, odrywając swoje usta od moich. Blade światło oddalonych latarni oświetlało moją przerażoną twarz. Nie walczyłam z nim, i tak nie miałam szans. Leżałam spokojnie, a po policzkach płynęły mi łzy. Widząc to, puścił moje dłonie, podniósł się i usiadł, opierając stopy na mokrej trawie.

– Mała... – wyszeptał ciężko – kiedy przez całe życie używasz tylko przemocy i o wszystko musisz walczyć, trudno jest reagować inaczej, kiedy ktoś odbiera ci przyjemność, której pragniesz.

Podniósł się i przejechał ręką po włosach, ja natomiast nawet nie drgnęłam, wciąż leżąc bez ruchu na plecach. Byłam wściekła, a jednocześnie szkoda mi było Massima. Odnosiłam wrażenie, że nie jest jednym z tych mężczyzn, którzy katują kobiety i biorą je siłą. Jemu takie postępowanie wydawało się normalne. Mocny dotyk, bo tak bym to nazwała, był dla niego tak oczywisty jak uścisk dłoni. Prawdopodobnie również nigdy na nikim mu nie zależało, nie musiał się starać ani dbać o niczyje uczucia. Teraz chciał wyegzekwować wzajemność od kobiety, a jedynym sposobem, w jaki umiał to zrobić, był przymus.

Z przerażającej ciszy wyrwał nas dźwięk wibrującej w jego spodniach komórki. Czarny wyciągnął telefon, popatrzył na wyświetlacz i odebrał. Kiedy rozmawiał, wytarłam oczy i podniosłam się z leżanki. Spokojnym krokiem ruszyłam w stronę domu. Byłam zmęczona, trochę pijana i całkowicie zdezorientowana. Chwilę mi to zajęło, ale w końcu dotarłam do pokoju i wyczerpana padłam na łóżko. Nawet nie wiem, kiedy zasnęłam.

ROZDZIAŁ 5

Obudziłam się, gdy było już jasno. Na mojej talii poczułam ciężką dłoń. Zwinięty obok Massimo spał, obejmując mnie w pasie.

Twarz miał przykrytą włosami, usta lekko rozchylone. Powoli i miarowo wciągał powietrze, a jego opalone ciało, ubrane identycznie jak poprzedniego poranka, prezentowało się niezwykle efektownie na tle białej pościeli. O Boże, jaki on jest pyszny, pomyślałam, oblizując wargi i zaciągając się zapachem jego skóry.

Wszystko cudownie, tylko co on tu robi?, pomyślałam. Bałam się ruszyć, by go nie zbudzić, a musiałam iść do łazienki. Zaczęłam wysuwać się spod jego dłoni, delikatnie ją unosząc. Czarny złapał głośno haust powietrza i przekręcił się na plecy; nadal spał. Podniosłam się z łóżka i ruszyłam w stronę drzwi do łazienki. Kiedy stanęłam przed lustrem, aż skrzywiłam się na swój widok. Niezmyty makijaż przybrał kształt maski Zorro, moja wąska sukienka powykręcała się we wszystkie strony, a misterny kok wyglądał jak ptasie gniazdo.

– Słodko – wysyczałam przez zęby i zaczęłam wacikiem wycierać czarne plamy wokół oczu. Kiedy skończyłam, rozebrałam się i ruszyłam do wielkiej kabiny prysznicowej. Odkręciłam wodę i nalałam na dłoń mydło. W tym momencie drzwi otworzyły się i stanął w nich Czarny. Bez żadnego, nawet najmniejszego zażenowania patrzył na mnie.

– Dzień dobry, mała, mogę się przyłączyć? – zapytał, przecierając zaspane oczy i uśmiechając się wesoło. W pierwszym momencie chciałam podejść do niego, uderzyć go nie wiem który już raz i wyrzucić z łazienki. Ale z doświadczenia nabytego przez ostatnie dni wiedziałam, że nic to nie da, a jego reakcja będzie gwałtowna i niezbyt dla mnie przyjemna. Odparłam więc bez emocji, rozprowadzając mydło po ciele:

– Jasne, chodź.

Massimo przestał przecierać oczy, zmrużył je i stanął jak wryty. Chyba nie był pewien tego, co usłyszał, a już z pewnością nie był na to przygotowany.

Nie mogłam zmienić tego, że tu wszedł i zobaczył mnie nagą, ale mogłam przynajmniej popatrzeć sobie na niego bez ubrania.

Massimo powoli podszedł do kabiny prysznicowej, którą raczej powinnam nazywać pokojem kąpielowym, złapał za tył koszulki i jednym ruchem ściągnął ją przez głowę. Stałam oparta o ścianę, powoli nakładając kolejną porcję białego żelu na ciało. Nie spuszczałam wzroku z Massima, on podobnie taksował mnie wzrokiem. Tak się zapatrzyłam, że dopiero po chwili się zorientowałam, iż mydlę wyłącznie swoje piersi i robię to zdecydowanie zbyt długo.

– Zanim zdejmę spodnie, muszę cię uprzedzić, że jestem zdrowym facetem, jest rano, a ty jesteś naga, więc... – Tu urwał i nonszalancko wzruszył ramionami, wyginając usta w cwaniacki uśmiech.

Na te słowa serce podskoczyło mi do gardła. Dziękowałam Bogu, że stoję pod prysznicem, bo ta informacja sprawiła, że w sekundę zrobiłam się mokra. Kiedy ja ostatni raz uprawiałam seks?, pomyślałam. Martin traktował to raczej jako sporadyczny przymus, więc od kilku tygodni nie zaznałam przyjemności sprawionej przez kogoś innego niż ja sama. A do tego wszystkiego chyba zbliżała mi się owulacja i hormony wygrywały marsza na moim libido. Co za tortura, wymamrotałam pod nosem i zwracając się w stronę prysznica, przekręciłam kurki tak, by woda zrobiła się lodowata.

Z podniecenia, że za chwilę zobaczę go w całej okazałości, aż podkurczałam palce u stóp, a mięśnie na moim ciele mimowolnie się napinały. Dla własnego dobra i bezpieczeństwa zamknęłam oczy i wsunęłam się pod zimną wodę, udając, że płuczę skórę z mydła. Niestety, tym razem temperatura nie pomagała, a woda wydała mi się jedynie letnia.

Massimo wszedł do kabiny i odkręcił prysznic, który był obok. W sumie w wydzielonej przestrzeni za szybą były cztery deszczownice i ogromny panel do masażu wodnego, który wyglądał jak kaloryfer łazienkowy z dziurkami.

– Dziś wyjeżdżamy – zaczął spokojnie Czarny. – Nie będzie nas kilka dni, może kilkanaście, tego jeszcze nie wiem. Będziemy musieli odwiedzić parę oficjalnych imprez, więc pakując się, weź to pod uwagę. Domenico wszystko przygotuje, ty tylko musisz wskazać, co zabierasz.

Słyszałam, co mówił, ale nie słuchałam. Za wszelką cenę starałam się nie otworzyć oczu, ale ciekawość była silniejsza. Obróciłam głowę i zobaczyłam, jak Massimo opiera się obiema rękami o ścianę, pozwalając, by woda spływała po jego ciele. Widok był powalający – jego nagie, smukłe nogi przechodziły w pięknie wyrzeźbione pośladki, a mięśnie brzucha świadczyły o ogromie pracy, jaką wykonał, dbając o formę. W tej chwili mój wzrok przestał wędrować, zatrzymując się w jednym punkcie. Moim oczom ukazał się obraz, którego bałam się najbardziej. Jego piękny, równy i niebywale gruby kutas sterczał niczym świeczka wetknięta w tort, który dostałam w hotelu w dniu swoich urodzin. Był doskonały, idealny, nie za długi, ale gruby prawie jak mój nadgarstek, po prostu perfekcyjny. Stałam tak w strugach lodowatej wody i z trudem przełykałam ślinę. Massimo miał ciągle zamknięte oczy i twarz wystawioną w stronę spadających kropli. Delikatnie obracał na boki głową, by woda równomiernie się rozlewała po jego włosach.

Ugiął wyprostowane wcześniej ręce i oparł się o ścianę łokciami, tak że jego głowa znalazła się już poza strumieniem.

– Chcesz czegoś ode mnie czy tylko sobie oglądasz? – zapytał z ciągle zamkniętymi oczami.

Moje serce waliło i nie mogłam oderwać od niego oczu. W myślach przeklinałam chwilę, w której pozwoliłam mu wejść pod ten cholerny prysznic – choć pewnie mój sprzeciw niewiele by zmienił. Ciało stawało przeciwko mnie, każda komórka pragnęła go dotknąć. Oblizywałam wargi na myśl o tym, że mogłabym trzymać go w ustach.

Przed oczami miałam obraz, kiedy staję za nim, cała ociekająca wodą, i mocno łapię jego męskość. Powoli zaciskam na niej palce, a on jęczy, zachęcony moim dotykiem. Odwracam go i opieram o ścianę. Zbliżam się do niego, nie puszczając z dłoni jego twardego kutasa. Niespiesznie liżę jego sutki i powoli przesuwam ręką od nasady aż po czubek. Czuję, jak robi się coraz twardszy i jak jego biodra wychodzą na spotkanie moim ruchom...

– Twój wzrok, Lauro, wskazuje na to, że nie myślisz o kreacjach, które musisz zabrać.

Potrząsnęłam głową, jakbym dopiero co się obudziła i chciała odgonić sen. Czarny stał w tej samej pozycji, łokciami oparty o ścianę, z tą jednak różnicą, że teraz patrzył na mnie rozbawionym wzrokiem. Spanikowałam. Nie byłam w stanie rezolutnie zripostować, gdyż jedyne, o czym teraz myślałam, to żeby mu obciągnąć. Moja panika przywołała go jak ranne zwierzę drapieżnika.

Massimo ruszył w moją stronę, a ja ze wszystkich sił starałam się patrzeć mu w oczy. Droga do mnie zajęła mu jakieś trzy kroki, co zdecydowanie mnie ucieszyło, gdyż dzięki temu już po chwili obiekt mojego zainteresowania zniknął mi z pola widzenia. Niestety, moja ulga nie trwała długo, ponieważ w momencie, kiedy stanął naprzeciw mnie, jego sterczący wciąż fallus delikatnie muskał mój brzuch. Cofałam się, a on szedł za mną. Po moich każdych dwóch krokach on robił jeden, co wystarczyło, by znowu był blisko. Mimo że kabina była gigantyczna, wiedziałam, że w którymś momencie zabraknie nam miejsca. Kiedy oparłam się o ścianę, Czarny niemal przykleił się do mnie swoim ciałem.

– O czym myślałaś, patrząc na niego? – zapytał, pochylając się nade mną. – Chcesz go dotknąć, bo na razie to on dotyka ciebie...

Nie byłam w stanie wydusić z siebie słowa, otwierałam usta, ale dźwięki nie chciały z nich wypływać. Stałam bezbronna, oszołomiona i ogarnięta pożądaniem, a on ocierał się o mnie, coraz mocniej napierając na mój brzuch. Jego nacisk przerodził się w rytmiczne, pulsacyjne ruchy. Massimo jęknął i oparł czoło o ścianę za mną.

– Zrobię to z twoją pomocą lub bez niej – wydyszał mi nad głową.

Nie mogłam dłużej się powstrzymać i złapałam rękami twarde pośladki Czarnego. Gdy wbiłam w nie paznokcie, z jego gardła wydobył się niski jęk. Stanowczym ruchem obróciłam się i oparłam go o ścianę. Ręce zwisały mu bezwładnie wzdłuż ciała, a jego wbity we mnie wzrok płonął z pożądania. Wiedziałam, że jeśli tego teraz nie przerwę, za chwilę nie będę w stanie zapanować nad sytuacją i wydarzy się coś, co nie powinno się stać.

Odwróciłam się i pędem ruszyłam przez kabinę i łazienkę. Złapałam wiszący obok drzwi szlafrok i przebiegając przez próg, pospiesznie zarzuciłam go na siebie. Przez korytarz też biegłam, mimo że nie słyszałam za sobą kroków. Zatrzymałam się dopiero, kiedy minęłam ogród, schody i znalazłam się na przystani. Ciężko dysząc, wbiegłam na pokład motorówki i opadłam na jedną z kanap.

Próbując złapać oddech, analizowałam sytuację, ale obrazy w mojej głowie nie dawały mi logicznie myśleć. Przed oczami jak zacinający się film przebiegał cudowny, sterczący penis Massima. Niemal czułam jego smak w ustach, a w dłoni dotyk jego delikatnej skóry.

Nie wiem, ile czasu spędziłam, gapiąc się na wodę, ale w końcu poczułam, że mogę wstać i wrócić do rezydencji.

Kiedy ostrożnie otworzyłam drzwi swojej sypialni, w środku spotkałam Domenica rozkładającego wielkie walizki LV.

– Gdzie jest don Massimo? – zapytałam prawie szeptem z głową między drzwiami a futryną.

Młody Włoch podniósł na mnie wzrok i uśmiechnął się.

– Sądzę, że w bibliotece. Czy chce się pani udać do niego? Teraz rozmawia ze swoim consigliere, ale mam polecenie, by za każdym razem, kiedy odczuje pani potrzebę, zabrać ją do don Massima.

Weszłam do środka i zamknęłam drzwi.

– Och, zdecydowanie nie chcę – odpowiedziałam, machając rękami. – Kazał ci mnie spakować?

Domenico nadal rozkładał walizki.

– Za godzinę musicie państwo wyjechać, więc raczej przyda się pani pomoc, chyba że jej pani nie chce?

– Przestań mówić do mnie pani, to mnie denerwuje, poza tym jesteśmy chyba w tym samym wieku, więc nie musimy się wygłupiać.

Domenico uśmiechnął się i skinął głową, sygnalizując, że przystaje na moją propozycję.

– A może ty mi powiesz, dokąd jedziemy? – zapytałam.

– Do Neapolu, Rzymu i Wenecji – odparł. – Później na Lazurowe Wybrzeże.

Otworzyłam szeroko oczy ze zdziwienia. Przez całe życie nie zwiedziłam tyle, ile Massimo planował pokazać mi przez najbliższe parę dni.

– Czy znasz cel każdej z naszych wizyt? – zapytałam. – Chciałabym wiedzieć, co mam zabrać.

Domenico przestał rozkładać walizki i przeszedł do garderoby.

– Zasadniczo tak, ale nie powinienem cię o tym informować. Don Massimo wszystko ci wyjaśni, ja tylko pomogę zapakować odpowiednie stroje, nie obawiaj się. – Mrugnął do mnie porozumiewawczo. – Moda to mój konik.

– Jeśli tak, zaufam ci w stu procentach. Skoro mam niecałą godzinę na przygotowania, chciałabym już zacząć.

Domenico skinął głową i zniknął w otchłani niebotycznie wielkiej garderoby.

Weszłam do łazienki, w której wciąż unosił się zapach pożądania. Aż ścisnęło mnie w żołądku. Nie wytrzymam, pomyślałam. Wróciłam do sypialni, przeszłam przez nią, weszłam do garderoby i zwróciłam się do Domenica:

– Czy moje rzeczy z domu w Warszawie już dotarły?

Mężczyzna otworzył jedną z wielkich szaf i wskazał ręką na pudła.

– Owszem, ale don Massimo powiedział, by ich nie ruszać.

Doskonale, pomyślałam.

– Czy możesz na chwilę zostawić mnie samą?

Zanim zdążyłam się odwrócić, by spojrzeć na niego, stałam sama na środku pomieszczenia.

Rzuciłam się do przekopywania pudeł w poszukiwaniu jednej tylko rzeczy, która mnie interesowała – mojego różowego kolegi z trzema bolcami.

Kiedy po dobrym kwadransie i przewertowaniu dziesiątek kartonów w końcu miałam go w rękach, odetchnęłam z ulgą. Schowałam go do kieszeni szlafroka i ruszyłam do łazienki.

Domenico stał na balkonie, oczekując na sygnał ode mnie. Przebiegając przez pokój, skinęłam do niego głową, a on wrócił na miejsce, które ja pospiesznie opuszczałam.

Wyciągnęłam różowego z kieszeni i dokładnie go umyłam. Aż jęknęłam na jego widok – był w tej chwili moim najlepszym przyjacielem. Rozejrzałam się po łazience, szukając dogodnego miejsca. Lubiłam się masturbować, wygodnie leżąc, nie umiałam robić tego w pośpiechu ani w ekwilibrystycznej pozycji. Najlepsza byłaby sypialnia, ale obecność mojego asystenta działała na mnie rozpraszająco. W rogu łazienki, obok toaletki, stał nowoczesny biały szezlong ze skóry. Nie będzie to najwygodniejsze miejsce, ale trudno, pomyślałam. Byłam tak zdesperowana, że za chwilę położyłabym się na podłodze.

Szezlong był zaskakująco miękki i doskonale dopasowany do mojego wzrostu. Rozwiązałam pasek szlafroka, a ten opadł po obydwu stronach mojego ciała. Leżałam naga i spragniona orgazmu. Oblizałam dwa palce i wsunęłam je w siebie, by zmniejszyć tarcie. Z zaskoczeniem odkryłam, że byłam tak mokra, iż czynność ta wydawała się zdecydowanie zbędna. Włączyłam wibrator i powoli wsunęłam jego środkową końcówkę do mojego pulsującego wnętrza. W miarę jak najgrubsza jego część zatapiała się coraz głębiej we mnie, druga końcówka w kształcie króliczka wsunęła się w moje tylne wejście. Przez moje ciało przeszedł dreszcz i wiedziałam, że nie będę potrzebowała dużo czasu, by się zaspokoić. Trzecia część gumowego kolegi wibrowała najmocniej, opierając się o moją nabrzmiałą łechtaczkę. Zamknęłam oczy. W głowie miałam tylko jeden widok i tylko ten chciałam teraz oglądać – Massimo stojący pod prysznicem, trzymający w rękach swojego pięknego kutasa.

Pierwszy orgazm przyszedł po kilku sekundach, a kolejne nadchodziły falami w odstępie najwyżej pół minuty. Po kilku chwilach byłam tak wykończona, że z trudem wyjęłam różowego z siebie i zsunęłam nogi.

Trzydzieści minut później stałam przed lustrem, pakując kosmetyki do jednej ze skórzanych toreb. Spojrzałam na swoje odbicie; w niczym nie przypominałam kobiety, którą byłam jeszcze tydzień temu. Moja skóra była opalona, wyglądała zdrowo i świeżo. Włosy miałam spięte w gładki kok, lekko pomalowane oczy i wyraźnie zarysowane ciemną pomadką usta. Na czas podróży Domenico wybrał dla mnie biały komplet od Chanel. Długie, szerokie, lekkie spodnie w kolorze złamanej bieli z półprzezroczystego jedwabiu zlewały się niemal w kombinezon z delikatną, lejącą się bluzką na grubych ramiączkach. Całość dopełniały szpilki od Prady z małym czubkiem.

– Twoje bagaże już są spakowane – powiedział Domenico, podając mi torebkę.

– Chciałabym się teraz zobaczyć z Massimem.

– Jeszcze nie skończył spotkania, ale...

– No to za chwilę skończy – rzuciłam do niego, wychodząc z sypialni.

Biblioteka była jednym z tych pomieszczeń, którego lokalizację zapamiętałam. Ruszyłam przez korytarz, a stukot moich szpilek rozchodził się po kamiennej posadzce. Kiedy dotarłam przed drzwi, wzięłam głęboki oddech i złapałam za klamkę. Weszłam do środka, a po plecach przebiegł mi dreszcz. Nie byłam w tym pokoju od czasu pierwszej rozmowy z Czarnym, zaraz po przebudzeniu się z kilkudniowej śpiączki.

Massimo siedział na kanapie. Miał na sobie jasny lniany garnitur i rozpiętą koszulę. Obok niego na fotelu spoczywał szpakowaty, przystojny mężczyzna, który był zdecydowanie starszy od swojego rozmówcy. Typowy Włoch, pomyślałam, dłuższe włosy zaczesane do tyłu, wypielęgnowana bródka. Obaj na mój widok poderwali się z miejsc. Pierwsze spojrzenie, które posłał mi Czarny, było lodowate, jakby karał mnie za to, że przerwałam mu spotkanie. Ale kiedy jego oczy omiotły całą moją sylwetkę, jakby złagodniał, jeśli można to tak nazwać. Powiedział coś do mężczyzny, nie spuszczając ze mnie wzroku, i ruszył w moją stronę. Podszedł i nachylił się, by ucałować mnie w policzek.

– No i musiałem poradzić sobie bez ciebie – wyszeptał, zanim złożył pocałunek.

– Ja także poradziłam sobie sama – dodałam cicho, kiedy jego usta oddalały się.

Te słowa zatrzymały go na moment w bezruchu. Przeszył mnie wzrokiem pełnym namiętności i gniewu. Ujął moją dłoń i poprowadził mnie do swojego rozmówcy.

– Lauro, poznaj Maria, moją prawą rękę.

Podeszłam do mężczyzny, by podać mu dłoń, ale ten chwycił mnie delikatnie za ramiona i ucałował w obydwa policzki. Nie byłam jeszcze przyzwyczajona do tego gestu, w moim kraju takim pocałunkiem wita się tylko osoby najbliższe.

– Consigliere – powiedziałam z uśmiechem.

– Mario będzie dobrze. – Starszy mężczyzna uśmiechnął się łagodnie. – Miło mi wreszcie zobaczyć cię żywą.

Te słowa wmurowały mnie w ziemię – jak to: żywą? Czyżby spodziewał się, że nie dożyję spotkania z nim? Moja twarz chyba zdradzała przerażenie, bo Mario szybko wyjaśnił, co miał na myśli.

– W całym domu są twoje portrety. Wiszą tu od lat, ale nikt nie spodziewał się, że faktycznie istniejesz. No chyba sama jesteś zaskoczona tą historią?

Wzruszyłam bezradnie ramionami.

– Nie będę ukrywać, że cała ta sytuacja jest dla mnie surrealistyczna i trochę mnie przytłacza. Ale wszyscy wiemy, że nie jestem w stanie przeciwstawić się don Massimowi, więc z pokorą staram się przyjmować każdy z ponad trzystu pięćdziesięciu dni, które mi jeszcze pozostały.

Massimo parsknął śmiechem.

– Z pokorą... – powtórzył i zwrócił się po włosku do swojego towarzysza, który za chwilę był tak samo ubawiony jak on.

– Cieszę się, że moja osoba was bawi. Abyście mogli ponapawać się moją nieobecnością, poczekam w samochodzie – wycedziłam przez zęby, obdarzając obu mężczyzn ironicznym uśmiechem.

Kiedy odwróciłam się do nich plecami i ruszyłam ku drzwiom, rozbawiony Mario powiedział:

– Faktycznie, Massimo, aż dziwne, że nie jest Włoszką.

Zignorowałam ten tekst i zamknęłam za sobą drzwi.

Przed wyjściem na podjazd zatrzymałam się na chwilę. Przed oczami nadal miałam obraz martwego człowieka leżącego na kamiennych płytkach. Przełknęłam ślinę i nie rozglądając się na boki, ruszyłam w stronę zaparkowanego kilka metrów ode mnie SUV-a. Kierowca otworzył mi drzwi i podał rękę, bym mogła wygodnie wsiąść do środka.

Na siedzeniu leżał mój iPhone, a obok niego komputer. Na ten widok aż zapiszczałam z radości. Przycisnęłam na panelu guzik, który zamykał szybę między wnętrzem auta a przednimi siedzeniami. Uradowana włączyłam telefon i odkryłam z przerażeniem dziesiątki połączeń od mojej mamy i, o dziwo, nawet jedno z telefonu Martina. To dziwne i smutne dowiedzieć się po ponad roku, jak bardzo ktoś mógł mieć mnie w dupie, pomyślałam.

Wybrałam numer mamy. W słuchawce odezwał się przerażony głos:

– Kochanie, do jasnej cholery, ja tu się zamartwiam i umieram ze strachu – powiedziała mama, niemalże łkając.

– Mamuś, dzwoniłaś do mnie zaledwie wczoraj. Spokojnie, nic się nie dzieje.

Niestety, jej matczyny instynkt podpowiadał jej zupełnie co innego, więc nie dawała za wygraną.

– Wszystko w porządku, Lauro? Wróciłaś już z Sycylii? Jak było?

Nabrałam powietrza w płuca i wiedziałam, że nie da się jej tak łatwo oszukać. Czy było w porządku? No cóż... Popatrzyłam na siebie, a potem rozejrzałam się dokoła.

– Jest bardzo w porządku, mamo. Tak, wróciłam, ale muszę ci o czymś powiedzieć. – Zacisnęłam oczy, modląc się w duchu, by łyknęła haczyk. – W trakcie urlopu dostałam propozycję pracy w jednym z najlepszych hoteli na wyspie. – Mój głos zdradzał przesadne podekscytowanie. – Zaoferowali mi roczny kontrakt, który postanowiłam przyjąć, dlatego aktualnie szykuję się do wyjazdu. – Urwałam i czekałam na jej reakcję, ale w słuchawce zapanowała cisza.

– Przecież ty nie znasz nawet słowa po włosku – zagrzmiała.

– Oj, proszę cię, a jakie to ma znaczenie, cały świat mówi po angielsku.

Sytuacja stawała się napięta i wiedziałam, że jeśli jeszcze przez chwilę porozmawiamy, to matka coś wyczuje. Aby zapobiec temu, rzuciłam krótko:

– Za kilka dni do was przyjadę i opowiem ci o wszystkim, a teraz mam całą masę spraw do załatwienia przed wyjazdem.

– No dobrze, a co z Martinem? – zapytała badawczo. – Ten pracoholik nie zostawi firmy.

Ciężko westchnęłam.

– Zdradził mnie, kiedy byliśmy we Włoszech. Zostawiłam go i dzięki temu wiem, że ten wyjazd to ogromna szansa od losu – dodałam najbardziej spokojnym i beznamiętnym tonem, jaki byłam w stanie z siebie wydobyć.

– Od początku ci mówiłam, że to nie jest facet dla ciebie, dziecko.

No jasne. Dobrze, że nie znasz obecnego, pomyślałam.

– Mamuniu, muszę kończyć, bo wchodzę do urzędu. Odzywaj się i pamiętaj, że cię kocham.

– A ja ciebie, uważaj na siebie, kochanie.

Kiedy przycisnęłam czerwoną słuchawkę, z ulgą westchnęłam. Chyba się udało. Teraz tylko muszę powiedzieć Czarnemu o wizycie w Polsce, której nie dało się uniknąć. W tym momencie drzwi samochodu się otworzyły i do środka eleganckim ruchem wsunął się Massimo.

Popatrzył na moją dłoń, w której trzymałam telefon.

– Rozmawiałaś z mamą? – zapytał niemal troskliwym głosem, gdy samochód ruszył.

– Tak, ale to nie zmieniło faktu, że wciąż się martwi – odpowiedziałam, nie odrywając wzroku od szyby. – Niestety, rozmowa z nią przez telefon nic nie dała i będę musiała w ciągu kilku dni zjawić się w Polsce. Zwłaszcza że ona sądzi, iż już tam jestem. – Kończąc, odwróciłam głowę w stronę Czarnego, aby sprawdzić jego reakcję. Siedział bokiem i patrzył na mnie.

– Spodziewałem się tego. Dlatego na końcu naszej podróży zaplanowałem Warszawę. Nie nastąpi to tak szybko, jakbyś tego chciała, ale myślę, że częstsze rozmowy telefoniczne uspokoją twoją mamę i dadzą nam trochę czasu.

Te słowa bardzo mnie ucieszyły.

– Dziękuję, doceniam to.

Massimo wpatrywał się we mnie, po czym opierając głowę o zagłówek siedzenia, westchnął.

– Ja wcale nie jestem taki zły, jak ci się wydaje. Nie chcę cię więzić ani szantażować, ale powiedz sama, czy bez przymusu zostałabyś ze mną? – Jego oczy patrzyły na mnie pytająco.

Odwróciłam głowę do szyby. Czy zostałabym?, powtarzałam w myślach. Oczywiście, że nie.

Czarny czekał chwilę na odpowiedź, a nie uzyskując jej, wyciągnął iPhone'a i zaczął czytać coś w internecie.

Ta cisza była nie do zniesienia, dziś wyjątkowo bardzo potrzebowałam z nim rozmowy. Może z powodu tęsknoty za krajem, a może poranny prysznic tak na mnie wpłynął. Nie odwracając głowy od szyby, zapytałam:

– Dokąd teraz jedziemy?

– Na lotnisko do Katanii. Jeśli nie będzie korków, powinniśmy dotrzeć tam w niecałą godzinę.

Na dźwięk słowa lotnisko aż przeszedł mnie dreszcz. Moje ciało się napięło, a oddech przyspieszył. Latanie było jedną z najbardziej znienawidzonych przeze mnie czynności.

Zaczęłam niespokojnie wiercić się na fotelu, a przyjemny chłód klimatyzacji wydał mi się nagle arktycznym mrozem. Nerwowo pocierałam dłońmi ramiona, chcąc je rozgrzać, ale gęsia skórka nie znikała. Massimo popatrzył na mnie lodowatym wzrokiem, który nagle zmienił się w ogień:

– Dlaczego, do cholery, nie nosisz stanika?! – wrzasnął.

Zmarszczyłam brwi i spojrzałam na niego pytająco.

– Widać ci sutki.

Popatrzyłam w dół i odkryłam, że faktycznie, może trochę prześwitują przez delikatny jedwabny materiał. Spuściłam lekko szerokie ramiączko bluzki i odsłoniłam bark. Na opalonym ciele mieniła się koronka lekkiego beżowego biustonosza.

– To nie moja wina, że cała bielizna, którą posiadam, jest z koronki – zaczęłam beznamiętnie. – Nie mam ani jednego usztywnianego biustonosza, więc wybacz, że mój wygląd zwraca twoją uwagę, ale nie ja to wszystko wybierałam. – Patrzyłam mu w oczy, czekając na jego reakcję.

Czarny obserwował przez chwilę kawałek wystającej koronki, po czym wyciągnął rękę i zsunął szerokie ramię topu jeszcze niżej. Luźny krój bluzki sprawił, że spłynęła po moim ramieniu, uwidaczniając biust. Mój towarzysz siedział i chłonął ten widok, a ja nie zamierzałam mu przeszkadzać. Po porannym spotkaniu z różowym miałam przynajmniej złudne wrażenie zaspokojenia i kontroli nad własną głową. Czarny podwinął jedną nogę i usiadł bokiem. Niespiesznie wyciągnął dłoń i wsunął kciuk między koronkowe ramiączko a moją skórę. Jego dotyk spowodował, że kolejny raz przeszedł mnie dreszcz, lecz ten nie miał już nic wspólnego z lataniem.

– Czy jest ci zimno? – zapytał, przesuwając kciuk coraz niżej i wkładając kolejne palce pod materiał.

– Nienawidzę latać – odparłam, by nie dać po sobie poznać rosnącego podniecenia. Gdyby Bóg chciał, aby człowiek oderwał się od ziemi, dałby mu skrzydła – powiedziałam prawie szeptem z półprzymkniętymi oczami, których na szczęście nie było widać pod ciemnymi okularami.

Dłoń Massima wciąż podążała w stronę mojej piersi; powoli przekładał koronkę między palcami, przesuwając się coraz niżej. Kiedy już dotarł na miejsce, na jego twarzy pojawiło się pożądanie, a oczy zapłonęły zwierzęcą żądzą. Ten wzrok już widziałam i wtedy za każdym razem po chwili rzucałam się do ucieczki. Teraz jednak nie miałam dokąd uciec.

Czarny coraz mocniej zaciskał dłoń na mojej piersi i przysuwał się coraz bliżej do mnie. Moje biodra bezwiednie zaczęły się lekko poruszać, a głowa opadła na zagłówek fotela, kiedy ugniatał sutek, obracając go w palcach. Wolną ręką złapał mnie za szyję, jakby wiedział, ile czasu spędziłam na upinaniu włosów i jak bardzo tego nienawidzę. Pochylił głowę i chwycił zębami moją nabrzmiałą brodawkę. Przygryzał ją delikatnie przez koronkę.

– To jest moje – wyszeptał, odrywając na chwilę usta.

Ten chrypliwy ton i to, co powiedział, spowodowały, że z moich ust wyrwał się cichy jęk.

Massimo ściągnął mi bluzkę z obydwu ramion, aż opadła na wysokość talii. Odsunął stanik i przywarł ustami do nagiej brodawki. Wszystko we mnie pulsowało, poranne igraszki nic nie dały, bo wciąż byłam na niego cholernie napalona. Wyobrażałam sobie, jak zrywa ze mnie spodnie i, nie opuszczając ich zupełnie, pieprzy mnie od tyłu, ocierając się przy tym o koronkę majtek. Rozbudzona własnymi myślami wplotłam mu palce we włosy i przycisnęłam go do siebie.

– Mocniej! – wyszeptałam, ściągając wolną dłonią ciemne okulary. – Ugryź mnie mocniej.

To polecenie było jak wciśnięcie czerwonego guzika w jego głowie. Niemalże zerwał ze mnie koronkową górę i łapczywie wbijał się zębami w moje piersi, na zmianę ssąc i gryząc je. Poczułam, jak zalewa mnie fala pożądania, której za chwilę się nie oprę. Podniosłam za włosy jego głowę i pozwoliłam, by jego usta odnalazły moje. Delikatnie odciągałam go od siebie, żeby móc spojrzeć mu w oczy. Był cały rozpalony, jego ogromne źrenice wypełniały całe tęczówki, które zdawały się zupełnie czarne. Dyszał do moich ust, usiłując złapać zębami moje wargi.

– Don... nie zaczynaj czegoś, czego nie możesz skończyć – powiedziałam, liżąc go delikatnie. – Za chwilę będę tak mokra, że dalsza podróż bez zmiany stroju będzie niemożliwa.

Na te słowa Czarny wbił dłonie w brzeg fotela tak mocno, że skóra pod naciskiem aż zatrzeszczała. Przewiercał mnie dzikim wzrokiem, a ja widziałam, jak bije się z myślami.

– Druga część wypowiedzi była zbędna – powiedział, siadając na swoim fotelu. – Myśl o tym, co teraz dzieje się między twoimi nogami, doprowadza mnie do szaleństwa.

Rzuciłam okiem na jego spodnie i przełknęłam ślinę. Ta cudowna erekcja nie była dla mnie już tylko wyobrażeniem. Dokładnie wiedziałam, jak wyglądał jego imponująco gruby kutas, który sterczał teraz w majtkach. Massimo z wyraźnym zadowoleniem obserwował moją reakcję na to, co widzę. Potrząsnęłam głową, by myśli wskoczyły na właściwe tory, i zaczęłam niespiesznie się ubierać.

Nadal patrzył, kiedy poprawiałam swój mocno pomięty strój. Przygładziłam włosy i włożyłam okulary. Kiedy skończyłam, wyciągnął ze schowka czarną papierową torbę.

– Mam coś dla ciebie – powiedział i podał mi ją.

Złote eleganckie litery na torbie układały się w napis Patek Philippe. Wiedziałam, co to za firma, więc mogłam się spodziewać, co dostałam. Miałam też świadomość, ile kosztuje zegarek tej marki.

– Massimo, ja... – Patrzyłam na niego badawczo. – Nie mogę przyjąć takiego prezentu.

Czarny zaśmiał się i nałożył na nos cieniowane aviatory.

– Mała, to jeden z tańszych podarunków, jaki ode mnie dostaniesz. Poza tym nie zapominaj, że nie masz wyboru jeszcze przez kilkaset dni. Otwórz.

Wiedziałam, że ta dyskusja nic nie da, a stawianie oporu może się skończyć źle, zwłaszcza że nie miałam drogi ucieczki. Wyciągnęłam czarne pudełko i otworzyłam je. Zegarek był cudowny, z różowego złota, wysadzany drobnymi diamentami. Idealny.

– Przez ostatnie dni nie miałaś kontaktu ze światem. Wiem, że wiele ci zabrałem, ale teraz powoli będziesz wszystko odzyskiwać – powiedział, zapinając mi go na ręce.

ROZDZIAŁ 6

Bez większych problemów dotarliśmy na lotnisko. Kierowca otworzył Czarnemu drzwi, podczas gdy ja upychałam w torebce rzeczy, które przez przypadek wypadły mi na siedzenie. Massimo obszedł samochód i otworzył drzwi po mojej stronie, podając mi dłoń. Zachował się szarmancko, a w lnianym garniturze wyglądał zniewalająco.

Kiedy obie moje stopy znalazły się na ziemi, dyskretnie złapał mnie za pośladek i popchnął w stronę wejścia. Popatrzyłam na niego, zaskoczona tym gestem, który kojarzył mi się z nastolatkami. On tylko uśmiechnął się lekko i kładąc mi rękę na plecach, poprowadził w stronę terminalu.

Nigdy jeszcze tak szybko nie przeszłam odprawy, gdyż trwała ona tyle co przejście przez budynek. Po wyjściu na jasną płytę lotniska odebrał nas kolejny samochód i zawiózł pod schodki małego samolotu. Kiedy przed nimi stanęłam, zrobiło mi się niedobrze. Samolot wydawał się mikroskopijny, jak rurka ze skrzydłami. Miałam kłopot z lataniem czarterowymi samolotami, które przy tym czymś, co stało przede mną, były jak Dawid przy Goliacie.

– Wejdź na schody – usłyszałam za plecami.

– Nic z tego Massimo, ja nie dam rady! – warknęłam. – Nie powiedziałeś mi, że lecimy taką łupiną. Ja tam nie wejdę – histeryzowałam i próbowałam wycofać się do samochodu.

– Lauro, nie rób scen, bo za chwilę wsadzę cię tam siłą – syknął, ale nie byłam w stanie zrobić kroku naprzód.

Bez chwili namysłu Czarny wziął mnie na ręce i mimo mojego błagalnego wrzasku i wymachiwania rękami wcisnął przez miniaturowe wejście do środka. Krzyknął coś po włosku do pilota stojącego na szczycie schodów, który usiłował nas powitać, i drzwi samolotu zamknęły się.

Byłam przerażona, a serce waliło mi tak, że nie słyszałam własnych myśli. W końcu moja szarpanina przyniosła efekt i Massimo postawił mnie.

Kiedy tylko moje stopy dotknęły podłogi, a on odsunął się ode mnie, wymierzyłam mu mocny policzek.

– Co ty sobie, kurwa, myślisz! Wypuść mnie, chcę wyjść! – wrzeszczałam przerażona, po czym rzuciłam się w stronę drzwi.

Kolejny raz złapał mnie i rzucił na jasną skórzaną kanapę, która wypełniała niemal cały jeden bok maszyny. Przywarł do mnie swoim ciałem tak, że nie miałam szans, by się ruszyć.

– Do cholery, Massimo! – Z moich ust nadal wydobywały się dzikie krzyki i przekleństwa.

Żeby mnie zakneblować, wsunął mi do gardła język, tym razem jednak nie miałam ochoty na zabawę i gdy tylko zagłębił się we mnie, mocno go ugryzłam. Czarny odskoczył i i zamachnął się, jakby chciał mnie uderzyć. Zamknęłam oczy i skuliłam się, czekając na cios. Kiedy ponownie je otworzyłam, zauważyłam, że energicznie rozpinał pasek ze spodni. O Boże, co on chce zrobić?, pomyślałam. Zaczęłam się cofać wzdłuż kanapy, nerwowo odpychając się piętami od podłogi. On kontynuował, aż w końcu jednym szybkim ruchem wyciągnął skórzany pasek ze szlufek. Spokojnie zdjął marynarkę i zawiesił ją na oparciu fotela, który znajdował się obok. Był rozjuszony, jego oczy płonęły od gniewu, a szczęki rytmicznie się zaciskały.

– Massimo, nie, proszę... ja... – wyrzucałam z siebie urwane słowa.

– Wstań – powiedział oschle, a kiedy nie zareagowałam, wykrzyczał: – Wstawaj, do cholery!

Przerażona poderwałam się z miejsca.

Podszedł do mnie, złapał palcami za brodę i uniósł ją tak, żeby patrzeć mi w oczy.

– Wybierzesz sobie teraz karę, Lauro. Ostrzegałem cię, byś już tego nie robiła. Wyciągnij ręce.

Patrząc wciąż na jego twarz, wykonałam polecenie. Złapał moje nadgarstki i sprawnie skrępował mi ręce paskiem. Kiedy skończył, posadził mnie w fotelu i przypiął pasem bezpieczeństwa. Po chwili zorientowałam się, że samolot kołuje.

Czarny siadł naprzeciwko i patrzył na mnie, wciąż kipiąc ze złości.

– Żebyś nie musiała się wysilać, ja ci powiem, z czego możesz wybrać – zaczął powoli spokojnym głosem. – Za każdym razem, kiedy uderzasz mnie w twarz, okazujesz mi absolutny brak szacunku, znieważasz mnie, Lauro. Dlatego bardzo chcę, byś zobaczyła, co czuję. Twoja kara będzie cielesna i gwarantuję ci, że tak jak ja także nie będziesz mieć na nią ochoty. Możesz wybrać między obciągnięciem mi a tym, żebym ja zrobił ci dobrze językiem.

Samolot wystartował, kiedy usłyszałam te słowa. Gdy poczułam, że się wznosimy, zemdlałam.

Kiedy się ocknęłam, leżałam na kanapie, a moje ręce nadal były skrępowane. Czarny siedział w fotelu z nogą zarzuconą na kolano, wbijając we mnie wzrok i bawiąc się nóżką kieliszka z szampanem.

– No więc? – zapytał beznamiętnie. – Co wybierasz?

Otworzyłam szeroko oczy i usiadłam, wpatrując się w niego.

– Ty żartujesz, prawda? – zapytałam głośno, przełykając ślinę.

– A czy wyglądam, jakbym żartował? Czy ty, kiedy kolejny raz walisz mnie w twarz, traktujesz to jako żart? – Nachylił się do mnie. – Lauro, przed nami godzina podróży i w ciągu tej godziny odbędzie się twoja kara. Jestem bardziej fair w stosunku do ciebie niż ty do mnie, bo pozwalam ci wybrać. – Zmrużył oczy i oblizał wargi. – Ale za chwilę moja cierpliwość się skończy i zrobię to samo co ty, czyli to, na co będę miał ochotę.

– Obciągnę ci – powiedziałam bez żadnych emocji. – Rozwiążesz mi ręce czy chcesz po prostu wydymać mnie w usta? – rzuciłam szorstko.

Nie mogłam okazać mu swojego strachu, wiedziałam, że to go tylko popycha do działania. Był jak polujący drapieżnik; kiedy wyczuwał krew – atakował.

– Spodziewałem się tej odpowiedzi – powiedział, wstając i rozpinając rozporek. – Nie zamierzam cię rozwiązać w obawie o to, co zrobisz, i jak dotkliwą kolejną karę musiałbym wymyślić.

Kiedy zbliżał się do mnie, zamknęłam oczy. Niech już się stanie i miejmy to z głowy, pomyślałam. Zamiast jego fallusa poczułam, jak unosi moje ciało. Otworzyłam oczy. Korytarz zwężał się w tej części samolotu tak, że musiał przekręcić mnie bokiem, by się zmieścić. Weszliśmy do ciemnej kabiny, w której stało łóżko.

Czarny powoli opuścił mnie na miękką pościel. Zostawił mnie i poszedł do niewielkiego pomieszczenia obok. Wrócił z niego, trzymając w ręku czarny pasek od szlafroka. Obserwowałam jego ruchy i w pewnym momencie uświadomiłam sobie, że mimo przerażenia, które czuję, to, co mam zrobić, nie będzie dla mnie karą.

Czarny chwycił za pasek, który krępował moje ręce, i rozpiął go. Potem przerzucił mnie na brzuch i zamienił twarde skórzane więzy na miękki pas szlafroka. Skończył i z powrotem znalazłam się na plecach. Nie byłam w stanie ruszyć rękami, na których leżałam.

Sięgnął do szafki nocnej zawieszonej obok łóżka i wyciągnął z niej opaskę na oczy. Używałam takiej w Warszawie, kiedy słońce nie dawało mi spać rano.

Pochylił się i założył mi opaskę na oczy, tak że jedyne, co widziałam, to jej czarna aksamitna powierzchnia.

– Mała, nawet nie wiesz, ile rzeczy chciałbym teraz z tobą zrobić – wyszeptał.

Leżałam zupełnie zdezorientowana, nie wiedziałam, gdzie jest ani co robi. Nerwowo oblizywałam wargi, przygotowując się na przyjęcie jego męskości.

Nagle poczułam, jak rozpina mi spodnie.

– Co ty wyprawiasz? – zapytałam, usiłując ściągnąć opaskę z oczu, pocierając nią o pościel. – Chyba do tego, co chcesz zrobić, potrzebujesz jedynie moich ust?

Massimo zaśmiał się ironicznie i nie przestając mnie rozbierać, wyszeptał:

– Zaspokojenie mnie nie będzie dla ciebie żadną karą, wiem, że masz na to ochotę co najmniej od dzisiejszego poranka. Ale jeśli ja zrobię to tobie, bez twojego udziału i kontroli, będziemy kwita – dokończył i jednym ruchem zdarł ze mnie spodnie.

Leżałam, składając nogi najmocniej jak się da, mimo iż wiedziałam, że nie oprę mu się, jeśli będzie chciał coś zrobić.

– Massimo, proszę, nie rób tego.

– Ja też prosiłem, byś nie robiła... – Urwał, a ja poczułam, jak materac, na którym leżę, ugina się pod jego ciężarem.

Nie wiedziałam, gdzie jest ani co robi, mogłam tylko słuchać. Poczułam jego oddech na policzku i delikatne ugryzienie na płatku ucha.

– Nie bój się, mała – powiedział, wsuwając mi rękę między nogi, by je rozsunąć. – Będę delikatny, obiecuję.

Zaciskałam nogi coraz mocniej, cicho jęcząc z przerażenia.

– Ciiiii... – wyszeptał. – Za chwilę rozłożę ci nogi i wsunę w ciebie jeden palec na początek. Rozluźnij się.

Wiedziałam, że zrobi to tak, jak chce, nieważne, czy mi będzie to odpowiadać. Więc poluźniłam uścisk.

– Bardzo dobrze, a teraz rozłóż dla mnie szeroko nogi.

Zrobiłam, jak sobie życzył.

– Musisz być grzeczna i robić, o co proszę, ponieważ nie chcę zrobić ci krzywdy, maleńka.

Delikatnie zaczął całować moje wargi, gdy jego dłoń powoli wędrowała w dół. Chwycił moją twarz drugą dłonią i pogłębił pocałunek. Poddałam się temu i chwilę później nasze języki delikatnie tańczyły, co sekundę przyspieszając rytm. Pragnęłam go, moje usta stawały się coraz bardziej zachłanne.

– Spokojnie, dziecinko, nie tak szybko, pamiętaj, że to jest kara – wyszeptał, kiedy jego dłoń dotarła do koronkowej powierzchni moich majtek. – Uwielbiam połączenie twojego ciała i tego delikatnego materiału. Leż spokojnie.

Jego palce niespiesznie wkradły się w najintymniejsze miejsce na moim ciele. Powoli, z ustami przy moim uchu, badał najpierw wewnętrzną stronę moich ud, delikatnie głaskał je dwoma palcami, jakby drażnił się ze mną. Pocierał moje nabrzmiałe wargi, aż wreszcie wsunął się do środka. Kiedy poczułam jego cudowny dotyk, moje plecy wygięły się w łuk, a z ust wydobył się jęk rozkoszy.

– Nie ruszaj się i bądź cicho. Nie wolno wydać ci żadnego dźwięku. Rozumiesz?

Pokiwałam porozumiewawczo głową. Jego palec prześlizgiwał się coraz głębiej, aż w końcu zapadł się we mnie. Zaciskałam zęby, by nie wydać z siebie głosu, a on rozpoczął subtelny i zmysłowy pęd we mnie. Jego środkowy palec wsuwał się i wysuwał, a kciuk delikatnie pieścił nabrzmiałą łechtaczkę. Poczułam, jak jego ciężar ustępuje ze mnie i przesuwa się ku dołowi. Aż przestałam oddychać. Jego palce nie przestawały mnie pieścić, kiedy dotarł na miejsce. Nieoczekiwanie wyciągnął je ze mnie, a ja skrzywiłam się z niezadowolenia. Po chwili poczułam jego oddech na koronce stringów, które wciąż miałam na sobie.

– Marzyłem o tym od dnia, kiedy cię zobaczyłem. Chciałbym, żebyś mówiła do mnie, kiedy zacznę. Chcę wiedzieć, czy ci dobrze, mów mi, jak mam sprawić ci rozkosz – wysyczał, ściągając ze mnie bieliznę poniżej kostek.

Odruchowo zacisnęłam uda, czując wstyd i zakłopotanie.

– Rozłóż dla mnie nogi, szeroko! Chcę ją zobaczyć.

W tym momencie zrozumiałam, po co dał mi opaskę na oczy – chciał mimo wszystko zapewnić mi komfort przy pierwszym zbliżeniu. Dzięki niej wydawało mi się, że Czarny widzi mniej niż w rzeczywistości. To trochę jak z dziećmi, które zamykają oczy, kiedy się boją, bo sądzą, że jeśli one nie widzą, to ich też nie widać.

Wykonałam pomału jego polecenie i usłyszałam, jak głośno wciąga powietrze do płuc. Rozchylał moje nogi coraz szerzej, coraz głębiej wnikając wzrokiem w najintymniejsze miejsce na ciele każdej kobiety.

– Wyliż mnie – rzuciłam, nie mogąc już wytrzymać. – Proszę, don Massimo!

Na te słowa zaczął rytmicznie pocierać kciukiem moją łechtaczkę.

– Jesteś niecierpliwa, chyba lubisz być karana.

Pochylił się i zanurzył język w mojej cipce. Marzyłam, by złapać go za włosy, ale moje skrępowane za plecami ręce uniemożliwiały mi to. Nacierał na mnie mocno językiem, dynamicznie nim poruszając. Rozchylał na boki palcami jednej ręki moją cipkę, by dostać się do najczulszego punktu.

– Chcę, abyś zaraz doszła, a później będę dręczył cię kolejnymi orgazmami – tak długo, aż zaczniesz błagać, bym przestał, a ja nie przestanę, bo chcę cię ukarać, Lauro.

W tym momencie zdarł mi z oczu opaskę.

– Chcę, żebyś na mnie patrzyła, chcę widzieć twoją twarz, kiedy będziesz dochodziła kolejny raz.

Podniósł się i wsunął mi poduszkę pod głowę.

– Musisz mieć dobry widok – dodał.

Czarny między moimi nogami był seksowny i straszny zarazem. Nigdy nie lubiłam, kiedy mężczyzna patrzył na mnie w trakcie orgazmu, bo wydawało mi się to zbyt intymne, ale tym razem nie miałam wyjścia. Natarł wargami na moją łechtaczkę i wbił we mnie dwa palce. Zamknęłam oczy, tkwiąc na skraju rozkoszy.

– Mocniej – wyszeptałam.

Jego wprawny nadgarstek wykonywał szybkie ruchy, a język penetrował najwrażliwszą część mnie.

– Kurwa mać! – wykrzyknęłam w ojczystym języku, kiedy dochodziłam po raz pierwszy. Orgazm był długi i potężny, a całe moje ciało napięte jak struna tkwiło w pułapce tego, co robił. Kiedy poczułam, że orgazm odchodzi, naparł na moją wycieńczoną i nadwrażliwą łechtaczkę, doprowadzając mnie na próg bólu. Trzeszczałam zaciśniętymi mocno zębami i wiłam się, nabita na jego palce.

– Przepraszam! – wykrzyknęłam po kolejnej fali bolesnej rozkoszy.

Czarny powoli zmniejszał nacisk, uspokajał moje ciało, całował i głaskał językiem obolałe miejsca. Moje biodra ciężko opadły na materac, kiedy skończył. Gdy leżałam bez ruchu, wsunął pode mnie dłoń i jednym ruchem poluźnił więzy tak, że mogłam wyciągnąć ręce. Otworzyłam oczy i popatrzyłam na niego. Niespiesznie podnosił się z łóżka. Sięgnął do szuflady nocnej szafki i wyjął z niej pudełko nawilżanych chusteczek. Delikatnie wycierał miejsca, które jeszcze przed chwilą potraktował z taką brutalnością.

– Przyjmuję przeprosiny – rzucił i zniknął za ścianą prowadzącą do głównej kabiny.

Leżałam jeszcze chwilę, analizując sytuację, ale z trudem dochodziło do mnie to, co się właśnie wydarzyło. Wiedziałam jedno: byłam tak zaspokojona i obolała, jakbym się rżnęła z nim całą noc.

Kiedy wróciłam, Massimo siedział w fotelu, przygryzając górną wargę. Spojrzał na mnie.

– Moje usta pachną twoją cipką. I teraz już nie wiem, czy to kara dla ciebie, czy dla mnie.

Usiadłam w fotelu naprzeciwko niego, pozornie niewzruszona tym, co usłyszałam.

– Jakie mamy dziś plany? – zapytałam, zabierając mu z ręki kieliszek szampana.

– Robisz się bezczelna w czarująco uroczy sposób. – Uśmiechnął się i nalał sobie drugi. – Widzę, że wielkość samolotu już ci nie przeszkadza.

Z trudem przełknęłam kolejny łyk szampana. Przez całą tę sytuację zapomniałam o swoim strachu.

– Wycieczka po jego wnętrzu zdecydowanie zmieniła moją perspektywę. A więc? Co nas dzisiaj czeka?

– Dowiesz się w swoim czasie. Ja trochę popracuję, a ty pobawisz się w kobietę mafiosa – powiedział z chłopięcym rozbawieniem na twarzy.

Na lotnisku czekała już na nas ochrona oraz zaparkowane przy wyjściu czarne SUV-y. Jeden z mężczyzn otworzył mi drzwi i zamknął je, kiedy usadowiłam się w fotelu. Za każdym razem, kiedy widziałam ten zestaw aut, miałam wrażenie, że to musi być magia – tak przenosić całą imprezę z miejsca na miejsce. Jakim cudem ci ludzie i ich samochody przemieszczają się za Massimem w tak krótkim czasie? Z moich chaotycznych rozważań, spowodowanych prawdopodobnie niedawnymi orgazmami, wyrwał mnie głos mojego oprawcy skierowany wprost do mojego ucha.

– Chciałbym wejść w ciebie – wyszeptał, a jego gorący oddech – paradoksalnie – zmroził mnie. – Głęboko i brutalnie, chciałbym czuć, jak twoja mokra cipka zaciska się wokół mnie.

Słowa, które usłyszałam, uruchomiły każdą cząstkę mojej mocno wybujałej wyobraźni. Niemal fizycznie czułam to, o czym do mnie mówił. Zamknęłam oczy i starałam się uspokoić stukot serca; powoli robił się coraz mniej miarowy. Nagle ciepły oddech Czarnego zniknął i usłyszałam, jak mówi coś do siedzącego za kierownicą mężczyzny. Słowa były dla mnie niezrozumiałe, jednak po kilku sekundach samochód zjechał na pobocze, zatrzymał się, a kierowca wysiadł i zostawił nas samych.

– Usiądź z przodu na siedzeniu pasażera – powiedział, świdrując mnie zimnym, czarnym spojrzeniem. Wypowiedział te słowa, siedząc bez ruchu, co odrobinę zbiło mnie z tropu.

– Po co? – zapytałam skonsternowana.

Na twarzy Massima pojawiła się irytacja, a jego szczęki zaczęły się rytmicznie zaciskać.

– Lauro, ostatni raz powiem: przesiądź się do przodu albo za chwilę ja cię przesadzę.

Kolejny raz jego ton wzbudził we mnie agresję i przemożną chęć przeciwstawienia się mu wyłącznie z ciekawości, by zobaczyć, co stanie się później. Wiedziałam już, że karanie mnie idzie mu bardzo dobrze i wiąże się z pewnego rodzaju przymusem, ale nie byłam do końca pewna, czy ten przymus jest czymś, co mi nie odpowiada.

– Wydajesz mi polecenia jak psu, a ja nie zamierzam nim być...

Złapałam oddech, by wygłosić litanię na temat jego zachowania w stosunku do mnie, ale nim zdążyłam wypowiedzieć kolejne słowo, zostałam wyciągnięta przez niego z auta i przesadzona na przednie siedzenie pasażera. Brutalnie odgiął mi ręce za oparcie fotela.

– Psem nie, suką – powiedział, przewiązując mi ręce materiałowym paskiem.

Zanim zorientowałam się, co właśnie zrobił, siedziałam ze związanymi za siedzeniem rękami, a Czarny zajmował miejsce kierowcy. Dotykałam palcami moich więzów i z zaciekawieniem odkryłam, że jest to pasek szlafroka, którym byłam spętana w samolocie.

– Lubisz wiązać kobiety? – zapytałam, kiedy ustawiał coś na panelu sterowania.

– W twoim przypadku to nie kwestia preferencji, ale przymusu.

Nacisnął start i delikatny, kobiecy głos nawigacji zaczął wyznaczać mu drogę.

– Bolą mnie ręce i plecy – poinformowałam go po kilku minutach jazdy w nienaturalnie wygiętej pozycji.

– A mnie boli zupełnie co innego z zupełnie innego powodu. Chcesz się licytować?

Widziałam, że jest zły albo sfrustrowany – tego jeszcze nie potrafiłam odgadnąć, ale nie miałam pojęcia, jak swoim zachowaniem przyczyniłam się do tego. A niestety, nawet jeśli nie ja to sprawiłam, to odbiło się to właśnie na mnie.

– Ty cholerny, uparty egoisto – wymamrotałam po polsku, wiedząc, że mnie nie zrozumie. – Jak tylko mnie rozwiążesz, wypłacę ci takiego liścia, że będziesz zbierał swoje gangsterskie uzębienie z podłogi.

Massimo zwolnił i zatrzymał się na światłach, po czym zwrócił w moją stronę zimne spojrzenie.

– A teraz powiedz to po angielsku – wycedził przez zęby.

Uśmiechnęłam się z pogardą i zaczęłam wyrzucać z siebie po polsku potok przekleństw i wulgaryzmów skierowanych pod jego adresem. Siedział, wbijając we mnie narastające furią spojrzenie, aż po chwili, kiedy światło zmieniło się na zielone, ruszył.

– Uśmierzę twój ból, a przynajmniej odwrócę od niego twoją uwagę – powiedział, rozpinając mi jedną ręką guziki w spodniach.

Po chwili jego lewa dłoń spokojnie spoczywała na kierownicy, a prawa wsuwała się pod moje koronkowe majtki. Wiłam się i rzucałam na siedzeniu, przeklinając go i prosząc, by tego nie robił, ale było już za późno.

– Massimo, przepraszam! – krzyczałam, usiłując mu utrudnić to, co chciał zrobić. Nic nie boli, a to, co mówiłam po polsku...

– To mnie już nie interesuje, a jeśli nie zamilkniesz, będę musiał cię zakneblować. Chciałbym słyszeć nawigację, więc od tego momentu masz być cicho.

Jego dłoń powoli wsuwała się w moje majtki, a ja czułam, jak ogarnia mnie panika i zarazem totalna uległość.

– Obiecałeś, że nie zrobisz nic przeciwko mnie – wyszeptałam, opierając się o zagłówek fotela.

Palce Massima delikatnie drażniły moją łechtaczkę, rozsmarowując po niej wilgoć, która pojawiła się, gdy tylko mnie dotknął.

– Nie robię nic przeciwko tobie, chcę, żeby ręce przestały cię boleć.

Jego nacisk stawał się coraz silniejszy, a koliste ruchy kolejny raz posyłały mnie w otchłań jego władzy nade mną. Zamknęłam oczy i rozkoszowałam się tym, co robił. Wiedziałam, że działa instynktownie, ponieważ musiał dzielić uwagę na dwie czynności: prowadzenie samochodu i karanie mnie.

Wiłam się na fotelu, ocierając rytmicznie biodrami o siedzenie, kiedy samochód nagle się zatrzymał. Poczułam, jak jego dłoń opuszcza miejsce, w którym powinna pozostać jeszcze jakieś dwie minuty, a moje więzy rozluźniają się.

– Jesteśmy – oznajmił, wyłączając silnik.

Popatrzyłam na niego spod ledwo otwartych powiek, głos w mojej głowie krzyczał, wściekał się i wyzywał go od najgorszych. Jak można zostawić kobietę na skraju rozkoszy, a co za tym idzie – za chwilę na progu rozpaczy. Nie musiałam zadawać tego pytania głośno, bo dobrze wiedziałam, jaki był motyw działania Massima. Chciał, żebym prosiła, postanowił udowodnić mi, jak bardzo go pragnę, mimo że starałam się buntować przeciw wszystkiemu, co robił.

– To świetnie się składa – powiedziałam, leniwie masując nadgarstki. Ręce bolały mnie tak strasznie, że o mało nie oszalałam. – Mam nadzieję, że to, co boli ciebie, ustało – rzuciłam prowokacyjnie i wzruszyłam przepraszająco ramionami.

To było jak wciśnięcie czerwonego guzika. Czarny chwycił mnie i usadził na sobie okrakiem, tak że plecami opierałam się o kierownicę. Mocno złapał mnie za kark i przycisnął moją cipkę do swojego twardego penisa. Jęknęłam, czując, jak ociera się o moją wrażliwą, rozbudzoną łechtaczkę.

– Boli... mnie – cedził każde słowo – to, że jeszcze nie doszedłem w twoich ustach.

Jego biodra zataczały leniwe koła, co jakiś czas wypychając się do góry. Ten ruch i nacisk jego penisa sprawiały, że brakowało mi tchu.

– I jeszcze długo nie dojdziesz – wyszeptałam mu wprost do ust, na koniec oblizując jego wargę. Zaczynam lubić grę, w którą kazałeś mi grać – powiedziałam z rozbawieniem.

Zastygł w bezruchu, a jego oczy badawczo prześwietlały mnie, szukając odpowiedzi na niezadane pytania. Nie wiem, jak długo tak siedzieliśmy, wpatrując się w siebie, bo z tej niemej walki wyrwało nas pukanie w szybę. Massimo opuścił ją i po drugiej stronie zobaczyłam niezbyt zaskoczoną twarz Domenica. Boże, czy mi się wydaje, czy ten koleś widział już wszystko?, pomyślałam.

Powiedział kilka zdań po włosku, zupełnie nie zwracając uwagi na pozycję, w jakiej siedzieliśmy, a Czarny zdecydowanie zaprzeczył temu, co usłyszał. Nie miałam pojęcia, o czym rozmawiali, ale z tonu dyskusji dało się wywnioskować, że Czarny nie chce tego, o czym mówił Domenico. Kiedy skończyli, Massimo otworzył drzwi i nie puszczając mnie, wysiadł z auta, po czym ruszył w stronę wejścia do hotelu, przy którym zaparkowaliśmy. Oplatałam go nogami w pasie i czułam na sobie zaskoczone spojrzenia pozostałych gości, kiedy mijał ich bez słowa z kamienną miną.

– Nie jestem sparaliżowana – powiedziałam, unosząc brwi i lekko kiwając głową.

– Mam nadzieję, ale jest kilka dobrych powodów, dla których nie chcę cię puścić, a co najmniej dwa.

Przeszliśmy obok recepcji i wsiedliśmy do windy, w której oparł mnie o ścianę. Nasze usta niemal zetknęły się ze sobą.

– Pierwszy jest taki, że mój stojący fiut za chwilę rozerwie mi spodnie, a drugi, to że twoje są przesiąknięte wilgocią, a jedyne, co mogło przykryć ten widok, to moje dłonie i twoje biodra.

Zagryzłam wargi, słysząc jego słowa, tym bardziej że to, co mówił, miało sens.

Dzwonek w windzie oznajmił, że dotarliśmy do piętra, na którym wysiadamy. Po kilku krokach przyłożył do drzwi kartę, którą dostał od Domenica, i wszedł do monumentalnego apartamentu, stawiając mnie na środku.

– Chciałabym się umyć – powiedziałam, rozglądając się za bagażami.

– Wszystko, czego potrzebujesz, jest w łazience, ja muszę teraz coś załatwić – oznajmił, przykładając telefon do ucha i znikając w ogromnym salonie.

Wzięłam prysznic i nasmarowałam się waniliowym balsamem, który znalazłam w szafce. Wyszłam z łazienki i przechodząc przez kolejne pomieszczenia, natknęłam się na butelkę ukochanego trunku. Nalałam sobie kieliszek, później drugi i kolejny, oglądałam telewizję, piłam szampana i zastanawiałam się, gdzie zniknął mój oprawca. Po jakimś czasie znudzona zaczęłam przechadzać się po apartamencie, odkrywając, że zajmuje on sporą część hotelowego piętra. Kiedy doszłam do ostatnich drzwi, przekraczając ich próg, wpadłam w mrok, do którego oczy przez chwilę musiały się przyzwyczaić.

– Usiądź – usłyszałam dobrze mi już znany akcent.

Bez zająknięcia spełniłam polecenie, mając świadomość, że sprzeciw nic nie da. Po kilkunastu sekundach zobaczyłam nagiego Massima, który wycierał włosy ręcznikiem. Aż przełknęłam głośno ślinę, oszołomiona widokiem i podstymulowana wypitym alkoholem. Stał przy ogromnym łóżku, które wspierało się na czterech monumentalnych belkach. Na materacu leżały dziesiątki poduszek w kolorze fioletu, złota i czerni, całe pomieszczenie było mroczne, klasyczne i niezwykle zmysłowe. Chwyciłam mocno boki fotela, kiedy zaczął się zbliżać do mnie, nie mogąc oderwać wzroku od jego penisa wiszącego na wysokości mojej twarzy. Zwyczajnie gapiłam się na niego z lekko otwartymi ustami. Zatrzymał się dopiero wtedy, kiedy jego nogi oparły się o moje zgięte kolana. Zarzucił biały ręcznik na ramiona i chwycił jego końce. Gdy jego zimny zwierzęcy wzrok spotkał się z moimi oczami, zaczęłam się modlić; gorliwie prosiłam Boga o siłę, by przeciwstawić się temu, co widzę i czuję.

Massimo świetnie wiedział, jak na mnie działa. Myślę, że miałam to wymalowane na twarzy, a dodatkowo bezwiedne ssanie dolnej wargi zupełnie mi nie pomagało w maskowaniu uczuć.

Powoli chwycił członek prawą ręką i zaczął przesuwać ją od nasady aż po jego koniec. Modliłam się jeszcze żarliwiej. Jego ciało napinało się, stalowe mięśnie brzucha zaciskały, a penis, na którego starałam się nie patrzeć, pęczniał i rósł.

– Pomożesz mi? – zapytał, nie odrywając ode mnie wzroku i nie przestając bawić się sobą. Nie zrobię nic przeciwko tobie, pamiętaj.

Boże, nie musiał robić nic, fizycznie nawet nie musiał mnie dotykać, by rozpalić mnie do czerwoności i skupić moje myśli jedynie na sobie, swoim fiucie i marzeniu o tym, by mieć go w ustach. Ostatnie trzeźwe zakątki mojej psychiki mówiły mi jednak, że jeśli dostanie to, czego chce, gra przestanie być interesująca, a ja nie poczuję się najlepiej, tak łatwo mu ulegając. Bo to, że ten facet będzie mnie miał, było bardziej niż pewne, jedyną niewiadomą było, kiedy to się stanie. Mój przewrotny umysł w ramach walki z pożądaniem podesłał mi myśl o tym, że ten boski mężczyzna masturbujący się przede mną chce zabić moją rodzinę. Momentalnie całe podniecenie odpłynęło, a zastąpiły je złość i nienawiść.

– Chyba śnisz – powiedziałam, prychając pogardliwie. – Nie mam zamiaru w niczym ci pomagać, poza tym od wszystkiego masz ludzi, więc o to także możesz ich poprosić. – Podniosłam na niego wzrok. – Mogę już iść?

Próbowałam się podnieść z fotela, ale chwycił mnie za szyję i ponownie przygwoździł do oparcia. Pochylił się i z cwaniackim uśmiechem zapytał:

– Czy jesteś pewna tego, co mówisz, Lauro?

– Puść mnie, do cholery – wysyczałam przez zaciśnięte zęby.

Zrobił to, o co prosiłam, i odszedł ode mnie w stronę łóżka. Wstałam i chwyciłam za klamkę, chcąc jak najszybciej opuścić ten pokój, zanim moje myśli znowu zaczną krążyć wokół niepożądanych sytuacji. Drzwi jednak były zamknięte. Czarny podniósł telefon leżący na nocnej szafce, zadzwonił do kogoś i wypowiedział kilka słów, po czym rozłączył się.

– Chodź tu! – nakazał.

– Wypuść mnie, chcę wyjść! – szarpałam klamkę, wrzeszcząc.

Rzucił ręcznik na łóżko i stał z opuszczonymi wzdłuż ciała rękami, wbijając we mnie lodowate, czarne oczy.

– Chodź tu, Lauro, ostatni raz powiedziałem.

Stałam oparta o drzwi i nie miałam zamiaru wykonać żadnego ruchu, a już na pewno nie robić tego, o co prosił. Z jego gardła wydobył się głęboki ryk, kiedy ruszył w moją stronę. Zamknęłam oczy ze strachu, nie mając pojęcia, co się stanie. Poczułam, jak moje ciało się unosi i za chwilę opada na łóżko. Czarny cały czas mamrotał coś po włosku. Kiedy poczułam, że zapadam się między poduszki, otworzyłam powieki i zobaczyłam górującego nade mną Massima. Złapał moją prawą rękę i przykuł ją długim łańcuchem zakończonym klamrą do jednego z czterech słupów. Chwycił lewą, ale zdążyłam ją wyrwać i uderzyć go. Zagryzł zęby, a po chwili z jego gardła wydobył się wściekły wrzask. Wiedziałam, że przekroczyłam granicę. Zdecydowanie zbyt mocno ponownie zacisnął dłoń na moim lewym nadgarstku i przyciągnął go do drugiego uchwytu, unieruchamiając całą górną część mojego ciała.

– Zrobię z tobą, co zechcę – powiedział, uśmiechając się bezczelnie.

Kopałam i rzucałam się na łóżku, do czasu aż usiadł mi na nogach, tyłem do mnie, i wyciągnął krótką rurkę. Nie miałam pojęcia, co to, chciałam jedynie, by już ze mnie zszedł. Zapiął mi wokół kostek dwie miękkie obroże, które znajdowały się na końcach drążka, po czym sięgnął do kolejnej belki. Wyjął zza niej łańcuch i doczepił do uchwytu przy prawej kostce, to samo powtórzył z lewą, a później zszedł z łóżka. Stał, wpatrując się w moje przykute do czterech kolumn ciało. Był wyraźnie zadowolony i podniecony tym widokiem. Ja natomiast byłam zdezorientowana i oszołomiona. Kiedy chciałam szarpnąć nogi, rurka, do której były przykute, rozszerzyła się i zablokowała. Massimo przygryzł dolną wargę.

– Miałem nadzieję, że to zrobisz. To drążek teleskopowy, może się rozkładać coraz szerzej, ale nie złoży się, jeśli nie wiesz, gdzie nacisnąć.

Po tych słowach ogarnęła mnie panika, byłam unieruchomiona, a moje nogi szeroko rozłożone na boki – jak zaproszenie dla niego. W tym momencie rozległo się pukanie do drzwi, a ja zesztywniałam jeszcze bardziej.

Czarny podszedł do mnie, wyciągnął jednym ruchem kołdrę, na której leżałam, i przykrył szczelnie.

– Nie bój się – powiedział z lekkim uśmiechem, podchodząc do drzwi.

Otworzył je i wprowadził do środka młodą kobietę. Nie widziałam jej zbyt wyraźnie, ale miała długie ciemne włosy i niebotycznie wysokie szpilki, które podkreślały jej szczupłe nogi. Massimo powiedział do niej dwa zdania i dziewczyna zastygła w bezruchu. Po chwili uświadomiłam sobie, że on cały czas jest nagi, a tej kobiety zupełnie to nie zaskakuje.

Podszedł do mnie i wcisnął poduszkę pod głowę tak, że bez trudu i wysilania mięśni brzucha mogłam obserwować całe pomieszczenie.

– Chciałbym ci coś pokazać. Coś, co cię ominie – wyszeptał, przygryzając mi ucho.

Wrócił w drugi koniec pokoju i usiadł na fotelu dokładnie naprzeciwko łóżka, tak że dzieliło nas dosłownie parę metrów. Nie odrywając ode mnie wzroku, powiedział coś po włosku do stojącej jak słup dziewczyny, na co ta zrzuciła z siebie sukienkę i stanęła przed nim w samej bieliźnie. Moje serce galopowało, kiedy uklękła i zaczęła obciągać mojemu oprawcy. Jego dłonie powędrowały na jej głowę i mocno wplotły się w ciemne włosy. Nie mogłam uwierzyć w to, co widzę. Jego czarne oczy wpatrzone były we mnie, a coraz mocniej rozchylone usta nerwowo łapały powietrze. Widać było, że dziewczyna zna się na tym, co robi. Co jakiś czas on rzucał jedno słowo po włosku, jakby dając jej instrukcje, a ona jęczała z zadowoleniem. Przyglądałam się tej scenie i usiłowałam zrozumieć, co czuję. Jego świdrujące spojrzenie powodowało, że byłam podniecona do granic widokiem Massima w ekstazie, ale fakt, że nie ja jestem między jego nogami, zupełnie odbierał mi radość z widoku. Czyżbym była zazdrosna o tego apodyktycznego dupka? Odpychałam od siebie myśl o tym, że chciałabym być na jej miejscu, ale nie byłam w stanie oderwać oczu od niego. W pewnym momencie Massimo mocno złapał dziewczynę za głowę i brutalnie dosunął do swojego fiuta, tak że zaczęła się krztusić. Ona nie robiła mu laski, to on pieprzył jej usta, głęboko i w szaleńczym tempie. Wiłam się na łóżku, a łańcuchy przyczepione do moich kończyn ocierały się o drewniane belki. Coraz ciężej łapałam powietrze, a moja klatka unosiła się i opadała zdecydowanie zbyt szybko. Widowisko, którego był głównym aktorem, podniecało mnie, ekscytowało i wkurzało jednocześnie. Dopiero teraz zrozumiałam znaczenie słów, które wypowiedział, nim ona podeszła do niego. Tak, z całą pewnością byłam zazdrosna. Z niemałym wysiłkiem zamknęłam oczy i odwróciłam głowę na bok.

– W tej chwili otwórz oczy i popatrz na mnie – syknął Massimo szeptem.

– Nie mam zamiaru, nie zmusisz mnie – powiedziałam chrypliwym głosem, który ledwo wydobył się z mojego wnętrza.

– Jeśli nie popatrzysz na mnie w tej chwili, zaraz położę się obok ciebie, a ona dokończy, ocierając się o twoje ciało. Decyduj, Lauro.

Ta groźba była wystarczająco zachęcająca do tego, bym posłusznie wykonała jego polecenie.

Kiedy moje oczy napotkały jego wzrok, patrzył z zadowoleniem, a mocno rozchylone usta ułożył w niewyraźny uśmiech. Podniósł się z siedzenia i przysunął tak, że teraz dziewczyna, która klęczała przed nim, opierała się tyłem o łóżko, a on stał zaledwie półtora metra ode mnie. Moje biodra zataczały koła, ocierając się o satynową pościel, a wyschnięte usta łagodził przejeżdżający po nich co chwilę język. Pragnęłam go. Gdyby nie to, że byłam skrępowana, chyba wyrzuciłabym ją z pokoju i dokończyła dzieła. Massimo dobrze to wiedział. Po chwili jego oczy zrobiły się ciemne i puste, a po świeżo umytej klatce piersiowej płynęły krople potu. Wiedziałam, że zaraz dojdzie, bo klęcząca przed nim kobieta zdecydowanie przyspieszyła.

– Lauro, tak! – Z jego ust wyrwał się stłumiony jęk, kiedy wszystkie mięśnie napięły się i zaczął szczytować, zalewając spermą jej gardło.

Byłam skrajnie podniecona i owładnięta pożądaniem, do tego stopnia, że wydawało mi się, iż dochodzę razem z nim. Moje ciało zalała fala gorąca. Nawet na chwilę nie oderwał ode mnie oczu.

Odetchnęłam z ulgą, mając nadzieję, że spektakl dobiegł końca. Czarny powiedział jedno zdanie po włosku i dziewczyna skończyła, wstała, zabrała sukienkę, po czym wyszła. On także zniknął w drzwiach łazienki. Usłyszałam dźwięk lejącej się wody pod prysznicem i po kilku minutach znowu stał przede mną, wycierając włosy ręcznikiem.

– Za chwilę ulżę ci, mała. Wyliżę cię powoli i pozwolę, byś długo dochodziła, chyba że wolisz poczuć mnie w sobie.

Otworzyłam szeroko oczy, a moje serce wybijało rytm jak oklaski po koncercie Beyoncé. Chciałam oponować, ale nie byłam w stanie wydusić z siebie nawet jednego słowa.

Massimo jednym ruchem zdarł ze mnie kołdrę, a później powoli rozchylił poły szlafroka, który miałam na sobie.

– Lubię ten hotel z dwóch powodów – zaczął, kiedy niespiesznie od strony nóg sadowił się na łóżku. – Po pierwsze, jest mój, a po drugie, ma ten apartament. Długo szukałem odpowiedniego sprzętu do jego wyposażenia. – Jego głos był spokojny i seksowny. – Widzisz, Lauro, w tym momencie jesteś unieruchomiona na tyle skutecznie, że nie jesteś w stanie uciec ani stawiać mi oporu. – Oblizał wewnętrzną część mojego uda. – Jednocześnie mam dostęp do absolutnie każdej części twojego ślicznego ciała.

Chwycił moje kostki, jeszcze szerzej rozkładając mi nogi na boki. Teleskopowa rurka trzasnęła kilka razy, po czym zablokowała się, tworząc z moich nóg bardzo rozłożystą literę V.

– Proszę – wyszeptałam, bo tylko to przyszło mi do głowy.

– Prosisz, żebym już zaczął czy żebym zrezygnował z tego?

To proste pytanie w tej chwili wydawało mi się tak trudne, że kiedy chciałam odpowiedzieć, z mojego gardła wydobył się jedynie cichy jęk rezygnacji.

Czarny przesunął się w górę i zawisł nad moją twarzą, wbijając we mnie wzrok. Dolną wargą szturchał mój nos, usta, policzki.

– Za chwilę zerżnę cię tak, że twój krzyk usłyszą na Sycylii.

– Błagam, nie – powiedziałam resztkami sił i zacisnęłam powieki, pod które ze strachu napłynęły mi łzy. Nastała cisza, a ja bałam się otworzyć oczy, przerażona myślą, co mogłabym zobaczyć. Usłyszałam pstryknięcie i poczułam, że moja prawa ręka jest wolna, później kolejne kliknięcia i obie ręce opadły bezwładnie na poduszki. Później kolejne dwa pstryknięcia zamków i leżałam już całkowicie uwolniona z więzów.

– Ubierz się, za godzinę musimy być w jednym z moich klubów – powiedział, wychodząc nagi z sypialni.

Leżałam jeszcze przez chwilę, analizując to, co się właśnie stało. Wtedy zalała mnie fala wściekłości, zerwałam się na równe nogi i pobiegłam za nim. Stał ubrany już w garniturowe spodnie i popijał kieliszek szampana.

– Łaskawie wyjaśnisz mi to wszystko?! – wrzasnęłam, kiedy powoli obrócił się, słysząc mój nerwowy galop w jego stronę.

– Co takiego, mała? – zapytał, nonszalancko opierając się o stolik, na którym stała butelka. – Interesuje cię dziewczyna? To dziwka. Mam kilka agencji towarzyskich, nie chciałaś pomóc mi się odprężyć. Łóżko i zabawki w nim zamontowane ewidentnie ci się podobały, więc to nie wymaga komentarza. Podobnie jak to, co zrobiła Weronica, sądząc po twojej reakcji. – Uniósł lekko brwi. – Więc co mam ci jeszcze powiedzieć? Splótł ręce na piersiach. Nie wejdę w ciebie, jeśli nie będziesz chciała, obiecałem ci to. Ciężko mi idzie opanowanie się całkowicie, ale na tyle, by cię nie zgwałcić, potrafię się opanować. – Obrócił się i ruszył przez pokój. – Mimo że oboje świetnie zdajemy sobie sprawę, że byłby to najlepszy seks w naszym życiu i po wszystkim prosiłabyś o jeszcze.

Stałam jak wmurowana i nie byłam w stanie zaprzeczyć. Choć bardzo nie chciałam tego przyznać, miał rację. Zabrakło mi kilku minut, by mu ulec. Massimo jednak chciał, żebym oddała się mu z powodu uczucia, a nie zwierzęcej potrzeby. On pragnął mnie posiadać całą, a nie tylko wsadzić we mnie fiuta. Boże, jego przebiegłość i zdolności manipulacyjne doprowadzały mnie do szału. Po słowach, które wypowiedział, odchodząc, pragnęłam go jeszcze bardziej i teraz to ja musiałam trzymać się w ryzach, by nie dosiąść go na jednej z wielkich kanap. Wrzasnęłam z bezsilności i zaciskając pięści, poszłam pod zimny prysznic, który okazał się strzałem w dziesiątkę. Kiedy wyszłam z łazienki, spotkałam w pokoju Domenica stawiającego na stole butelkę szampana.

– Dziwię się, że jeszcze nie masz go dość – powiedział, nalewając kieliszek.

– A kto powiedział, że nie mam? Nigdy nie pytasz mnie o to, czego bym się napiła, tylko ciągle poisz mnie tymi różowymi węglowodanami – powiedziałam, ze śmiechem upijając łyk. – Co to za klub, do którego idziemy?

– Nostro. Chyba ulubiony klub Massima. Osobiście nadzoruje w nim wszystkie zmiany, to ekskluzywne miejsce, gdzie bawią się politycy, biznesmeni i... – Urwał, czym rozbudził moją ciekawość.

– I kto? Ich dziwki? Takie jak Weronica? – Odwróciłam się do niego.

Domenico popatrzył na mnie badawczo, jakby sprawdzał, ile wiem, a na ile blefuję. Stałam z niewzruszoną miną, udając, że grzebię w ubraniach w poszukiwaniu kreacji. Co jakiś czas przyciskałam kieliszek do ust.

– Może nie dokładnie takich jak Weronica, ale tak bawią się tam ludzie, którzy w taki sposób nie mogą bawić się w żadnym innym miejscu.

– Po tym, jak dziś obciągnęła Massimowi na moich oczach, wydawać by się mogło, że dobrze go zna, więc pewnie niejedno robili w tym klubie. – Gdy skończyłam wypowiadać zdanie, które zamierzałam tylko pomyśleć, zamarłam i przez chwilę nie wiedziałam, co zrobić. Wzruszyłam zatem ramionami i ruszyłam w stronę łazienki, wyrzucając sobie nagłą łatwość wypowiedzi. Nie zamknęłam drzwi i po chwili, kiedy zaczęłam nakładać podkład na twarz, w drzwiach stanął młody Włoch, opierając się o futrynę. Nie krył swojego rozbawienia moją szczerością.

– No wiesz, to nie jest moja sprawa, kto mu obciąga ani kogo zatrudnia.

– Może mi powiesz, że to, jak odbywa się rekrutacja, także cię nie obchodzi?

Domenico najpierw otworzył szeroko oczy, a później wybuchł śmiechem.

– Lauro, wybacz, ale czy ty jesteś zazdrosna?

Na te słowa aż przeszedł mnie po plecach dreszcz. Czyżby udawanie obojętnej tak słabo mi szło?

– Ja jestem zniecierpliwiona, czekam, aż mój rok się skończy, i wrócę do domu. Co powinnam na siebie włożyć? – zapytałam, odwracając się od lustra i usiłując zmienić temat.

Domenico uśmiechnął się szelmowsko i ruszył w stronę pokoju.

– Nie możesz być zazdrosna o dziwkę, bo to, co robi, to jej praca. Już przygotowałem ci sukienkę.

Kiedy wyszedł, opadłam na umywalkę, chowając głowę w dłoniach. Skoro tak bardzo widać, jak nie trzymam ciśnienia, to co będzie dalej. Skup się!, powiedziałam do siebie, uderzając się w policzki.

– Jeśli w ten sposób chcesz się zdyscyplinować, chętnie uderzę cię mocniej.

Uniosłam wzrok i zobaczyłam Massima siedzącego na fotelu za mną.

– Chcesz dać mi w twarz? – zapytałam, obrysowując oko kredką.

– Jeśli to cię kręci...

Próbowałam się skupić na czynności, którą miałam wykonać, ale jego świdrujący wzrok bardzo utrudniał mi każde, nawet najprostsze zadanie.

– Chcesz czegoś czy zostawisz mnie samą?

– Weronica to dziwka, przychodzi, obciąga mi, a ja pieprzę ją, jeśli mam na to ochotę. Lubi przemoc i pieniądze, zadowala najbardziej wybrednych klientów, w tym także mnie. Wszystkie dziewczyny pracujące u mnie...

– Czy ja muszę tego słuchać? – Obróciłam się do niego, krzyżując ręce na piersiach. – Opowiedzieć ci o tym, jak pierdolił mnie Martin? Albo może chciałbyś to zobaczyć?

Jego oczy zrobiły się zupełnie czarne, a cwaniacki uśmieszek ustąpił miejsca kamiennemu obliczu. Wstał z miejsca i pewnym krokiem podszedł do mnie. Chwycił mnie za ramiona i posadził na blacie obok umywalki.

– Wszystko, co tu widzisz, należy do mnie. – Złapał mnie za głowę i przekręcił twarzą w stronę lustra. – Wszystko... co... widzisz – wycedził przez zaciśnięte zęby. – I zabiję każdego, kto wyciągnie ręce po coś, co jest moje. – Odwrócił się i wyszedł z łazienki.

Wszystko jest jego, hotel jest jego, dziwki są jego i gra jest jego. W głowie zaświtał mi niecny plan, za pomocą którego postanowiłam ukarać niewymowną hipokryzję Czarnego. Weszłam do sypialni i popatrzyłam na rozłożoną na łóżku złotą sukienkę z cekinami, bez pleców. Niestety, mimo że była przepiękna, nijak nie nadawała się do realizacji mojego zamiaru. Podeszłam do szafy, w której wisiały starannie rozwieszone wszystkie moje kreacje.

– Lubisz dziwki? To ja ci pokażę dziwkę... – mamrotałam po polsku.

Wybrałam sukienkę i buty, po czym poszłam poprawić makijaż na bardziej odpowiedni. Trzydzieści minut później, kiedy Domenico zapukał do drzwi, zapinałam kozaki.

– O kurwa – powiedział, zamykając nerwowo drzwi. – On cię zabije, a zaraz później mnie, jeśli tak wyjdziesz.

Zaśmiałam się drwiąco i stanęłam przed lustrem. Cielista sukienka na cieniutkich ramiączkach wyglądała raczej jak halka niż kreacja. Odsłaniała całe plecy i bok piersi, zasadniczo niewiele zasłaniała, ale właśnie tak miało być. Ponieważ sukienka była dość mocno zabudowana na piersiach, ogromny krzyż wysadzany czarnymi kryształami powiesiłam na plecach, by jeszcze bardziej zwracał uwagę na moją nagość. Długie kozaki do połowy uda idealnie podkreślały fakt, że sukienka ledwo zakrywała mi tyłek. Na dworze był upał, ale na szczęście Emilio Puc, którego buty miałam na nogach, przewidział, że są kobiety kochające wysokie obuwie cały rok, i zaprojektował ten model tak, aby był przewiewny, sznurowany na całej długości i bez palców. Obsceniczne i niebotycznie drogie. Włosy związałam w bardzo ciasny kucyk na samym czubku głowy. Seksowna, prosta i dająca efekt liftingu fryzura idealnie komponowała się z przydymionymi oczami i jasną, błyszczącą pomadką.

– Domenico, a kto mi kupił te wszystkie rzeczy? Skoro zapłacił za to, chyba miał świadomość, że kiedyś to włożę. Ładnie wyglądasz, więc rozumiem, że idziesz z nami?

Młody Włoch stał, trzymając się za głowę obiema rękami, a jego klatka falowała pospiesznie w górę i w dół.

– Idę z tobą, bo Massimo musi jeszcze coś załatwić. Wiesz, że będę miał kłopoty, kiedy on cię zobaczy w takim stroju?

– Powiesz mu zatem, że próbowałeś mnie powstrzymać i byłam silniejsza. Chodź.

Chwyciłam czarną kopertówkę i maleńkie bolerko z białego lisa, po czym mijając go z radosnym uśmiechem, przeszłam przez próg. Mamrotał coś, idąc za mną, ale niestety nadal nie posiadłam zdolności mówienia w jego języku.

Kiedy wyszliśmy z windy do holu, cała obsługa recepcji zamarła w bezruchu. Domenico skinął do nich głową, a ja, wciąż dumna z siebie, szłam obok, szczerząc się. Wsiedliśmy do zaparkowanej przed wejściem limuzyny i ruszyliśmy na imprezę.

– Dziś zginę – odezwał się, nalewając sobie bursztynowy płyn do szklanki. – Jesteś złośliwa, czemu mi to robisz? – Wypił całość duszkiem.

– Och, Domenico, nie przesadzaj. Poza tym nie tobie, tylko jemu. Zresztą uważam, że wyglądam bardzo elegancko i seksownie.

Młody Włoch wychylił kolejną szklankę i dolał sobie, rozsiadając się w fotelu. Wyglądał dziś wyjątkowo modnie w jasnoszarych spodniach, butach w podobnym kolorze i białej koszuli z podwiniętymi rękawami. Na jego nadgarstku błyszczał piękny złoty rolex i kilka bransoletek z drewna, złota i platyny.

– Seksownie to na pewno, ale elegancko? Szczerze wątpię, by Massimo docenił ten rodzaj elegancji.

ROZDZIAŁ 7

Nostro idealnie odzwierciedlał to, jaki był Massimo. Dwóch wielkich ochroniarzy strzegło wejścia, do którego szło się po purpurowym dywanie. Po zejściu schodami oczom ukazywało się eleganckie i mroczne miejsce. Boksy oddzielały od siebie wielkie zasłony z ciężkiego, ciemnego materiału. Hebanowe ściany i blask świec sprawiały, że było tu zmysłowo, erotycznie i bardzo pociągająco. Na dwóch platformach stały niemal nagie kobiety z maskami na twarzach, które wiły się w rytm muzyki Massive Attack.

Długi czarny bar obity pikowaną skórą obsługiwały wyłącznie kobiety ubrane w bardzo obcisłe body i wysokie szpilki. Na obydwu nadgarstkach nosiły skórzane opaski imitujące więzy. Tak, z całą pewnością dało się odczuć Massima w tym miejscu.

Minęliśmy bar i tłum leniwie ocierający się o siebie w rytm piosenki. Wielki ochroniarz torujący nam drogę między ludźmi odsunął kolejną zasłonę i moim oczom ukazała się sala z sufitem na wysokości pierwszego piętra budynku. Monumentalne rzeźby z czarnego drewna przedstawiały jakby złączone ze sobą ciała, ale mnie raczej powalała ich wielkość, niż to, co autor miał na myśli. W rogu sali, na podwyższeniu, lekko osłonięty półprzezroczystą tkaniną znajdował się boks, do którego nas zaprowadzono. Był zdecydowanie większy niż pozostałe i mogłam się jedynie domyślać, co się tutaj działo, skoro na środku zamontowano rurę do tańca.

Domenico usiadł, a zanim jego pośladki zdążyły dotknąć atłasowej wyściółki kanapy, do pomieszczenia wniesiono alkohole, przekąski oraz tacę przykrytą srebrną pokrywą. W pierwszym odruchu sięgnęłam właśnie do niej, ale Domenico złapał mnie za nadgarstek, kręcąc głową. Podał mi szampana.

– Nie będziemy dziś sami – zaczął ostrożnie, jakby bał się tego, co zamierza powiedzieć. – Dołączy do nas kilka osób, z którymi musimy załatwić pewne sprawy.

Pokiwałam głową i powtórzyłam za nim:

– Kilka osób, pewne sprawy. Czyli będziecie się bawić w mafię. – Wychyliłam kieliszek i podałam mu, by znowu go napełnił.

– Będziemy robić interesy, przyzwyczajaj się.

Nagle jego oczy zrobiły się wielkie jak spodki. Patrzył na przestrzeń za mną.

– No to zaraz się zacznie – powiedział, przeczesując włosy ręką.

Obróciłam się i zobaczyłam, jak do boksu wchodzi kilku mężczyzn, a wśród nich Massimo. Kiedy mnie zobaczył, zastygł w bezruchu, taksując mnie od góry do dołu zimnym, gniewnym spojrzeniem. Przełknęłam głośno ślinę i pomyślałam, że mój pomysł przebrania się za dziwkę akurat dziś nie był najbardziej trafiony. Jego kompani minęli go i poszli w stronę Domenica, podczas gdy Massimo cały czas stał w miejscu, a jego złość stawała się niemal namacalna.

– Co ty masz na sobie, do cholery? – warknął, łapiąc mnie za łokieć.

– Kilka twoich tysięcy euro – odszczeknęłam się, wyrywając rękę.

Ten tekst zagotował go jak wodę w czajniku, niemal widziałam, jak z uszu leci mu para. Wtedy jeden z mężczyzn krzyknął coś do niego, a on odpowiedział, nie odrywając oczu ode mnie.

Usiadłam przy stole i sięgnęłam po kolejny kieliszek szampana. Skoro mam robić za słup, przynajmniej będę nawalonym słupem.

Alkohol wchodził mi dziś wyjątkowo dobrze. Znudzona obserwowałam pozostałe pomieszczenia i wsłuchiwałam się w dźwięk słów wypowiadanych przez Czarnego. Kiedy mówił po włosku, był naprawdę zmysłowy. Wtedy z zamyślenia wyrwał mnie Domenico, który podniósł kopułę srebrnej tacy. Popatrzyłam na jej zawartość i aż ścisnęło mnie w dołku – kokaina. Narkotyk podzielony na kilkadziesiąt zgrabnych kresek pokrywał całą paterę, która w moim rodzinnym domu przeznaczona byłaby raczej do podawania pieczonego indyka. Na ten widok westchnęłam ciężko i wstałam od stołu. Wyszłam poza boks, ale nawet nie zdążyłam obrócić głowy, aby się rozejrzeć, gdy obok mnie wyrósł ogromny ochroniarz. Popatrzyłam na Massima, który wbił we mnie wzrok. Pochyliłam się, udając, że drapię się po nodze, aby przed odejściem pokazać mu długość, a raczej krótkość mojej sukienki. Wyprostowałam się i utkwiłam wzrok w zwierzęcym spojrzeniu kilkanaście milimetrów od mojej twarzy.

– Nie prowokuj mnie, mała.

– Dlaczego? Boisz się, że zbyt dobrze mi idzie? – zapytałam, oblizując dolną wargę. Alkohol zawsze działa na mnie wyzwalająco, ale przy Massimie, kiedy byłam pijana, dosłownie wstępował we mnie demon.

– Alberto będzie ci towarzyszył.

– Zmieniasz temat – powiedziałam, chwytając poły jego marynarki i zaciągając się zapachem jego wody toaletowej. – Mam taką krótką sukienkę, że wszedłbyś we mnie bez rozbierania mnie z niej. – Złapałam go za dłoń i poprowadziłam w dół po mojej talii, a potem wsunęłam ją pod sukienkę. – Biała koronka, tak jak lubisz. Alberto! – krzyknęłam i ruszyłam w stronę przejścia do tanecznej części lokalu.

Obróciłam się i spojrzałam na Massima, który stał oparty o kolumnę z rękami w kieszeniach i szerokim uśmiechem na twarzy; kręciło go to.

Przeszłam przez salę i znalazłam się w miejscu, gdzie dudniąca muzyka wytyczała rytm. Ludzie tańczyli, pili, a w prywatnych boksach pewnie pieprzyli się ze sobą. Niezbyt mnie to interesowało, chciałam się wyłączyć. Skinęłam ręką na barmankę i nim zdążyłam otworzyć usta, stał przede mną kieliszek różowego szampana. Chciało mi się pić, więc wlałam w siebie wszystko za jednym razem i chwyciłam kolejny kieliszek, który w magiczny sposób pojawił się na barze. Tak spędziłam godzinę, a może więcej – kiedy uznałam, że jestem już dobrze wstawiona, ruszyłam z powrotem do narkomanów, których zostawiłam w loży.

Jakże ogromne było moje zdziwienie, kiedy przechodząc przez czarną półprzezroczystą kotarę, zobaczyłam, że panowie nie są już sami. Kobiety krzątające się wokół nich ocierały się jak koty o ich nogi, ręce i krocza. Były piękne i zdecydowanie były dziwkami. Massimo siedział pośrodku, ale przy jego kolanie nie zauważyłam żadnej rozochoconej kobiety. Czy był to przypadek czy celowe działanie, cieszyłam się, że jest sam, bo wypity alkohol mógłby popchnąć mnie do agresji. Mógłby i powinien, ale niestety mój chory, pijany umysł najpierw zobaczył rurę do tańca. O dziwo, drążek był wolny.

Kiedy przeprowadziłam się do Warszawy, od razu zapisałam się na zajęcia z pole dance. Początkowo myślałam, że taniec ten polega wyłącznie na wiciu się w seksowny sposób. Jednak moja instruktorka szybko wyprowadziła mnie z błędu, udowadniając, że to doskonały sposób na idealnie wyrzeźbione ciało. Trochę jak gimnastyka lub fitness, tyle tylko że na pionowym drążku. Podeszłam do stołu i patrząc prosto w oczy Massimowi, powoli zdjęłam krzyż zwisający na moich plecach. Ucałowałam go i położyłam przed nim na stole. Wokół mnie rozbrzmiewało *Running Up That Hill* Placebo, co było jak zaproszenie. Zdawałam sobie sprawę, że nie mogę zrobić wszystkiego, co bym chciała, z uwagi na długość sukienki i obecność jego gości. Ale wiedziałam, że w momencie, w którym dotknę rury, i tak trafi go szlag. Kiedy złapałam metal w rękę i obróciłam się, by zbadać jego reakcję, stał, a wszyscy mężczyźni wokół zignorowali adorujące ich kobiety i patrzyli razem z nim. Mam cię!, pomyślałam i zaczęłam swoje gimnastyczne popisy. Po kilkunastu sekundach zorientowałam się, że mimo paru lat przerwy w ćwiczeniach wszystko pamiętam, a ruchy nadal nie sprawiają mi kłopotu. Taniec był dla mnie czymś całkowicie naturalnym, co znałam i trenowałam od dziecka. I czy był to pole dance, towarzyski czy latynoamerykański, za każdym razem dawał mi identyczne ukojenie.

Dałam się ponieść; alkohol, muzyka, klimat miejsca, w którym się znajdowałam, i cała sytuacja bardzo mnie zmieniały. Po zdecydowanie zbyt długiej chwili spojrzałam w kierunku, gdzie ostatnio stał Czarny. Teraz to miejsce było puste, za to wlepiały się we mnie spojrzenia wszystkich mężczyzn, łącznie z rozpartym na kanapie Domenikiem. Obróciłam się raz jeszcze i zamarłam. Dzikie, zimne, zwierzęce spojrzenie topiło mnie; stał kilkanaście centymetrów ode mnie. Owinęłam nogę wokół niego i wplotłam palce w jego włosy, opierając go o drążek.

– Ciekawy dobór muzyczny jak na klub.

– Bo jak sama zauważyłaś, to klub, a nie dyskoteka.

Zrobiłam obrót i oparłam pośladki o jego krocze, delikatnie nimi poruszając. Massimo chwycił mnie za szyję i przycisnął moją głowę do swojego ramienia.

– Będziesz moja, gwarantuję ci to, a wtedy będę brał cię, jak chcę i kiedy chcę.

Zaśmiałam się zalotnie i zsunęłam się z podestu. Skierowałam się w stronę stołu, a wtedy jeden z siedzących mężczyzn podniósł się i złapał mój nadgarstek, pociągając mnie do siebie. Straciłam równowagę i runęłam wprost na kanapę. Facet uniósł mi sukienkę i złapał za nagi pośladek, uderzając w niego kilka razy i wykrzykując coś po włosku. Chciałam się podnieść, żeby walnąć go w łeb butelką, ale nie byłam w stanie się ruszyć. W pewnym momencie poczułam, jak ktoś przeciąga mnie za barki po miękkim materiale, i gdy podniosłam głowę, zobaczyłam Domenica. Odwróciłam się i dostrzegłam, że Massimo trzyma za gardło mężczyznę, który jeszcze chwilę temu mnie obmacywał. W dłoni miał pistolet, z którego mierzył do mojego adoratora.

Wyrwałam się Włochowi, który usiłował wywlec mnie z boksu, i podbiegłam do Czarnego.

– Nie wiedział, kim jestem – powiedziałam, gładząc go po włosach.

Massimo wrzasnął coś i Domenico znowu mnie złapał, ale tym razem na tyle mocno, bym się mu nie wyrwała. Don Massimo odwrócił głowę do mężczyzny stojącego obok kanapy i po chwili wszystkie kobiety zniknęły z pomieszczenia. Kiedy już zostaliśmy sami, ściągnął człowieka trzymanego za szyję na kolana i wycelował pistolet w jego głowę. Ten widok spowodował, że moje serce ruszyło do galopu. Przed oczami ujrzałam scenę z podjazdu, która wciąż była dla mnie koszmarem nie do opisania. Odwróciłam się przodem do Domenica i wtuliłam głowę w jego barki.

– On nie może go tu zabić – powiedziałam pewna, że w miejscu publicznym tego nie zrobi.

– Owszem, może – odparł spokojnie młody Włoch, tuląc mnie do siebie. – I zrobi to.

Krew odpłynęła z mojej twarzy, a w uszach pojawił się znienawidzony dźwięk. Moje nogi zrobiły się jak z waty i powoli zaczęłam się osuwać po torsie Domenica. Przytrzymał mnie i krzyknął coś, a potem poczułam, jak mnie podnosi i gdzieś niesie. Później muzyka umilkła, a ja opadłam na miękkie poduszki.

– Lubisz efektowne wyjścia – odezwał się, wciskając mi tabletkę pod język. – No już, Lauro, spokojnie.

Moje serce wracało do normalnego rytmu, kiedy drzwi pomieszczenia z hukiem się otworzyły i wpadł przez nie Massimo z pistoletem upchniętym za pasek.

Ukląkł przede mną na podłodze i z przerażeniem wpatrywał się we mnie.

– Zabiłeś go? – spytałam niemal szeptem, modląc się w duchu, by zaprzeczył.

– Nie.

Odetchnęłam z ulgą i przekręciłam się na plecy.

– Przestrzeliłem mu tylko łapska, którymi ośmielił się ciebie dotknąć – rzucił, wstając z kolan i podając broń mojemu opiekunowi.

– Chcę wrócić do hotelu, mogę? – zapytałam, usiłując wstać, ale pomieszanie leków na serce i alkoholu sprawiło, że pomieszczenie zaczęło wirować, a ja zachwiałam się i opadłam na poduszki.

Czarny wziął mnie na ręce i mocno przytulił do siebie. Domenico otworzył drzwi, przez które przeszliśmy na zaplecze, a później do kuchni, aż w końcu znaleźliśmy się na tyłach klubu. Czekała tam limuzyna, do której Massimo wsiadł, nie wypuszczając mnie z rąk. Usadowił się na fotelu i okrył mnie swoją marynarką. Zasypiałam wtulona w jego szeroki tors.

Ocknęłam się w hotelu, kiedy klnąc pod nosem, usiłował ściągnąć mi kozaki.

– Z tyłu jest suwak – wyszeptałam z wpółprzymkniętymi oczami. – Chyba nie sądzisz, że ktokolwiek byłby w stanie sznurować je za każdym razem.

Podniósł wzrok i popatrzył na mnie gniewnie, ściągając buty z moich nóg.

– Co cię skłoniło do tego, byś dzisiejszej nocy wyglądała jak...

– Dokończ! – warknęłam rozdrażniona i rozbudzona w sekundę tym, co miało wydobyć się z jego ust. – Jak dziwka. To chciałeś powiedzieć?

Czarny zacisnął ręce w pięści, a jego szczęka spinała się i rozluźniała.

– Lubisz przecież dziwki, a najlepszym tego przykładem jest Weronica, czyż nie?

Jego oczy stały się zupełnie puste, kiedy skończyłam mówić, a ja z cwaniacko złożonymi ustami zastygłam, oczekując na odpowiedź. Nie odzywał się, a od zaciśniętych rąk aż zbielały mu knykcie. W pewnym momencie uniósł się energicznie i usiadł na mnie okrakiem, obejmując nogami moje biodra. Chwycił nadgarstki i przyciskając je do materaca, uniósł mi nad głowę. Moja klatka piersiowa zaczęła falować w szalonym rytmie, kiedy zbliżył do mnie twarz, i po chwili brutalnie wdarł się językiem w moje usta. Jęczałam, wijąc się pod nim, ale nie miałam zamiaru z nim walczyć, nie chciałam tego. Jego język wciskał się w moje gardło, coraz głębiej i mocniej nacierając.

– Kiedy widziałem dziś, jak tańczysz... – wyszeptał, chaotycznie odrywając się ode mnie. – Kurwa! – Przycisnął twarz do mojej szyi. – Po co to robisz, Lauro? Chcesz mi coś udowodnić? Chcesz sprawdzić, gdzie jest granica? To ja ją stawiam, nie ty. A jeśli chcesz, bym wziął to, czego pragnę, zrobię to bez twojej zgody.

– Bawiłam się, czy nie to miałam dziś robić? Poza tym zejdź ze mnie, chcę się napić.

Podniósł głowę, patrząc na mnie ze zdziwieniem.

– Co chcesz?

– Napić się – powiedziałam, wyczołgując się spod niego, kiedy zwolnił uścisk i opadł bokiem na łóżko. – Wkurwiasz mnie, Massimo – wymamrotałam i podeszłam do stolika, nalewając sobie bursztynowy płyn z karafki.

– Lauro, ty nie pijesz mocnego alkoholu, a po lekach, które wzięłaś, i ilości wypitego w klubie szampana, to nie jest dobry pomysł.

– Nie piję? – zapytałam, zbliżając szklankę do ust. – To patrz.

Przechyliłam ją i wlałam do gardła całą zawartość. Boże, co za obrzydlistwo, pomyślałam, wzdrygając się. Ta wstrząsająca reakcja mojego organizmu nie powstrzymała mnie jednak przed nalaniem sobie kolejnej porcji. Idąc w stronę tarasu, obróciłam się i popatrzyłam na Czarnego, który z głową opartą na ręce obserwował moje przedstawienie.

– Będziesz tego żałować, mała! – krzyknął, kiedy znikałam za drzwiami prowadzącymi na zewnątrz.

Wieczór był cudowny, upał zelżał, a powietrze wydawało się zaskakująco świeże, mimo tego, że byliśmy w samym centrum Rzymu. Usiadłam na wielkiej kanapie i wlałam w siebie kolejny wielki łyk. Po kilkunastu minutach, kiedy opróżniłam szklankę, poczułam się senna i zakręciło mi się w głowie. Faktycznie, nie pijałam mocnych alkoholi i teraz już wiedziałam dlaczego. Helikopter w mojej głowie nie ułatwiał mi chodzenia, a podwójne widzenie utrudniało trafienie w drzwi. Zamknęłam zatem jedno oko, skupiając się na tym, by zachowując resztki klasy, udać się z powrotem do łóżka. Najzgrabniej jak to tylko możliwe stanęłam, łapiąc się futryny i zdając sobie sprawę, że Massimo może na mnie patrzeć. Nie myliłam się – leżał w łóżku z komputerem na kolanach. Był nagi, nie licząc białych opiętych bokserek CK. Boże kochany, jaki on jest piękny, pomyślałam, kiedy podniósł na mnie wzrok znad monitora. Mój pijany mózg kolejny raz podpowiedział mi szatański plan powolnego obnażenia się przed nim i pozostawienia go samemu sobie. Ruszyłam naprzód, łapiąc ramiączka sukienki; zsunęłam je z barków i materiał opadł na posadzkę. Chciałam z gracją unieść kolano i zniknąć w łazience, ale w tym momencie moje nogi odmówiły współpracy. Kostka prawej zaplątała się w sukienkę, a lewa stopa nadepnęła na nią. Runęłam na dywan z jękiem, a po chwili wybuchłam nerwowym śmiechem.

Czarny wyrósł nade mną tak jak pierwszej nocy, kiedy go zobaczyłam w klubie. Tym razem jednak nie podnosił mnie za łokcie, tylko wziął na ręce i ułożył na łóżku, badając, czy nic mi się nie stało. Kiedy moja histeria ustała, popatrzył na mnie z troską.

– Nic ci nie jest?

– Weź mnie – wyszeptałam, ściągając z siebie ostatni kawałek stroju. Kiedy białe koronkowe stringi znalazły się w okolicy kostek, uniosłam nogę i chwyciłam je w dłonie. – Wejdź we mnie, Massimo. – Zarzuciłam ręce za głowę i rozłożyłam szeroko nogi.

Czarny siedział, wpatrując się we mnie, a na jego twarzy błąkał się uśmiech. Nachylił się nade mną i pocałował lekko w usta, po czym okrył nagie ciało kołdrą.

– Mówiłem ci, że to nie jest dobry pomysł, byś piła. Dobranoc.

Jego ambiwalentny stosunek do mojej propozycji rozjuszył mnie. Zamachnęłam się, by kolejny raz dać mu w twarz, ale albo ja byłam wyjątkowo wolna, albo on tak szybki, że chwycił mój nadgarstek i zapiął go opaską, którą spięta byłam przed wyjściem, kiedy Weronica dawała występ. Wskoczył na łóżko i po chwili leżałam już rozciągnięta między słupami, szamocząc się jak ryba wyciągnięta z wody.

– Odepnij mnie! – wrzeszczałam.

– Dobranoc – powiedział, wychodząc z pokoju i gasząc światło.

Obudziło mnie sierpniowe słońce wpadające do pokoju. Moja głowa była ciężka i obolała, ale nie to stanowiło największy problem – zupełnie nie czułam rąk. Co się, kurwa, dzieje?, pomyślałam, patrząc na zapięte na moich nadgarstkach opaski. Szarpnęłam nimi, a dźwięk tarcia metalu o drewno dosłownie rozerwał mi mózg. Jęknęłam cicho i rozejrzałam się po pokoju. Byłam sama. Usilnie próbowałam przypomnieć sobie wydarzenia ostatniej nocy, ale jedyne, co pamiętałam, to mój występ na rurze. Jezu Chryste, westchnęłam na myśl o tym, co musiało się dziać, kiedy wróciliśmy, skoro budzę się w takich okolicznościach. Zapewne Massimo dostał, czego chciał, a ja teraz umrę targana kacem i poczuciem winy. Po kilku minutach użalania się nad sobą przyszedł czas na logiczne myślenie. Zaczęłam grzebać końcami palców przy zamku, ale konstruktor tej pułapki zaplanował ją tak, by samodzielne uwolnienie się nie było możliwe.

– Kurwa, kurwa, kurwa! – krzyknęłam zrezygnowana, a wtedy rozległo się ciche pukanie do drzwi.

– Proszę – powiedziałam niepewnie, zaniepokojona tym, kto stanie w progu.

Kiedy zobaczyłam Domenica, ucieszyłam się jak nigdy, a on zamarł i przez chwilę przyglądał mi się rozbawiony. Opuściłam głowę, by zerknąć, czy przypadkiem żadna z moich piersi właśnie na niego nie patrzy, ale byłam szczelnie przykryta kołdrą.

– Będziesz się tak cieszył czy pomożesz mi, do cholery? – burknęłam zirytowana.

Młody Włoch podszedł do mnie i uwolnił moje ręce.

– Widzę, że wieczór był udany – odezwał się, unosząc brwi z rozbawieniem.

– Daj mi spokój. – Przykryłam twarz kołdrą, chcąc umrzeć.

Kiedy moje ręce powędrowały pod nią, z przerażeniem odkryłam, że jestem zupełnie naga.

– Nie – zakwiliłam cicho.

– Massimo wyjechał, ma sporo pracy, więc będziesz skazana na mnie. Czekam w salonie, zjemy śniadanie.

Po trzydziestu minutach, prysznicu i paczce paracetamolu siadłam przy stole, pociągając łyk herbaty z mlekiem.

– Dobrze się wczoraj bawiłaś? – zapytał, odkładając gazetę.

– Na tyle, na ile kojarzę, to średnio, a później, sądząc po tym, jak mnie zastałeś, zapewne lepiej, ale tego już dzięki Bogu nie pamiętam.

Domenico zaniósł się śmiechem tak, że aż zakrztusił się napoczętym rogalikiem.

– Do którego momentu pamiętasz?

– Taniec na rurze, a potem czarna dziura.

Pokiwał porozumiewawczo głową.

– Ten taniec to i ja pamiętam, jesteś bardzo rozciągnięta. – Na jego twarzy pojawił się jeszcze szerszy uśmiech.

– Dobij mnie – powiedziałam, uderzając głową o stół. – Albo powiedz, co było dalej.

Domenico uniósł brwi i upił espresso.

– Don Massimo zaniósł cię do pokoju i...

– Przeleciał – dokończyłam za niego.

– Szczerze wątpię, nie było mnie z wami. Spotkałem się z nim chwilę po tym, jak przyszliśmy, a później widziałem go wychodzącego stąd, kiedy kładł się spać w drugiej sypialni. Znam go od jakiegoś czasu i nie wyglądał na... – przez chwilę szukał odpowiedniego słowa – ...usatysfakcjonowanego, a sądzę, że po nocy z tobą taki właśnie by był.

– O Boże, Domenico, czemu mnie dręczysz? Przecież dobrze wiesz, co zaszło, nie możesz po prostu mi powiedzieć?

– Mogę, ale to będzie zdecydowanie mniej zabawne. – Mój wyraz twarzy chyba go przekonał, że nie mam dziś ochoty do żartów. – No dobra, upiłaś się i trochę rozrabiałaś, więc cię przypiął do łóżka i poszedł spać.

Odetchnęłam z ulgą, słysząc to, co mówił, a jednocześnie zaczęłam zastanawiać się, co zaszło.

– Przestań się już zamartwiać i jedz, mamy napięty grafik.

W Rzymie byliśmy tylko trzy dni i przez wszystkie trzy nawet przez chwilę nie widziałam Massima. Po feralnej nocy w klubie zniknął bez wieści, a młody Włoch milczał jak grób.

Całe dnie spędzałam z Domenikiem, który oprowadzał mnie po Wiecznym Mieście. Jadł ze mną, robił zakupy, chodził do spa. Zastanawiałam się, czy tak będzie wyglądać każdy nasz wyjazd.

Kiedy drugiego dnia jedliśmy lunch w zachwycającej restauracji z widokiem na Schody Hiszpańskie, zapytałam go:

– Czy on kiedyś pozwoli mi pracować? Ja nie umiem nic nie robić i tylko czekać na niego.

Młody Włoch długo milczał, po czym powiedział:

– Nie mogę wypowiadać się na temat don Massima, tego, co chce, robi lub myśli. Nie pytaj mnie, Lauro, proszę, o takie rzeczy. Musisz pamiętać, kim on jest. Im mniej pytań, tym lepiej dla ciebie.

– Do cholery, chyba mam prawo wiedzieć, co robi, dlaczego nie dzwoni i czy żyje – warknęłam na niego, rzucając sztućce na talerz.

– Żyje – odpowiedział szorstko, nie reagując na moje pytające spojrzenie.

Skrzywiłam się i wróciłam do posiłku. Z jednej strony odpowiadało mi życie, które od pewnego czasu wiodłam, z drugiej jednak nie byłam typem „kobiety swojego mężczyzny". Zwłaszcza że Massimo nim nie był.

Trzeciego dnia rano Domenico jak zawsze jadł ze mną śniadanie. Kiedy jego telefon zadzwonił, przeprosił mnie i wstał od stołu. Rozmawiał dłuższą chwilę, po czym wrócił do mnie.

– Lauro, dziś opuścisz Rzym.

Popatrzyłam na niego ze zdziwieniem.

– Przecież dopiero co przylecieliśmy.

Młody Włoch uśmiechnął się do mnie przepraszająco i ruszył w stronę mojej garderoby. Dopiłam herbatę z mlekiem i poszłam za nim.

Upięłam włosy w wysoki kucyk i wytuszowałam rzęsy; coraz ciemniejsza opalenizna na mojej twarzy pozwalała mi na coraz mniejszą ilość makijażu. Na dworze było co dzień w granicach trzydziestu stopni. Nie wiedząc, dokąd jadę, włożyłam króciutkie dżinsowe szorty w granatowym kolorze i maleńki biały top ledwo zasłaniający moje skromne piersi. Dzisiejszy strój potraktowałam jako manifest, nie wkładając bielizny. Nie będę elegancka, pomyślałam i wsunęłam nogi w ukochane trampki na koturnach od Isabel Marant. Gdy włożyłam na nos okulary i wzięłam torebkę, zza rogu wyszedł Domenico. Stanął jak wryty i taksował mnie przez chwilę wzrokiem.

– Jesteś pewna, że chcesz tak wyjść? – zapytał zakłopotany. – Don Massimo nie będzie zadowolony, kiedy cię zobaczy.

Odwróciłam się nonszalancko i zsuwając okulary na czubek nosa, rzuciłam mu lekceważące spojrzenie.

– Wiesz, gdzie to mam po tych trzech dniach? – Obróciłam się i poszłam w stronę windy.

Mój absurdalnie drogi zegarek pokazywał jedenastą, kiedy Domenico wsadził mnie do samochodu.

– Nie jedziesz ze mną? – zapytałam, wypychając dolną wargę jak mała dziewczynka.

– Nie mogę, ale Klaudio będzie się tobą zajmował w czasie podróży. – Zamknął drzwi i samochód ruszył. Poczułam się sama i smutna. Czy to możliwe, że tęskniłam za Czarnym?

Mój kierowca Klaudio, który jednocześnie także mnie ochraniał, nie był zbyt rozmowny.

Wzięłam do ręki telefon i zadzwoniłam do mamy. Była spokojniejsza, ale umiarkowanie zadowolona po tym, jak oznajmiłam jej, że w tym tygodniu nie dotrę do nich.

Kiedy skończyłam dość długą rozmowę, samochód właśnie zjeżdżał z autostrady i po chwili wjechał do miejscowości Fiumino. Klaudio bardzo sprawnie przemieszczał się wielkim SUV-em po wąskich, malowniczych uliczkach. W pewnym momencie auto zahamowało, a moim oczom ukazał się ogromny port wypełniony ekskluzywnymi jachtami.

Drzwi otworzył mi starszy mężczyzna ubrany na biało. Badawczo spojrzałam na kierowcę, który skinął do mnie porozumiewawczo głową, pozwalając mi wysiąść.

– Witamy w Porto di Fiumicino, pani Lauro. Jestem Fabio i zaprowadzę panią na łódź. Zapraszam. – Skinął ręką, wskazując mi kierunek.

Kiedy po kilku krokach zatrzymaliśmy się, by wejść na pokład, zadarłam głowę w górę i wrosłam w ziemię. Moim oczom ukazał się Tytan.

Większość łodzi w porcie była śnieżnobiała, ta natomiast miała zimny, ciemnostalowy kolor i przyciemniane szyby.

– Jacht ma dziewięćdziesiąt metrów. Posiada dwanaście kajut dla gości, jacuzzi, salę kinową, spa, salę do ćwiczeń i oczywiście ogromny basen oraz lądowisko dla helikoptera.

– Skromny – oceniłam z lekko otwartymi ustami.

Kiedy weszłam na pierwszy z sześciu pokładów, moim oczom ukazał się imponujący salon, tylko częściowo zadaszony. Urządzony był elegancko i bardzo sterylnie. Niemal wszystkie meble były białe, dodatki stalowe, a całość dopełniała szklana podłoga. Dalej była jadalnia, schody i w części dziobowej jacuzzi. Na stołach stały w wazonach białe róże, ale moją uwagę przykuł jeden stół, na którego blacie brakowało kwiatów. Zamiast nich była ogromna waza z lodem i zanurzonymi butelkami moët rosé.

Zanim skończyłam oglądać ten poziom, Fabio pojawił się przy mnie z napełnionym kieliszkiem w dłoni. Czy im wszystkim się wydaje, że ja jestem alkoholiczką, a jedyny sposób spędzania czasu, jaki znam i praktykuję, to picie?

– Co chciałaby pani robić, zanim wypłyniemy? Zwiedzić łódź? Opalać się, a może podać lunch?

– Chciałabym zostać sama, jeśli mogę. – Odłożyłam torebkę i ruszyłam w stronę dziobu.

Fabio skinął głową i zniknął. Stałam i patrzyłam na morze. Wypiłam jeden kieliszek, później drugi i kolejny, aż butelka zrobiła się pusta. Kac trawiący moje ciało zelżał, ponieważ znowu byłam pijana.

Tytan wypłynął z portu. Kiedy ląd znikał na horyzoncie, myślałam o tym, jak bardzo chciałabym nigdy nie przyjechać na Sycylię. Nie spotkać Massima i nie być jego wybawieniem. Dalej mogłabym spokojnie żyć w swoim normalnym świecie, a nie siedzieć zamknięta w złotej klatce.

– Co ty, do cholery, masz na sobie! – usłyszałam znajomy akcent. – Wyglądasz jak...

Odwróciłam się i niemalże wpadłam na Massima, który wyrósł przede mną jak tego wieczoru, kiedy widziałam go po raz pierwszy. Byłam już porządnie wstawiona, dlatego zakręciłam się tylko i padłam na kanapę.

– Wyglądam, jak chcę, i nic ci do tego – wybełkotałam. – Zostawiłeś mnie bez słowa i traktujesz jak kukiełkę, którą bawisz się, gdy masz na to ochotę. Dziś kukiełka ma ochotę bawić się solo. – Poderwałam się nieudolnie z kanapy, złapałam kolejną butelkę szampana i ruszyłam chwiejnym krokiem w stronę rufy. Buty na koturnach nie ułatwiały mi chodzenia i miałam świadomość, jak żałośnie wyglądam, dlatego z frustracją ściągnęłam je z nóg.

Czarny ruszył za mną, wykrzykując coś, ale jego głos nie przebijał się przez szum alkoholu w mojej głowie. Nie znałam statku, ale chcąc uciec, zbiegłam po schodach i... to było ostatnie, co pamiętam.

ROZDZIAŁ 8

– Oddychaj – słyszałam głos jak z pudełka. – Lauro, oddychaj, słyszysz mnie? – Głos stawał się coraz wyraźniejszy.

Poczułam, jak żołądek podchodzi mi do gardła, zaczęłam wymiotować, krztusząc się czymś słonym.

– Dzięki ci, Boże! Mała, słyszysz mnie? – zapytał Massimo, gładząc mnie po włosach.

Z trudem otworzyłam oczy, nade mną zobaczyłam Czarnego ociekającego wodą. Był ubrany, brakowało mu jedynie butów. Patrzyłam, ale nie mogłam wydobyć z siebie ani słowa. W głowie mi huczało, a słońce paląco oślepiało. Fabio podał ręcznik, którym Czarny owinął mnie, po czym wziął na ręce. Niósł przez kolejne pokłady, aż wszedł do sypialni i ułożył na łóżku. Wciąż byłam oszołomiona i nie miałam pojęcia, co zaszło. Massimo wycierał mi włosy, patrząc na mnie wzrokiem pełnym troski pomieszanej z gniewem.

– Co się stało? – zapytałam cicho ochrypłym głosem.

– Spadłaś z pomostu. Dzięki Bogu, że nie płynęliśmy szybciej, a ty upadłaś na bok. Co nie zmienia faktu, że prawie utonęłaś. – Massimo uklęknął przed łóżkiem. – Kurwa, Lauro, mam ochotę cię zabić, a jednocześnie jestem tak wdzięczny losowi, że żyjesz.

Dotknęłam ręką jego policzka.

– Uratowałeś mnie?

– Dobrze, że byłem tak blisko. Nawet nie chcę myśleć, co mogłoby ci się stać. Czemu jesteś tak nieposłuszna i uparta? – westchnął.

W głowie nadal szumiał mi alkohol, a w ustach czułam posmak morskiej wody.

– Chciałabym się umyć – rzuciłam i próbowałam wstać.

Czarny powstrzymał mnie, delikatnie łapiąc za ramię.

– Nie pozwolę ci teraz zrobić tego samej, jeszcze pięć minut temu nie oddychałaś, Lauro. Jeśli bardzo chcesz, wykąpię cię.

Spojrzałam na niego zmęczonym wzrokiem, nie miałam siły oponować. Poza tym widział mnie już nagą, zresztą nie tylko widział, lecz także dotykał, więc żadna z części mojego ciała nie stanowiła dla niego tajemnicy. Skinęłam głową, zgadzając się. Zniknął na chwilę, a kiedy wrócił, z łazienki dobiegał szum wody.

Czarny zdjął z siebie mokrą koszulę, spodnie i na końcu bokserki. W normalnych okolicznościach widok ten doprowadziłby mnie do wrzenia, jednak nie teraz. Odkrył ręcznik, którym byłam owinięta, i delikatnie ściągnął ze mnie koszulkę, zupełnie nie zwracając uwagi na to, co widzi. Rozpiął mi spodenki i z zaskoczeniem odkrył, że nie mam na sobie bielizny.

– Nie masz na sobie majtek?!

– Cenna uwaga. – Uśmiechnęłam się. – Nie sądziłam, że będziemy się widzieć.

– To tym bardziej! – Jego spojrzenie zrobiło się lodowate, więc postanowiłam nie ciągnąć tematu.

Nagą wziął mnie na ręce i przeniósł do łazienki, która znajdowała się kilka metrów od łóżka. Ogromna wanna stojąca pod ścianą była już częściowo napełniona wodą. Wszedł do niej, usiadł i oparł się plecami o brzeg, obrócił mnie i ułożył między swoimi nogami, tak że moja głowa spoczywała na jego klatce. Najpierw umył mnie całą, nie omijając żadnego miejsca, a później zabrał się do mycia mi głowy. Byłam zaskoczona, z jaką delikatnością umiał ze mną postępować. Na koniec wyjął mnie z wanny, okręcił w ręcznik i zaniósł do łóżka. Wcisnął guzik na pilocie i ogromne rolety zupełnie zasłoniły okna, dając przyjemny mrok. Nawet nie wiem, kiedy zasnęłam.

Obudziłam się przerażona, nerwowo łapiąc powietrze. Spanikowałam, nie mając pojęcia, gdzie jestem. Po chwili, kiedy oprzytomniałam, przypomniałam sobie wydarzenia ostatniego dnia. Wstałam z łóżka i zapaliłam światło, przed moimi oczami rozpościerał się widok imponującego apartamentu. Białe owalne kanapy w salonie cudownie komponowały się z niemal czarną podłogą. Wnętrze było minimalistyczne i bardzo męskie. Nawet kwiaty stojące na jasnych kolumnach nie sprawiały wrażenia delikatnych.

Gdzie jest Massimo?, pomyślałam. Czy znowu zniknął? Zarzuciłam szlafrok na nagie ciało i ruszyłam do drzwi. Korytarze były szerokie i lekko oświetlone, nie miałam pojęcia, dokąd idę, bo zamiast wycieczki po statku wybrałam pijaństwo. Na myśl o alkoholu wzdrygnęłam się z obrzydzeniem. Wchodząc po schodach, trafiłam na pokład, który nie najlepiej mi się kojarzył. Mimo że sytuację znałam z opowieści, odczuwałam lęk. Było zupełnie pusto i niemalże całkowicie ciemno; szklaną podłogę oświetlały jedynie wbudowane w nią punktowe światła. Ruszyłam w stronę półotwartego salonu, aż dotarłam na dziób.

– Wyspana? – usłyszałam głos z ciemności.

Rozejrzałam się. W jacuzzi, oparty obiema rękami o brzeg, siedział Czarny, trzymając w dłoni szklankę.

– Widzę, że czujesz się lepiej. Może dołączysz do mnie?

Przechylał głowę na boki, jakby rozluźniał kark. Wziął szklankę do ust i upił łyk bursztynowego płynu, nie odrywając ode mnie lodowatego spojrzenia.

Tytan stał, a w oddali widać było migocące światła lądu. Spokojne morze lekko kołysało się, delikatnie uderzając o łódź.

– Gdzie jest cała obsługa? – zapytałam.

– Tam, gdzie powinna być, czyli na pewno nie tu. – Uśmiechnął się i odstawił szklankę. – Oczekujesz kolejnego zaproszenia, Lauro?

Jego ton był poważny, a oczy błyszczały odbitym światłem pokładowych lampek. Stojąc przed nim, uświadomiłam sobie, że przez ostatnie dni brakowało mi go.

Chwyciłam za pasek szlafroka, pociągnęłam go i pozwoliłam, by zsunął się ze mnie. Massimo z zaciekawieniem patrzył, rytmicznie zaciskając szczęki. Powoli ruszyłam w jego stronę i wślizgnęłam się do wody; usiadłam naprzeciwko.

Patrzyłam na niego, kiedy popijał kolejny łyk; był strasznie pociągający, kiedy stawał się powściągliwy.

Pochyliłam się i przysunęłam do niego tak, że usiadłam na jego kolanach, przywierając mocno ciałem do niego. Bez pozwolenia wsunęłam mu ręce we włosy, jęknął i odchylił głowę do tyłu, zamykając oczy. Chłonęłam ten widok przez chwilę, po czym złapałam zębami jego dolną wargę. Poczułam, jak twardnieje pode mną. Ten impuls mimowolnie wyzwolił delikatny ruch moich bioder. Ssałam i gryzłam powoli jego wargi, aż w pewnym momencie wsunęłam język do jego ust. Czarny opuścił ręce i mocno złapał mnie za pośladki, przyciskając do siebie.

– Tęskniłam za tobą – wyszeptałam, odrywając od niego usta.

Na dźwięk tych słów odsunął mnie od siebie i przeszył badawczym wzrokiem.

– Czy tak okazujesz tęsknotę, mała? Bo jeśli zamierzasz w ten sposób wyrazić wdzięczność za uratowanie życia, wybrałaś sposób najgorszy z możliwych. Nie zrobię tego z tobą, póki nie będziesz pewna, że chcesz.

To stwierdzenie mnie zraniło. Odepchnęłam go od siebie i jak oparzona wyskoczyłam z wody. Złapałam szlafrok i ze wstydem naciągnęłam na siebie. Chciało mi się płakać i marzyłam o tym, by jak najszybciej znaleźć się daleko od niego.

Zbiegłam na dół po schodach, którymi przyszłam kilka minut wcześniej, i skręciłam w plątaninę korytarzy. Wszystkie drzwi wyglądały niemal identycznie, więc kiedy wydawało mi się, że to te właściwe, złapałam za klamkę. Weszłam do pomieszczenia i przesuwając ręką po ścianie, szukałam włącznika światła. Gdy wreszcie go znalazłam, zorientowałam się, że nie jestem w miejscu, do którego chciałam trafić. Drzwi za mną zamknęły się i usłyszałam dźwięk przekręcanej zasuwki. Światło zgasło niemal zupełnie, a ja zamarłam, bojąc się odwrócić, choć podświadomie wiedziałam, że nic mi tu nie grozi.

– Uwielbiam, kiedy łapiesz mnie za włosy – powiedział Czarny, stając za mną. Chwycił pasek mojego szlafroka i odwrócił mnie, energicznym ruchem zrzucając kawałek materiału, który miałam na sobie.

Kiedy przywarłam do niego, poczułam, że jest nagi, mokry i ciepły. Chwycił moje usta swoimi, całując mocno i głęboko. Jego dłonie przesuwały się po całym moim ciele, aż skończyły na pośladkach. Uniósł mnie, nie przerywając pocałunków, i przeniósł na łóżko. Położył i przez chwilę na mnie patrzył, stojąc. Wpatrywałam się w niego, w końcu podniosłam ręce za głowę i przesunęłam je na poduszki, chcąc w ten sposób okazać mu swoją bezbronność, którą teraz czułam, i zaufanie.

– Wiesz, że tym razem, jeśli zaczniemy, nie będę umiał przestać? – zapytał poważnym tonem. – Jeśli przekroczymy pewną granicę, zerżnę cię, czy będziesz tego chciała, czy nie.

W jego ustach brzmiało to jak obietnica, która tylko mnie rozpalała.

– A więc zerżnij – powiedziałam, siadając przed nim na skraju łóżka.

Wymamrotał coś po włosku przez zaciśnięte zęby i stanął kilka centymetrów ode mnie. Resztki światła pozostające w pokoju pozwalały mi widzieć jego buzującą erekcję. Złapałam go za pośladki i przyciągnęłam na tyle blisko, by móc chwycić dłonią jego męskość. Był cudowny, gruby i twardy. Przesuwałam po nim palcami, ze smakiem oblizując usta.

– Złap mnie za głowę – powiedziałam, spoglądając mu w oczy. – I wymierz mi wybraną przeze mnie karę.

Massimo głośno wypuścił powietrze i mocno złapał mnie za włosy.

– Prosisz teraz, bym potraktował cię jak dziwkę, czy tego właśnie chcesz?

Posłusznie odchyliłam głowę i otworzyłam szeroko usta.

– Tak, don Massimo – wyszeptałam.

Na te słowa uścisk na moich włosach przybrał na sile. Przysunął się i spokojnym, płynnym ruchem wsadził mi do ust swojego nabrzmiałego kutasa. Jęknęłam, kiedy poczułam, jak wsuwa mi się aż do gardła. Jego biodra zaczęły rytmicznie falować, nie pozwalając mi złapać tchu.

– Jeśli w którymś momencie przestanie ci się podobać, powiedz mi to, tylko tak, żebym wiedział, że nie droczysz się ze mną – wydusił, nie przerywając.

Cofnęłam się odrobinę i wyjęłam go z ust, kontynuując ruch ręką.

– To samo tyczy się ciebie – powiedziałam z przekonaniem, lekko unosząc brwi, i zaczęłam go ponownie ssać.

Czarny zaśmiał się szyderczo i jęknął, kiedy przyspieszyłam, by pokazać mu, że nie żartuję. Obciągałam mu szybciej i mocniej, niż sobie tego życzyły jego dłonie sterujące moją głową. Dyszał i zaciskał ręce na włosach. Czułam, jak rośnie mi w ustach, to było jak zachęta, by pokazać mu, kto teraz rozdaje karty. Był słodki, jego skóra gładka, a ciało pachniało seksem. Delektowałam się nim, chciałam nasycić się tym, czego tak długo pragnęłam. Druga część mnie chciała mu coś udowodnić, pokazać, że w tym momencie trzymam w ustach władzę nad nim; przyspieszyłam raz jeszcze. Wiedziałam, że długo tego nie wytrzyma, i czułam, że on też to wie. Próbował hamować moje ruchy, jednak bezskutecznie.

– Zwolnij – wysyczał, a ja zupełnie zignorowałam jego polecenie.

Po chwili szaleńczego tempa wyciągnął go, odpychając mnie od siebie. Oblizywałam się lubieżnie, kiedy stał i patrzył na mnie, ciężko dysząc. Złapał za moje barki i cisnął mnie na łóżko, po czym przekręcił na brzuch, przywierając do mnie całym ciałem.

– Chcesz mi coś udowodnić? – zapytał, oblizując dwa palce. – Rozluźnij się, maleńka – wysyczał i wsunął mi je do środka. Z mojego gardła wydobył się głośny jęk. Wystarczyły dwa palce, by mnie wypełnił.

– Wydaje mi się, że jesteś gotowa. Te słowa sprawiły, że po plecach przebiegł mi dreszcz. Oczekiwanie, niepewność, strach i pożądanie mieszały mi się ze sobą.

Massimo zaczął powoli wchodzić we mnie, czułam każdy centymetr jego grubego członka.

Jego ramiona oplatały mnie z siłą, która zadawała ból. Kiedy wszedł cały, zastygł w bezruchu, po czym wysunął go i ponownie natarł, jeszcze mocniej. Jęknęłam, a podniecenie i przyjemność mieszały się z bólem. Jego biodra przyspieszały, a oddech gonił ich tempo. Cudowne tarcie, które czułam, rozlewało fale rozkoszy po moim ciele. Nagle zwolnił, a ja odetchnęłam z ulgą.

Wsunął mi rękę pod brzuch i uniósł moje biodra, kolanem rozkładając lekko zaciśnięte nogi.

– Pokaż mi tę śliczną pupę – powiedział, głaszcząc moje tylne wejście.

Przeraziłam się, chyba nie chciał za pierwszym razem spróbować tego, na co zdecydowanie nie byłam jeszcze gotowa.

– Don... – wyszeptałam niepewnie, oglądając się na niego.

Złapał moje włosy i wcisnął twarz w poduszki.

– Spokojnie, maleńka – szepnął, nachylając się nade mną. – Do tego też dojdziemy, ale jeszcze nie dziś.

Powoli i rytmicznie napierał na mnie, uginając mój kręgosłup tak, że pośladki mimowolnie się mocniej wypięły.

– O tak – dyszał z zadowoleniem, chwytając mocniej moje biodra.

Uwielbiałam pieprzyć się od tylu, a kontrola, którą miał nad moim ciałem w tej pozycji, przerażała mnie i podniecała jednocześnie. Pochylił się lekko i przesunął jedną rękę na moją łechtaczkę. Jeszcze szerzej rozłożyłam nogi, tak by mógł się mną bawić.

– Otwórz buzię – polecił, wsadzając mi palce do ust.

Kiedy były odpowiednio mokre, wrócił do drażnienia mojej cipki. Robił to doskonale i dokładnie wiedział, gdzie mają znajdować się jego ręce, by doprowadzić mnie do szaleństwa. Mocno chwyciłam poduszkę w dłonie, nie mogąc wytrzymać wariackiego pędu jego bioder. Jęczałam i wiłam się pod nim, mamrocząc po polsku.

– Jeszcze nie, Lauro – oznajmił i przekręcił mnie na plecy. – Chcę widzieć, kiedy będziesz szczytowała.

Wsadził obie ręce pode mnie i mocno przytulił, jego penis wsuwał się i wychodził coraz mocniej i szybciej, aż poczułam, jak zaczynam się kurczyć w środku. Odrzuciłam głowę do tyłu i pozwoliłam, żeby orgazm zawładnął moim ciałem.

– Mocniej – wyjęczałam.

Naparł na mnie ze zdwojoną siłą, czułam, że jest niedaleko za mną, ale nie byłam w stanie dłużej powstrzymywać rozkoszy. Krzyczałam zesztywniała w pułapce orgazmu, a biodra Massima nie przestawały wbijać się we mnie. Kolejne pchnięcie i następne, słyszałam, jak dzwoni mi w uszach; to było zbyt wiele. Z przeraźliwym wrzaskiem doszłam po raz drugi, a moje spocone ciało bezwładnie opadło na materac.

Czarny zwolnił, był niemalże leniwy w ruchu, który wykonywał. Chwycił moje ręce za nadgarstki i podniósł je. Opierał się na kolanach i obserwował moje falujące piersi; był zadowolony, triumfował.

– Skończ na mój brzuch, chcę to zobaczyć – powiedziałam wycieńczona.

Massimo uśmiechnął się i mocniej zacisnął dłoń na moich nadgarstkach.

– Nie – odpowiedział i nadał swojemu ciału szaleńczy pęd.

Po chwili poczułam, jak wlewa się we mnie ciepłą falą. Zamarłam. Dobrze wiedział, że nie stosuję antykoncepcji. Dochodził długo i intensywnie, walcząc z moim ciałem, które za wszelką cenę chciałam uchronić od jego słodkiej zawartości. Kiedy skończył, opadł na mnie spocony i gorący.

Próbowałam zebrać myśli, w głowie liczyłam dni cyklu, dobrze wiedząc, że wybrał najgorszy z możliwych. Chciałam wyrwać się spod niego, ale jego ciężar nie pozwalał mi się ruszyć.

– Massimo, co ty do cholery wyprawisz? – zapytałam wściekła. – Przecież dobrze wiesz, że nie stosuję tabletek.

Zaśmiał się i wsparł na łokciach. Patrzył na mnie, kiedy rzucałam się wściekła pod nim.

– Tabletek może i nie, trudno im ufać. Masz implant antykoncepcyjny, zobacz.

Dotknął palcami wewnętrznej strony mojej lewej ręki na wysokości bicepsa. Pod skórą była mała rurka. Puścił moje ręce, a ja z przerażeniem odkryłam, że nie kłamie.

– Już pierwszego dnia, kiedy spałaś, kazałem ci go wszczepić, nie chciałem ryzykować. Będzie działał przez trzy lata, ale oczywiście po roku możesz go usunąć – powiedział z uśmiechem na twarzy.

Pierwszy raz widziałam u niego taki uśmiech, co nie zmieniało faktu, że byłam wściekła. Zaspokojona, ale wściekła.

– Zejdziesz ze mnie? – zapytałam, patrząc na niego beznamiętnie.

– Niestety, będzie to niemożliwe jeszcze przez jakiś czas, mała, ciężko mi będzie posuwać cię na odległość – rzucił, gryząc moją wargę. – Kiedy pierwszy raz zobaczyłem twoją twarz, nie pragnąłem cię, byłem przerażony wizją, która mnie spotkała. Ale z czasem, gdy portrety były już wszędzie, zacząłem dostrzegać każdy szczegół twojej duszy. Jesteś tak podobna do mnie, Lauro – mówił i delikatnie całował moje usta.

Leżałam, patrząc na niego, i czułam, jak opuszcza mnie złość. Uwielbiałam, kiedy był ze mną szczery, czułam, ile go to kosztuje, i doceniałam to.

Jego biodra zaczęły delikatnie falować, a ja poczułam, jak na powrót twardnieje we mnie. Całował moją twarz i kontynuował.

– Pierwszej nocy patrzyłem na ciebie, aż zrobiło się jasno. Czułem twój zapach, ciepło twojego ciała, byłaś żywa, istniałaś i leżałaś obok. Cały dzień nie byłem w stanie odejść od ciebie, irracjonalnie bałem się, że wrócę, a ciebie nie będzie.

Jego ton stawał się smutny i przepraszający, jakby chciał, żebym wiedziała, że fakt, iż trzyma mnie na siłę, nie przynosi mu chwały. Ale prawda była taka, że gdyby nie strach, uciekłabym przy pierwszej okazji. Jego biodra powoli przyspieszały, ramiona zaciskały się wokół mnie, czułam, jak jego ciało robi się gorące i mokre.

Nie chciałam już słuchać tego, co mówił, bo przypominało mi to, że wszystko, co się dzieje, nie jest do końca tym, czego chciałam. Zaczęłam myśleć o tym, jak bezwzględny potrafi być, jak bardzo brutalny i okrutny. Nigdy tego nie doświadczyłam, ale widziałam i wiedziałam, do czego jest zdolny.

Myśli kłębiące się w mojej głowie sprawiły, że poczułam, jak na powrót narasta we mnie złość. Jego falujące ciało drażniło mnie, denerwowało i powodowało, że furia się kumulowała.

Massimo oderwał twarz od mojego policzka i popatrzył mi w oczy. Widok, który zobaczył, sprawił, że zamarł w bezruchu.

– Lauro, co się dzieje? – zapytał, badawczo spoglądając na mnie.

– Nie chcesz wiedzieć i zejdź ze mnie, do cholery!

Szarpnęłam się, chcąc wstać, ale on nawet nie drgnął. Jego oczy były lodowate; wiedziałam, że mam do teraz do czynienia z donem, a walka z nim zupełnie nie ma sensu.

– Chcę cię dosiąść – powiedziałam z zaciśniętymi zębami, łapiąc go za pośladki.

Czarny nadal lustrował badawczo moją twarz; w pewnym momencie mocno mnie złapał i nie wychodząc ze mnie, przekręcił się na plecy. Położył się i podniósł w górę ręce, zupełnie jak ja kilkanaście minut temu.

– Cały twój – wyszeptał, zamykając oczy. – Nie wiem, co cię tak rozwścieczyło, ale skoro potrzebujesz kontroli nade mną do tego, by się pozbyć złości, proszę – powiedział, otwierając jedno oko. – Broń jest w lewej szufladzie, odbezpieczona, jeśli będziesz jej potrzebować.

Powoli podnosiłam się z jego klatki, coraz mocniej wbijając na twardego kutasa. Byłam rozbawiona tym, co powiedział, a jednocześnie zła i zdezorientowana. Złapałam prawą dłonią jego policzki i mocno je ścisnęłam. Nie otworzył oczu, tylko zaczął rytmicznie zaciskać szczęki. Powoli uniosłam pośladki i osunęłam się na niego, wprowadzając go coraz głębiej w siebie. Chciałam, by wiedział, co czuję, chciałam ukarać go za wszystko i zadać mu cierpienie, a był na to tylko jeden sposób.

Podniosłam się z niego, a kiedy poczuł, co robię, otworzył oczy. Rzuciłam mu ostrzegawcze spojrzenie i poszłam po pasek od szlafroka, który leżał przy drzwiach. Po nogach ściekała ze mnie resztka jego nasienia. Przesunęłam palcem, zbierając odrobinę lepkiego płynu, i w drodze powrotnej oblizałam go, nie odrywając wzroku od Czarnego. Na ten widok jego kutas zaczął rytmicznie pulsować.

– Jesteś słodki – powiedziałam, oblizując usta. – Chcesz spróbować?

– Nie jestem fanem własnego smaku, więc raczej nie – odpowiedział z obrzydzeniem.

– Usiądź – poprosiłam, dosiadając go okrakiem.

Massimo spokojnie podniósł się i zaplótł ręce z tyłu, tak jakby wiedział, co chcę zrobić.

– Jesteś tego pewna? – zapytał bardziej poważnym tonem, niż wymagała tego sytuacja.

Zupełnie zignorowałam to pytanie i zawiązałam jego dłonie tak mocno, że kiedy kończyłam, aż syknął z bólu.

Pchnęłam go na łóżko, by się położył, i sięgnęłam do lewej szuflady przy łóżku, wyciągając broń. Czarny nawet nie drgnął, patrzył na mnie wzrokiem, który zdawał się mówić: „I tak wiem, że się nie odważysz". I faktycznie, nie miałam tyle odwagi, a poza tym w obecnej sytuacji zupełnie tego nie chciałam. Przekopałam szufladę, ale nie było tam tego, czego szukałam. Sięgnęłam do kolejnej – bingo. Wyciągnęłam z niej opaskę na oczy.

– Teraz się pobawimy, don Massimo – powiedziałam, zakładając mu ją na oczy. – Zanim zacznę, pamiętaj, że jeśli coś ci się nie spodoba, musisz to powiedzieć wyraźnie, tak abym zrozumiała, choć małe szanse, że posłucham.

Wiedział, że drwię z niego, dlatego tylko się uśmiechnął i umościł wygodnie głowę na poduszce.

– Porwałeś mnie, uwięziłeś, grozisz mojej rodzinie – zaczęłam, łapiąc go ponownie za policzki. – Zabrałeś mi wszystko, co mam, i mimo że cholernie mnie kręcisz, nienawidzę cię, Massimo. Chciałabym, żebyś poczuł, jak to jest być zmuszanym do czegokolwiek.

Oderwałam rękę od jego policzka i wymierzyłam mu cios otwartą dłonią. Jego głowa lekko odchyliła się na bok i głośno przełknął ślinę.

– Jeszcze raz – wycedził przez zęby.

To, co zrobiłam, i jego reakcja zaskakująco mnie podnieciły. Kolejny raz chwyciłam jego głowę.

– To ja o tym zadecyduję – wysyczałam.

Przesunęłam się w górę, a moja wilgotna szparka znalazła nad jego głową.

– Zacznij ssać – powiedziałam, ocierając się nią o jego usta.

Wiedziałam, że nie będzie zachwycony smakiem samego siebie, i wyłącznie dlatego postanowiłam to zrobić. Kiedy nie reagował, przywarłam do jego warg moją mokrą cipką, tak by mimowolnie poczuł smak, który go odrzucał. Po chwili poczułam, jak jego język pieści moje wnętrze. Podniósł brodę i przesunął pieszczoty na łechtaczkę. Jęknęłam i oparłam czoło o pikowaną ścianę za łóżkiem. Robił to zbyt dobrze i już po chwili byłam na skraju orgazmu. Uniosłam się na kolanach i popatrzyłam w dół – zlizywał z warg resztki mojego smaku, cicho mrucząc. Ta część kary wyraźnie mu się podobała. Zsunęłam pośladki po jego klatce, brzuchu i poczułam, jak wchodzi w moją mokrą od śliny cipkę. Jego kutas był twardy, gruby i idealnie do mnie dopasowany. Jęknęłam, złapałam go za plecy i posadziłam. Czułam, jak mi w tym pomaga, wiedząc, że sama nie dam rady. Łapiąc za zagłowie łóżka, przysunęłam nas do pikowanej części ściany i przyparłam do niej jego plecy. Uwielbiałam tę pozycję, dawała mi absolutną kontrolę nad partnerem, a jednocześnie pozwalała na bardzo głęboką penetrację. Złapałam go za włosy i powoli zaczęłam ocierać łechtaczkę o jego brzuch. Penis we mnie lekko się unosił, a ja nacierałam na niego coraz szybciej i z większą siłą. Pieprzyłam go, trzymając jedną ręką za włosy, a drugą za szyję. Massimo głośno oddychał i czułam, że za chwilę eksploduje. Kolejny raz uderzyłam go w twarz.

– Dojdź! – powiedziałam i wymierzyłam mu kolejny cios.

Podniecało mnie to do tego stopnia, że czułam, jak zaczynam szczytować, ale nie chciałam skończyć. Kiedy po chwili Czarny wypełnił mnie całą, wydał z siebie potężny jęk, a jego ręce oplotły moje ciało, mocniej dociskając mnie do niego. Zerwał z oczu opaskę i łapczywie przywarł do moich ust. Przesunął ręce na moje pośladki i miarowo nimi poruszał.

– Nie chcę dochodzić – powiedziałam, łapiąc oddech.

– Wiem – wyszeptał, poruszając mną coraz szybciej i mocniej. – Uderz mnie! – wysyczał. Teraz, kiedy nie miał opaski i patrzył na mnie, bałam się to zrobić.

– Uderz, kurwa! – wrzasnął, a ja wymierzyłam mu kolejny cios.

Kiedy moja dłoń zderzyła się z jego twarzą, poczułam, jak zalewa mnie fala potężnego orgazmu. Nie byłam w stanie poruszać biodrami, całe moje ciało drżało, każdy mięsień był napięty i twardy. Massimo mocno i energicznie poruszał mną nabitą na niego, aż wszystko we mnie się rozluźniło, a ja opadłam na jego ramiona. Gdy siedzieliśmy tak, delikatnie głaskał moje plecy.

– W którym momencie uwolniłeś ręce? – spytałam, nie odrywając twarzy od jego barku.

– Kiedy skończyłaś wiązać – odparł rozbawiony. – Nie jesteś w tym najlepsza, Lauro, za to ja w pewnym sensie jestem specjalistą od wiązania i rozwiązywania.

– Dlaczego zatem dopiero na koniec użyłeś rąk?

– Wiedziałem, że coś cię wkurzyło, coś we mnie albo to, co powiedziałem, więc postanowiłem, że pozwolę ci się wyładować. Byłem pewien, że nie zrobisz mi krzywdy, bo tęskniłaś za mną – powiedział i podniósł się razem ze mną z łóżka. Całując moje usta, policzki i włosy, zaniósł mnie do łazienki. Postawił pod prysznicem i odkręcił wodę. – Powinniśmy się położyć –

rzekł, smarując mnie mydłem. – Jutro czeka nas długi dzień. Nie ukrywam, że wolałbym cię rżnąć całą noc, ale ewidentnie od dawna nie używałaś swojej słodkiej cipki i ona ma już dość jak na pierwszy raz po przerwie, więc jej daruję – oznajmił, delikatnie myjąc mnie między nogami. – Jesteś bardzo agresywna. Kręci cię to, mała. – Jego ręce zatrzymały się, a wzrok przeszył mnie na wylot.

– Nic nie poradzę na to, że lubię ostry seks – odparłam, łapiąc go za jądra. – Dla mnie łóżko to rodzaj gry, można być wtedy, kim się chce, i robić, co się chce, oczywiście w granicach rozsądku – kontynuowałam, obracając je w dłoni. – To zabawa, a nie kwestia życia i śmierci.

– Będzie nam razem dobrze, Lauro, zobaczysz – odpowiedział, całując mnie w czoło.

ROZDZIAŁ 9

Kiedy otworzyłam oczy, do pokoju przez zamknięte rolety wpadało delikatne światło, a ja leżałam zupełnie sama w ogromnym, przesiąkniętym zapachem seksu łóżku. Na myśl o ostatniej nocy zrobiło mi się gorąco. Nie wiedziałam, czy to była dobra decyzja, czy powinnam była, ale stało się, i moje rozważania nie miały już zupełnie znaczenia.

Fakt był taki, że brakowało mi Massima przez ostatnie dni, a to, co zrobił, ratując mi życie, dobitnie pokazało, jak ważna dla niego jestem. Nareszcie ktoś traktował mnie tak, jak chciałam, jak księżniczkę, jak coś najcenniejszego i najważniejszego. Leżałam, zastanawiając się, dlaczego wczoraj wpadłam w szał, i doszłam do wniosku, że jedyne, co irytuje mnie w naszej sytuacji, to fakt, że grozi mojej rodzinie. Próbowałam tłumaczyć sobie jego postępowanie tym, że gdyby nie trzymał mnie w szachu, na pewno uciekłabym, nie dając nam szansy, by lepiej się poznać. Kolejny raz byłam skołowana. Potrząsnęłam głową, odganiając myśli zbyt ciężkie na tę porę dnia.

Drzwi sypialni otworzyły się i stanął w nich uśmiechnięty Massimo. Ubrany był w białe sztorty do kolan i koszulkę na ramiączkach, też białą, miał bose stopy i mokre włosy. Jęknęłam na jego widok i przeciągnęłam się, zsuwając kołdrę stopami. Podszedł, oglądając mnie od stóp aż po czubek głowy.

– Spanie to chyba twoje ulubione zajęcie, co? – powiedział, całując mnie w czoło.

Zarzuciłam ręce za głowę i przeciągałam się jeszcze bardziej, ostentacyjnie prężąc całe ciało.

– Kocham spać – wyjęczałam z uśmiechem.

Czarny złapał mnie za biodro, przekręcił na brzuch i wymierzył klapsa w nagie pośladki. Trzymając mnie jedną ręką za kark i wciskając mi głowę w poduszkę, zbliżył się do mojego ucha i wyszeptał:

– Prowokujesz mnie, mała. – Tym razem miał absolutną rację.

Dłoń, która spoczywała na pośladku, przesunęła się i rozwarła moje uda. Jego dwa długie palce delikatnie wsunęły się we mnie.

– O czym myślałaś, że jesteś taka mokra? – zapytał.

Wsparłam się na kolanach i mocniej wypięłam pośladki, a jego palce powoli zaczęły się we mnie poruszać. Podniósł się i patrzył na to, co robi.

– O tym, że gdyby nie implant, właśnie miałabym owulację, więc byłabym mokra ciągle – odparłam z uśmiechem, kołysząc biodrami.

Mina Czarnego zmieniła się – był wyraźnie z czegoś zadowolony.

– Chciałbym teraz – powiedział, wyciągając palce – zdjąć spodnie i wydymać cię od tyłu opartą o okno.

Przycisnął guzik na panelu obok łóżka i pokój zalała fala światła.

– Tak, żebyś mogła podziwiać widoki, ale niestety jesteś bardzo spuchnięta po tej nocy, a poza tym czeka na nas chłopak, z którym będziemy nurkować, więc nie mam tyle czasu, ile bym chciał. – Oblizał palce, które ze mnie wyjął. – Fabio sprowadził go za wcześnie. Chodź.

Złapał mnie i zarzucił sobie na ramię. Przechodząc przez pokój, złapał szlafrok i nakrył moje nagie ciało spoczywające na jego barku. Ruszył przez korytarz, a ja wisiałam na nim, umierając ze śmiechu. Mijaliśmy kolejne identyczne drzwi i kolejne zaskoczone osoby z obsługi. Nie wiem, jaką miał minę, bo moja głowa wisiała na jego plecach, ale podejrzewam, że był poważny jak nigdy. Po dłuższej chwili dotarliśmy do mojego pokoju. Postawił mnie na podłodze, rzucając szlafrok na łóżko.

– Chyba odprawię obsługę, żebyś mogła cały czas chodzić nago – powiedział, klepiąc mnie w pośladek.

W pokoju na stole stała taca z jedzeniem, a obok dzbanek z herbatą, kakao, mleko i moët rosé.

– Ciekawe śniadanie – oceniłam, nalewając sobie kakao. – Myślę, że szampan to jest coś, co każdego ranka powinno być w moim menu.

– To, że lubisz szampana, wiem na pewno. A to, że lubisz którąś z pozostałych rzeczy, przeczuwam.

Popatrzyłam na niego pytająco, a on oparł się o szybę w kajucie i lekko się skrzywił.

– Kiedy moi ludzie pakowali twoje rzeczy w domu w Warszawie, w zlewie stały dwie szklanki: w jednej była resztka kakao, w drugiej prawie niepita herbata z mlekiem. Nie sadzę, aby mężczyzna pił jedno albo drugie, ale kto wie. – Wzruszył ramionami. – Ważne, że jeden z tych napojów lubisz. Poza tym w Rzymie po przebudzeniu też je piłaś, więc nietrudno było zgadnąć – powiedział, podchodząc do coolera z szampanem.

– Ty, jak sądzę, będziesz pił od rana? – zapytałam, popijając ze swojej szklanki.

Massimo wziął kubełek z butelką i przestawił go z wielkiego stołu na podłogę.

– Nie, ja robię sobie miejsce – oznajmił, odsuwając na bok serwis z herbatą i mlekiem. – Myślałem, że dam radę, ale kiedy paradujesz przede mną nago, to ciężko mi się skupić, więc za chwilę położę cię na stole i delikatnie, aczkolwiek stanowczo posiądę.

Stałam jak wmurowana, patrząc, jak przesuwa wszystko, co było na blacie. Musiałam mieć naprawdę głupią minę, ponieważ kiedy kładł mnie na nim, nie krył rozbawienia. Rozłożył mi szeroko nogi, ukląkł między nimi i zanurzył we mnie język. Trwało to jedynie chwilę i ewidentnie nie miało służyć mojej przyjemności, ale zmniejszeniu tarcia. Później zrobił tak, jak zapowiedział, delikatnie i stanowczo.

Wyszłam na pokład ubrana jedynie w okulary przeciwsłoneczne i cudowne białe bikini Victoria's Secret. Na rufie leżał sprzęt do nurkowania, a chłopak, który go rozkładał, zupełnie nie wyglądał jak Włoch. Miał jasne złote włosy i rysy świadczące o tym, że zapewne pochodził ze Wschodu. Szczupłą twarz rozświetlały duże niebieskie oczy i promienny uśmiech. Massimo stał po drugiej stronie pokładu i rozmawiał z Fabiem, mocno gestykulując. Wolałam nie podchodzić do nich, więc ruszyłam w stronę nurka. Schodząc po schodach, potknęłam się i omal nie wpadłam do wody.

– Cholera jasna, zabiję się kiedyś – wymamrotałam po polsku.

Na te słowa twarz młodego mężczyzny rozpromieniła się, wyciągnął do mnie dłoń i powiedział piękną polszczyzną:

– Jestem Marek, ale tu wszyscy mówią do mnie Marko. Nawet nie wie pani, jak miło jest usłyszeć kilka słów po polsku.

Stałam jak wryta, szczerząc się do niego, aż w pewnym momencie wybuchłam śmiechem.

– Zaufaj mi, to ty nie masz pojęcia, jak ja się cieszę, słysząc ukochany język. Od myślenia po angielsku lasuje mi się mózg. Jestem Laura i błagam cię, mów mi po imieniu.

– Jak ci się podobają wakacje we Włoszech? – zapytał, powróciwszy do sprzętu.

Przez chwilę zastanawiałam się nad odpowiedzią.

– Właściwie to nie wakacje – wydukałam, patrząc na wodę. – Mam roczny kontrakt na Sycylii i musiałam tu zamieszkać – powiedziałam, siadając na schodach. – Czy to przypadek, że spotkałam tu Polaka, czy celowo odszukali cię dla mnie? – zapytałam, ściągając okulary.

– Niestety przypadek, choć dla nas obojga chyba bardzo szczęśliwy. Miał z wami dziś nurkować Paulo, ale niestety wczoraj złamał nogę i musiałem go zastąpić. – W tym momencie Marek wyprostował się, a z jego twarzy zniknął uśmiech.

Obejrzałam się i na szczycie schodów zobaczyłam Massima, który powoli schodził na dół. Podeszli do siebie i przywitali się, rozmawiali chwilę po włosku, po czym Czarny zwrócił się do mnie.

– Żałuję, ale wypadło mi spotkanie, więc nie mogę z wami płynąć – powiedział, zaciskając ze złości szczęki.

– Spotkanie? – Rozejrzałam się dokoła. – Przecież jesteśmy na środku morza!

– Za chwilę będzie tu helikopter, zobaczymy się, kiedy skończycie.

Odwróciłam się do Marka i odezwałam się po polsku:

– No i zostaliśmy sami, nie wiem, czy się cieszyć, czy płakać.

Massimo stał, patrząc na nas, a w jego oczach kipiała wściekłość.

– Marko jest Polakiem, cudownie, prawda? To będzie superdzień – zwróciłam się do Czarnego i pocałowałam go w policzek.

Kiedy odsuwałam się od niego, złapał mnie za rękę i wyszeptał tak, bym tylko ja to słyszała:

– Nie chciałbym, żebyś rozmawiała przy mnie po polsku, bo nic wtedy nie rozumiem. – Jego dłoń mocno zacisnęła się na moim ramieniu.

Wyrwałam mu rękę i zrzuciłam ze złością:

– A ja bym chciała, żebyś nie mówił po włosku, dasz radę?

Posłałam mu upominające, przepełnione wściekłością spojrzenie i ruszyłam w stronę motorówki, do której Marek ładował rzeczy. Podeszłam do niego i poklepałam go po plecach, pytając po polsku, czy mu nie pomóc i czy mamy wszystko, czego nam potrzeba, po czym pomachałam do Czarnego i ruszyłam w stronę łódki.

Nie wiem, czy Massimo miał zdolność teleportacji, ale nie zdążyłam zrobić nawet kroku, a już trzymał mnie w ramionach, mocno całując. Był pochylony i lekko podnosił mnie za pośladki, na których mocno zaciskał dłonie. Jego usta tak zachłannie otaczały moje, jakby żegnał się ze mną na zawsze. Dźwięk nadlatującego helikoptera wyrwał go z amoku pocałunku.

Trzymał moją twarz w dłoniach i uśmiechał się szeroko, po czym mrugnął do mnie okiem i wyszeptał:

– Zabiję go, jeśli cię tknie.

Pocałował mnie w czoło i ruszył po schodach w górę.

Stałam i patrzyłam, jak odchodzi, było mi niedobrze na myśl o tym, co właśnie usłyszałam. Niestety, wiedziałam, że jest do tego zdolny, a ja nie zamierzałam brać odpowiedzialności za cudze życie.

– Chyba jest bardzo zakochany, co? – zapytał Marek, wyciągając do mnie rękę.

– Raczej zaborczy i uwielbia kontrolę – odpowiedziałam, wsiadając do motorówki.

Ruszyliśmy przed siebie, odwróciłam głowę i spojrzałam na Massima, któremu lądujący helikopter rozwiewał włosy. Był nieźle wkurzony, nie musiałam widzieć jego twarzy, wystarczyła mi pozycja, w której stał – szeroko rozstawione długie nogi i splecione na potężnej klatce ramiona nie zwiastowały niczego dobrego.

– Na co dzień uczysz ludzi nurkować? – zapytałam, kiedy płynęliśmy.

Marek zaśmiał się i zwolnił tak, żebyśmy nie musieli przekrzykiwać wiatru.

– Nie, już nie. Miałem dużo szczęścia i trafiłem w niszę na rynku. Teraz jestem właścicielem podwodnego imperium – zaśmiał się wesoło. – Wyobrażasz sobie, Polak we Włoszech ma największą firmę ze sprzętem do nurkowania i wszystkimi usługami, które się z tym wiążą.

– To co w takim razie robisz tu ze mną? – zapytałam rozbawiona.

– Już ci mówiłem, przeznaczenie i złamana noga. Widać tak miało być! – krzyknął i podkręcił obroty, a motorówka z impetem ruszyła do przodu.

Słońce robiło się intensywnie pomarańczowe, kiedy Marko pakował sprzęt.

– Było fantastycznie – powiedziałam, przeżuwając kęs arbuza.

– Dobrze, że już nurkowałaś, dzięki temu mogliśmy więcej czasu poświęcić na pływanie, a mniej na naukę.

– Gdzie właściwie jesteśmy?

– Niedaleko Chorwacji. – Marek wskazał palcem ledwo widoczny ląd. – Jest strasznie późno, ja jeszcze dziś muszę być w Wenecji.

Kiedy dopłynęliśmy, zaczęło się ściemniać. Na pokładzie Tytana dostrzegłam Fabia, który pomógł mi wyjść z motorówki. Pożegnałam się z Markiem i ruszyłam w stronę schodów.

– Fryzjer i makijażystka czekają w salonie przy jacuzzi. Czy podać coś do jedzenia? – usłyszałam głos z za pleców.

– Fryzjer? A po co? – zapytałam zdziwiona.

– Udajecie się państwo na bankiet. W Wenecji trwa właśnie Międzynarodowy Festiwal Filmowy, a don Massimo ma pakiet większościowy jednej z wytwórni. Niestety przez spore spóźnienie ma pani na przygotowania tylko półtorej godziny.

Pysznie, pomyślałam. Cały dzień taplam się w słonej wodzie, by wieczorem olśnić wszystkich na przyjęciu suchą skórą. Pokręciłam głową, zastanawiając się, czy kiedykolwiek będzie tak, że poznam wcześniej własne plany, nie mówiąc już o decydowaniu o nich. Ruszyłam na górę.

Poli i Luigi byli przykładem stuprocentowych gejów. Cudowni, wspaniali i fantastyczni, najlepsi przyjaciele kobiety i bardziej kobiecy od połowy z nas. W godzinę uporali się z gniazdem na mojej głowie i łuską na twarzy. Kiedy skończyli, poszłam do swojej kajuty przygotować coś do ubrania. Weszłam do sypialni, a na wieszaku obok łazienki wisiała jedna z sukien Roberta Cavallego, którą wybrałam w Taorminie. A na niej karteczka z napisem „w tej". Już znałam odpowiedź na pytanie, w czym dzisiaj wieczorem wystąpię. Była cudowna i bardzo odważna. Zrobiona z czarnego prześwitującego materiału podobnego do siatki, ze wstawkami, które wyglądały jak suwaki lub sznurowanie. Długie rękawy wysmuklały ręce, od których uwagę wszystkich i tak odwróci brak materiału na plecach. Sukienka bowiem miała tylko wąskie połączenie tuż nad łopatkami i zaczynała się ponownie na skraju pośladków.

– Nie mogę włożyć majtek – zauważyłam z wykrzywioną miną, stając przed lustrem.

Roberto Cavalli przewidział to i sukienka w newralgicznych miejscach nie prześwitywała zupełnie, jednak nie zmieniało to faktu, że lubiłam mieć na sobie choćby najskromniejsze stringi.

Wzięłam torebkę, oblałam się perfumami, wsunęłam na nogi eleganckie sandałki i ruszyłam do drzwi. Przed wyjściem ostatni raz zatrzymałam się przy lustrze. Wyglądałam niesamowicie. Cudowny, przydymiony makijaż w odcieniach czerni i złota idealnie pasował do mojej opalonej skóry. A upięty na czubku głowy kok wysmuklał mnie i dodawał klasy – warto było wpiąć kilogram sztucznych włosów, pomyślałam, głaszcząc misterną konstrukcję.

Wyszłam na pokład i rozejrzałam się. Na stoliku, standardowo już, dostrzegłam butelkę szampana i nalany kieliszek. A więc Czarny gdzieś tu jest. Podeszłam i nalałam sobie drugi. Chodziłam po pokładzie, zaglądając do kolejnych miejsc, ale nikogo nie znalazłam. Z zaciekawieniem za to odkryłam, że Tytan dotarł do lądu, dzięki czemu przed moimi oczami rozpościerał się cudowny widok migocących w oddali świateł.

– To Lido, wyspa nazywana także plażą Wenecji – usłyszałam znajomy głos.

Odwróciłam głowę w stronę, skąd dochodziły słowa. Kilka kroków ode mnie stał Domenico i popijał szampana.

– Wiedziałem, że ta suknia będzie idealna. Wyglądasz w niej zniewalająco, Lauro. – Podszedł i ucałował mnie w oba policzki.

– Brakowało mi ciebie, Domenico – odparłam, mocno przytulając się do niego.

– No już kochana, bo za chwilę Poli i jego dziewczyna Luigi będą musieli zacząć od nowa – powiedział ze śmiechem i zaprowadził mnie na skórzany fotel.

– Gdzie don Massimo? – zapytałam, upijając łyk.

Domenico popatrzył na mnie przepraszającym wzrokiem. Dopiero teraz dostrzegłam, że miał na sobie smoking, co oznaczało, iż kolejny raz Czarny mnie wystawił.

– On musiał... – Podniosłam w górę dłoń, a Domenico urwał w połowie zdania.

– Napijmy się i bawmy się dobrze – dodałam, przechylając kieliszek do dna.

Motorówka, na którą się przesiedliśmy, powoli sunęła przez spokojne wody Morza Adriatyckiego, po czym wpłynęła do kanału, a ja zastanawiałam się, czy chcę tylko tego roku, czy może więcej, a może nawet tego nie zniosę? Skoro już dostał, co chciał, może teraz mnie wypuści? Tylko czy ja chcę wracać? Czemu mi go brakuje...? Z potoku myśli wyrwał mnie Domenico.

– Podpływamy, jesteś gotowa? – zapytał, podając mi rękę.

Wstałam i na widok wszystkich tych świateł, ludzi i przepychu poczułam strach.

– Nie, zdecydowanie nie jestem i nie chcę być gotowa. Domenico, po co ja to robię? – zapytałam przerażona, kiedy łódź przybiła do pomostu.

– Dla mnie – usłyszałam znajomy akcent i zrobiło mi się gorąco. – Przepraszam za zamieszanie, myślałem, że nie zdążę, ale porozumieliśmy się bez większych problemów i już jestem.

Podniosłam wzrok, na pomoście stał mój olśniewający porywacz. Ubrany w dwurzędowy czarny smoking wyglądał jak narysowany. Z wrażenia aż nie mogłam wstać. Biała koszula podkreślała kolor jego skóry, a mała muszka dodawała mu klasy i powagi.

– Chodź. – Wyciągnął rękę w moją stronę i już po chwili stałam przy nim.

Wygładziłam sukienkę i podniosłam wzrok, by napotkać jego spojrzenie. Stał, trzymając mnie mocno za lewą dłoń, był chyba tak samo oszołomiony jak ja.

– Lauro, ty... – Urwał i zmarszczył brwi. – Wyglądasz dziś tak zachwycająco, że nie wiem, czy chcę, aby ktoś prócz mnie widział cię taką.

Uśmiechnęłam się na te słowa, udając fałszywą skromność.

– Don Massimo! – Z wzajemnego zachwytu wyrwał nas głos Domenica. – Musimy iść, i tak już nas zobaczyli. Proszę, państwa maski.

Kto nas zobaczył i dlaczego musimy iść?, pomyślałam, biorąc do ręki cudowną, koronkową maskę przypominającą okulary.

Massimo odwrócił się w moją stronę, zawiązał mi ją na oczach i zamruczał, ocierając nosem o jej bok. – Koronka i ty... Uwielbiam – wyszeptał, delikatnie mnie całując.

Zanim zdążył oderwać wargi od moich ust, blask fleszy rozświetlił noc. Ogarnęła mnie panika.

On powoli odsunął się i zwrócił w stronę fotografów, mocno obejmując mnie w pasie. Nie uśmiechał się, tylko spokojnie czekał, aż skończą. Tłum paparazzich krzyczał coś po włosku, a ja próbowałam wyglądać najbardziej godnie, jak to było tylko możliwe, stojąc na miękkich nogach.

Czarny machnął do nich, jakby dawał sygnał, że już dość, i ruszyliśmy po dywanie w stronę wejścia. Przeszliśmy przez hol i dotarliśmy do sali balowej wspartej na monumentalnych kolumnach. Na okrągłych stołach stały świece i białe kwiaty. Większość gości była w maskach, co bardzo mi odpowiadało, bo dzięki swojej czułam chociaż resztki anonimowości.

Usiedliśmy przy stole, przy którym ewidentnie brakowało już tylko nas. Po chwili pojawili się kelnerzy, serwując przystawki, a później kolejne dania.

ROZDZIAŁ 10

Bankiet był nieprawdopodobnie nudny; organizowałam setki takich, więc jedyną moją rozrywką było wytykanie w myślach błędów obsługi. Massimo toczył rozmowy z mężczyznami siedzącymi przy naszym stole, co jakiś czas dyskretnie głaszcząc moje udo.

– Muszę przejść do sali obok – powiedział, zwracając się do mnie. Niestety, nie powinnaś uczestniczyć w tej rozmowie, dlatego zostawię cię pod opieką Domenica. – Pocałował mnie w czoło i ruszył w stronę drzwi, a za nim reszta mężczyzn siedzących przy naszym stoliku.

Mój asystent pojawił się błyskawicznie i zajął krzesło po Czarnym.

– Kobieta w czerwonej sukience wygląda jak futrzana kula – oznajmił i oboje wybuchliśmy śmiechem na widok starszej pani w stroju, który przypominał bombkę. Gdyby nie te modowe ciekawostki, pewnie umarłbym tu z nudów – dodał.

Wiedziałam, co czuje, dlatego byłam zachwycona jego towarzystwem. Kilkadziesiąt kolejnych minut upłynęło nam błyskawicznie na rozmowach i piciu szampana. Dobrze wstawieni postanowiliśmy potańczyć.

Na parkiecie było tłoczno i elegancko. Szaleństw nie będzie, pomyślałam, patrząc w stronę kwartetu smyczkowego. Po kolejnym ukołysanym tańcu miałam już dość. W przeciwieństwie do Domenica potrafiłam doskonale tańczyć, gdyż ukochana mama wysyłała mnie na lekcje przez całą podstawówkę i szkołę średnią.

Kiedy schodziliśmy z parkietu, usłyszałam znajomy język.

– Laura? Chyba dziś nie uwolnię się od ciebie.

Odwróciłam się i zobaczyłam Marka wystrojonego w szary połyskujący garnitur.

– Co tu robisz? – zapytałam zaskoczona.

– Moja firma współpracuje z większością hoteli w okolicy, poza tym to bal charytatywny, a ja jestem jednym ze sponsorów – mówiąc to, z uśmiechem wzruszył ramionami.

Domenico chrząknął znacząco.

– Och przepraszam – powiedziałam, płynnie przechodząc na angielski. – To Domenico, mój asystent i przyjaciel.

Panowie wymienili uprzejmości po włosku i już mieliśmy się oddalić, kiedy do kwartetu dołączyli muzycy, a na sali rozbrzmiało argentyńskie tango. Aż zapiszczałam z radości. Obaj popatrzyli na mnie zaskoczeni.

– Uwielbiam tango – powiedziałam, wymownie patrząc w stronę Domenica.

– Lauro, przez ostatni kwadrans deptałem ci po tych niebotycznie drogich szpilkach, a ty jeszcze nie masz dość?

Skrzywiłam się, przyznając mu rację.

– Osiem lat trenowałem taniec towarzyski, więc jeśli się nie boisz, będę zaszczycony – powiedział Marek, wyciągając do mnie dłoń.

– Jeden kawałek – rzuciłam w stronę młodego Włocha i ruszyliśmy na parkiet.

Marko mocno złapał mnie w ramiona i po chwili niemal wszystkie pary zniknęły, dając nam przestrzeń do tanecznych popisów. Świetnie prowadził, był pewien swoich ruchów, doskonale czuł muzykę i perfekcyjnie znał kroki. Myślę, że każda z obserwujących nas osób była przekonana, iż tańczymy razem od lat. W połowie utworu parkiet zupełnie opustoszał, a my wirowaliśmy razem, dając popis nabytych w dzieciństwie umiejętności. Kiedy muzyka zamilkła, na sali rozległy się gromkie brawa. Oboje elegancko pokłoniliśmy się publice i obróciliśmy w stronę, gdzie zostawiliśmy Domenica. Jednak zamiast niego dostrzegłam Czarnego, który stał w otoczeniu kilku mężczyzn. Kiedy podeszliśmy do nich, z uznaniem pokiwali głowami – wszyscy z wyjątkiem Massima. Na jego twarzy malowała się furia, a oczy płonęły mu ogniem. Gdyby ten wzrok mógł zabijać, zostałaby ze mnie kupka popiołu, nie mówiąc już o moim towarzyszu.

Podeszłam i ucałowałam go w policzek, a Marek zdjął moją dłoń ze swojego ramienia i podał Czarnemu.

– Don Massimo – powiedział i skinął głową.

Stali, patrząc na siebie, a atmosfera zgęstniała tak, że ciężko było oddychać. Nie puszczając mojej dłoni, Czarny odwrócił się do swoich towarzyszy i rzucił kilka słów po włosku. Wszyscy zaczęli się śmiać.

– Wiedziałeś, kim jest? – zapytałam, bo zdawałam sobie sprawę, że nawet jeśli usłyszy, i tak nie zrozumie ani słowa.

– Oczywiście. Mieszkam we Włoszech już kilkanaście lat. – Marek porozumiewawczo mrugnął.

– I mimo to zatańczyłeś ze mną?

– No przecież mnie nie zabije, a przynajmniej nie tu – roześmiał się. – Poza tym z rozmaitych powodów nie może tego zrobić, więc mam nadzieję, że nie był to nasz ostatni taniec.

Ucałował moją wolną dłoń i zniknął między stolikami. Massimo odprowadził go wzrokiem, po czym zwrócił się do mnie.

– Pięknie tańczysz. To wyjaśnia, skąd u ciebie w innych sytuacjach taka doskonała praca bioder.

– Nudziłam się, a Domenico jest słabym tancerzem – odpowiedziałam, przepraszająco wzruszając ramionami. Na sali rozbrzmiało rytmiczne paso doble.

– Ja ci pokażę, jak się tańczy – powiedział, zdejmując górę od smokingu i podając ją Domenicowi.

Chwycił mnie za rękę i pewnym ruchem wkroczył na parkiet. Pozostali tańczący nie zdążyli wrócić po moim ostatnim występie, więc gdy tylko zobaczyli, że zjawiam się z kolejnym partnerem, zrobili nam miejsce. Massimo skinął głową do orkiestry, by zaczęli jeszcze raz.

Byłam już na tyle pijana i pewna swych umiejętności, że odsunęłam się od niego i podciągnęłam kawałek sukienki, odsłaniając nogę. Boże, co mnie podkusiło, by nie włożyć majtek?, pomyślałam. Muzycy wybili pierwsze takty, a pozycja, z jakiej zaczął Czarny, świadczyła o tym, że nie robił tego po raz pierwszy. Taniec był dziki i namiętny, idealnie pasował do Massima i jego władczej natury. Tym razem nie był to tylko taniec, to była moja kara i nagroda zarazem, zapowiedź tego, co stanie się, kiedy wyjdziemy z bankietu, i obietnica kryjącej się w niej niespodzianki. Byłam oczarowana, chciałam, żeby muzyka się nie kończyła, a nasza plątanina ciał trwała wiecznie.

Finał oczywiście musiał być spektakularny i nietuzinkowy, modliłam się, by moja noga nie powędrowała zbyt wysoko, odsłaniając za dużo. Muzyka ucichła, a ja tkwiłam zatopiona w jego ramionach, ciężko oddychając. Po dłuższej chwili rozległy się wiwaty i brawa. Czarny elegancko podniósł mnie z przechyłu i obrócił kilka razy, zanim oboje pokłoniliśmy się publice. Spokojnym i pewnym krokiem, mocno trzymając mnie za rękę, zszedł z parkietu, wkładając po drodze marynarkę, którą podał mu Domenico.

Bez pożegnania z pozostałymi gośćmi prawie wybiegliśmy z sali. Ciągnął mnie przez hotelowe korytarze bez słowa, mocno zaciskając dłoń na moim nadgarstku.

– Piękny pokaz – usłyszałam damski głos.

Massimo stanął jak wmurowany w ziemię. Spokojnie odwrócił się, pociągając mnie za sobą.

W połowie holu stała olśniewająca blondynka ubrana w krótką złotą sukienkę. Jej nogi kończyły się na wysokości mojego pierwszego żebra, miała piękne sztuczne piersi i anielską twarz. Powoli podeszła do nas i pocałowała Czarnego.

– A więc znalazłeś ją – powiedziała, nie odrywając ode mnie wzroku.

Jej akcent wskazywał na to, że była Angielką, a wygląd, że była modelką wyjętą prosto z pokazu Victoria's Secret.

– Laura – powiedziałam pewnie, wyciągając dłoń w jej stronę.

Chwyciła ją i przez chwilę milczała, a na jej twarzy malował się ironiczny uśmiech.

– Anna, pierwsza i prawdziwa miłość Massima – odparła, wciąż trzymając mnie w uścisku.

Czarnemu ze złości aż spociła się ręka, którą coraz mocniej zaciskał na moim nadgarstku.

– Spieszymy się, wybacz – rzucił przez zęby i pociągnął mnie w stronę korytarza.

Kiedy odwróciliśmy się, blondynka wciąż stała w miejscu, wyrzucając z siebie jakieś słowa po włosku. Massimo aż zazgrzytał zębami. Puścił moją dłoń i cofnął się w jej stronę. Z beznamiętnym wyrazem twarzy wypowiedział do niej spokojnie kilka zdań, po czym odszedł. Z powrotem chwycił moją dłoń i poszliśmy dalej. Wsiedliśmy do windy i wjechaliśmy na ostatnie piętro. Pospieszne wyciągnął kartę z kieszeni i otworzył drzwi. Zamknął je z hukiem i nie zapalając światła, rzucił się na mnie. Całował mocno i łapczywie, z każdą chwilą zachłanniej wnikając w moje usta. Po sytuacji, która miała miejsce na dole, nie miałam ochoty na to, co robił, więc stałam, nie reagując. Po chwili, kiedy poczuł, że coś jest nie tak, zatrzymał swój szaleńczy pęd podniecenia i zapalił światło.

Stanęłam prosto, splatając ręce na piersiach. Massimo westchnął i przegarnął dłońmi czarne włosy.

– Chryste, Lauro – powiedział, siadając w wielkim fotelu, który stał za nim. Ona jest... przeszłością.

Milczałam przez chwilę, a on badawczo obserwował moją reakcję.

– Zdaję sobie sprawę, że nie jestem pierwszą kobietą w twoim życiu. To raczej pewne i naturalne – zaczęłam spokojnym tonem. – I nie zamierzam wnikać w twoją przeszłość ani cię oceniać. Ale interesuje mnie, co takiego powiedziała, że postanowiłeś do niej wrócić i przede wszystkim, dlaczego jest taka wściekła?

Czarny milczał, wpatrując się we mnie gniewnymi oczami.

– Anna jest dość świeżą sprawą – rzucił.

– Jak świeżą? – nie dawałam za wygraną.

– Zostawiłem ją w dniu, kiedy wylądowałaś na Sycylii.

No tak, to by wiele tłumaczyło, pomyślałam.

– Nie oszukiwałem jej, twoje portrety wisiały w domu od lat, ale nikt prócz mnie tak naprawdę nie wierzył, że kiedykolwiek cię znajdę. A już najmniej ona. Tego dnia, kiedy cię zobaczyłem, nakazałem, by odeszła. – Patrzył na mnie, czekając na reakcję. – Chcesz jeszcze coś wiedzieć?

Stałam tam, wpatrując się w niego, i zastanawiałam, co czuję. Zazdrość to słabość, a ja przez lata nauczyłam się eliminować niedoskonałości ze swojego charakteru, poza tym nie czułam się zagrożona, bo nie zależało mi na Massimie. Ale czy na pewno?

– Lauro, powiedz coś – wysyczał przez zęby.

– Jestem zmęczona – powiedziałam, opadając na drugi fotel. Poza tym to nie jest moja sprawa. Jestem tu, bo muszę, ale każdy kolejny dzień zbliża mnie do urodzin i wolności.

Wiedziałam, że to, co mówię, nie było prawdą, nie miałam jednak ochoty ani siły na tę rozmowę.

Czarny patrzył na mnie dłuższą chwilę, zaciskając rytmicznie szczęki. Wiedziałam, że moje słowa zraniły go i rozwścieczyły, ale nie obchodziło mnie to.

Wstał z fotela i ruszył w stronę drzwi, łapiąc za klamkę. Odwrócił się, popatrzył i rzucił beznamiętnie:

– Powiedziała, że cię zabije, żeby zabrać mi coś najważniejszego, tak jak ja zabrałem jej.

– Słucham! – wrzasnęłam rozwścieczona. – I ty teraz chcesz tak po prostu wyjść po tym, co mi powiedziałeś? – Ruszyłam w jego stronę. – Ty cholerny egoisto... – Urwałam, kiedy zobaczyłam, jak wiesza na klamce zawieszkę „nie przeszkadzać" i zamyka drzwi. Stałam tam z bezradnie opuszczonymi rękami, gapiąc się na niego.

– Taniec z tobą dziś – zaczął, podchodząc do mnie – był najbardziej elektryzującą grą wstępną, jaką przeżyłem. Nie zmienia to jednak faktu, że miałem ochotę zabić tego Polaczka, kiedy widziałem, jak spoufala się z tobą, mimo iż wie, kim jestem.

– Podobno tego akurat nie możesz zrobić – rzuciłam zaczepnie.

– Niestety, masz rację, a szkoda – powiedział, podchodząc do mnie.

Objął mnie potężnymi ramionami i mocno przytulił. Nigdy tego nie robił, więc zaskoczona nie wiedziałam, co zrobić z rękami. Oparłam twarz o jego klatkę piersiową i poczułam, jak wali mu serce. Głośno westchnął, osuwając się na kolana.

Tkwił tak z czołem opartym o złączenie moich piersi, więc powoli wsunęłam dłoń w jego włosy i zaczęłam go głaskać po głowie. Był bezbronny, wycieńczony i całkowicie zależny ode mnie.

– Kocham cię – wyszeptał. – Nie umiem z tym walczyć. Kochałem cię długo przed tym, zanim się pojawiłaś, śniłem o tobie, widziałem i czułem, jaka jesteś. Wszystko okazało się prawdą – powiedział, łapiąc mnie rękami za biodra.

W głowie szumiał mi alkohol, a przerażenie mieszało się ze spokojem.

Wzięłam w dłonie twarz Czarnego i podniosłam jego brodę, tak aby zajrzeć mu w oczy. Uniósł je i posłał mi spojrzenie pełne miłości, zaufania i pokory.

– Massimo, kochanie – wyszeptałam, gładząc go po twarzy. – Czemu musiałeś tak to wszystko popierdolić?

Westchnęłam i opadłam obok niego na dywan, a w oczach wezbrały mi łzy. Myślałam o tym, jakby było, gdybyśmy spotkali się w innych okolicznościach, gdybym nie była przez niego uwięziona, gdyby nie te wszystkie groźby i szantaże, a przede wszystkim gdyby nie to, kim jest.

– Kochaj się ze mną – powiedział, kładąc mnie na miękkiej podłodze.

Na te słowa aż stanęło mi serce. Zupełnie zdezorientowana patrzyłam na niego przymrużonymi oczami.

– To może być mały problem – powiedziałam, układając się między jego ramionami.

Czarny wisiał nade mną, wsparty na łokciach, jego ciało lekko przywierało do mojego, idealnie je pokrywając, a oczy pytająco wpatrywały się w moje.

– Bo widzisz – zaczęłam lekko zawstydzona – ja się nigdy nie kochałam. Zawsze się pieprzyłam, lubię to. Żaden facet nie nauczył mnie, jak się kochać, więc może być problem, a ty będziesz rozczarowany – skończyłam i zażenowana własnym wyznaniem odwróciłam głowę w bok.

– Ej, mała – powiedział, odwracając moją twarz do siebie. – Jesteś taka delikatna, wcześniej tego nie widziałem. Nie bój się, to będzie dla ciebie pierwszy raz, tak samo jak i dla mnie. Nie wstawaj, mówię poważnie.

– Powiedz zwyczajnie, proszę – zasugerowałam, przekręcając się na brzuch. – Wystarczy poprosić, nie zawsze trzeba kazać.

Massimo stał przez chwilę i z wpółprzymkniętymi oczami obserwował moją twarz. W jego spojrzeniu nie było lodu, który ustąpił miejsca pożądaniu i namiętności.

– Proszę, zostań tu, gdzie jesteś – wydusił ze śmiechem.

– Nie ma sprawy – odpowiedziałam, przekręcając się na dywanie.

Zaciekawiona patrzyłam, co robi. Przechodząc obok fotela, zdjął marynarkę i przewiesił ją przez oparcie, odpiął diamentowe spinki od mankietów i podwinął rękawy. Oho, pomyślałam, chichocząc w duchu, szykuje się do poważniejszego zadania. Kiedy zniknął za drzwiami, pozostało mi już tylko rozglądanie się po apartamencie. Gruby jasny dywan, na którym leżałam, idealnie współgrał z resztą ogromnego holu. Oprócz niego były tu jeszcze tylko dwa miękkie fotele i niewielka czarna ława. Dalej prawdopodobnie znajdował się salon, ale jedyne, co widziałam, leżąc na podłodze, to ogromne okna z ciężkimi zasłonami, za nimi szeroki taras i ledwo dostrzegalne falujące w oddali morze.

Z radosnego oczekiwania wyrwała mnie niepokojąca myśl na temat moich włosów.

Cholera jasna, przecież mam w głowie kilogram sztucznych kudłów, wysyczałam i nerwowo zaczęłam wyciągać setki spinek przytrzymujących kok. Szarpałam się z nimi dobrą chwilę, błagając w myślach, by Czarny tego nie zobaczył. Kiedy już udało mi się od nich uwolnić, w panice zaczęłam poszukiwać miejsca, gdzie mogłabym ukryć to zdechłe gniazdo. Dywan! – doznałam olśnienia i wcisnęłam całość pod ciężki materiał. Przeczesałam włosy palcami, a pofalowane kosmyki opadły mi na twarz. Uniosłam się i zerknęłam w lustro, które zajmowało dużą część ściany obok foteli. Z podziwem zauważyłam, że wyglądam całkiem smacznie, i na powrót zaległam na dywanie.

– Zamknij oczy – usłyszałam głos dobiegający z innego pokoju. – Proszę.

Położyłam się na plecach i posłusznie wykonałam to, o co prosił. Nie za bardzo wiedziałam, jak mam się ułożyć, kiedy poczułam, że stanął nade mną.

– Lauro, w tej pozycji wyglądasz jak nieboszczyk w trumnie – roześmiał się szczerze.

Faktycznie, moje splecione na piersiach dłonie mogły sugerować martwego człowieka.

– Nie będę omawiać z tobą tematu śmierci – rzuciłam, spoglądając na niego jednym okiem z rozbawioną miną.

Czarny podniósł mnie i wziął na ręce. Za każdym razem robił to z taką lekkością, jakbym nic nie ważyła. Przeniósł mnie przez korytarz i nagle na twarzy poczułam ciepłe, przyjemne powietrze pachnące morzem.

Postawił mnie na podłodze i schwyciwszy obiema dłońmi moją twarz, zaczął mnie delikatnie całować.

Powoli wyciągnęłam ręce, aby go dotknąć. Nie oponował. Rozpinałam po kolei guziki jego koszuli, a jego usta wędrowały po mojej nagiej szyi w dół.

– Uwielbiam twój zapach – wyszeptał, gryząc moją brodę.

– Mogę już otworzyć oczy? – zapytałam. – Chcę cię widzieć.

– Możesz – powiedział i powoli zaczął rozpinać suwak, który utrzymywał suknię na swoim miejscu.

Podniosłam powieki, a moim oczom ukazał się zachwycający obrazek. Z ostatniego piętra, na którym byliśmy, rozpościerał się widok na prawie całą wyspę. Migocące światła rozświetlały noc, dając poświatę falom rozbijającym się o brzeg plaży. Taras był gigantyczny: znajdował się na nim prywatny bar, jacuzzi, kilka leżaków i leżanka z baldachimem do złudzenia przypominająca tę w ogrodzie Massima. Różnica polegała na tym, że ta mogła być całkowicie zasłonięta przez materiałowe ściany, a na materacu leżała niedbale rzucona pościel i kilka poduszek. Chyba już wiem, gdzie spędzimy noc, pomyślałam.

Sukienka zsunęła się i metalowy zamek brzęknął o podłogę. Dłonie Czarnego delikatnie przesuwały się po moim nagim ciele, a język leniwie wkradał się w lekko rozchylone wargi.

– Kolejny raz jesteś bez majtek, Lauro – wymamrotał, nie odrywając ust od moich. – I także tym razem nie zrobiłaś tego dla mnie, bo nie mogłaś wiedzieć, że zdążę.

W jego tonie nie czuć było gniewu, tylko ciekawość i rozbawienie.

– Kiedy wkładałam sukienkę, sądziłam, że to ty ją wybrałeś, i nie miałam pojęcia, że na bankiet mam iść z Domenikiem – powiedziałam, ściągając z niego koszulę i klękając przed nim.

Spokojnie i niespiesznie rozpinałam pasek, co chwilę zerkając w górę na reakcję tego zachwycającego mężczyzny. Ręce zwisały mu bezwładnie wzdłuż ciała i w niczym nie przypominał człowieka, który jeszcze kilka tygodni temu przepełniał mnie lękiem. Jednym stanowczym ruchem, chwytając za pasek, ściągnęłam w dół jego spodnie i tuż przed moją twarzą ukazała się imponująca erekcja.

– Ty także albo się spieszyłeś, albo spotkanie nie było takim spotkaniem, o którym myślę – powiedziałam, patrząc na niego pytająco. – Gdzie masz bokserki?

Massimo z uśmiechem wzruszył ramionami i wplótł palce w moje cudem uratowane włosy.

Powoli sięgnęłam ręką do jego pośladka i delikatnie przysunęłam do siebie, tak że od penisa dzieliły mnie już tylko milimetry. Złapałam nasadę i subtelnie zaczęłam całować główkę. Czarny jęknął, a jego palce w moich włosach zataczały powolne koła. Pieściłam go delikatnie językiem i wargami, aż zrobił się twardy i nabrzmiały. Otworzyłam usta i chłonęłam całą długość tak delikatnie, by czuć każdy centymetr. Odsuwałam się i przysuwałam z powrotem, bawiłam, całowałam, gryzłam, aż poczułam, jak lepki płyn ścieka mi do gardła. Massimo patrzył na to, co robię, i głośno dyszał.

Pochylił się, wsadził mi ręce pod pachy i podniósł. Całował w usta i szedł w stronę parującej, okrągłej wanny wbudowanej w taras. Wszedł do niej i posadził mnie na sobie. Wpatrując się we mnie, wargami wodził po mojej twarzy, później szyi, aż zamknął je na sutku. Ssał i delikatnie przygryzał piersi, a jego dłonie zaciskały się na moich pośladkach. W pewnym momencie jeden palec powędrował w miejsce, które zdecydowanie nie kojarzyło mi się z kochaniem. Aż zesztywniałam.

– Spokojnie, mała. Ufasz mi? – zapytał, odrywając się od nabrzmiałej brodawki.

Z aprobatą kiwnęłam głową, a jego palec zaczął rytmicznie pocierać miejsce pomiędzy moimi pośladkami. Uniósł mnie i niemalże z nabożeństwem nabił na siebie. Jęknęłam i odrzuciłam głowę do tyłu. Gorąca woda potęgowała wszystko, co czułam. Jego ruchy były stanowcze, a zarazem delikatne, był namiętny, zachłanny i czuły.

– Nie bój się mnie – powiedział i wsunął koniuszek palca w moją pupę.

Z mojego gardła wydobył się głośny krzyk rozkoszy, który zatamował swoim językiem. Nabijał mnie coraz mocniej na siebie; w rytm pracy jego bioder woda uderzała o brzeg wanny, a w moim ciele rosła nieznana dotąd fala rozkoszy. Wszystko wokół stało się jakby przytłumione, czułam tylko to, co robił. Wsunął wolną rękę pod wodę i zaczął pocierać moją łechtaczkę, co było jak wciśnięcie czerwonego guzika. Jego palec penetrujący tylne wejście wsunął się głębiej i zaczął zdecydowane, mocne natarcie.

– Jeszcze jeden – wyszeptałam, z trudem powstrzymując orgazm. – Wsadź we mnie jeszcze jeden palec.

To polecenie sprawiło, że Czarny ledwo trzymał się w ryzach. Jego język głęboko wdarł się w moje gardło, a zęby gryzły wargi z mocą, która powodowała cudowny ból.

– Lauro – jęknął i wykonał prośbę. – Jesteś taka ciasna.

Nie zastanawiałam się, czy mi wolno i czy powinnam, kiedy to zrobił, po prostu doszłam. Z krzykiem osiągnęłam szczyt przyjemności, a całe ciało, mimo że było w wodzie, spociło się i wystygło w kilka sekund.

Massimo zaczekał, aż skończę, podniósł mnie i zaniósł na łóżko. Byłam na wpół przytomna, kiedy przywarł do mnie mokrym ciałem i kolejny raz wszedł we mnie. Wtulał twarz we włosy, a jego biodra mocno i intensywnie nacierały na mnie. Czułam, że jest blisko. Wiłam się i jęczałam, wbijając paznokcie w jego plecy. Całowałam zachłannie jego szyję, gryzłam ramiona i wsłuchiwałam się w coraz szybszy oddech zwiastujący eksplozję. Wcisnął obie ręce pod moje plecy i przytulił tak mocno, że niemal nie mogłam oddychać. Chwycił dłonią mój kark i spojrzał mi w oczy.

– Kocham cię, Lauro – powiedział i poczułam, jak zalewa mnie ciepła, wezbrana fala jego nasienia. Dochodził długo i mocno, ani na chwilę nie odrywając wzroku od mojej twarzy. Ten widok był tak zmysłowy i seksowny, że po chwili poczułam, jak moje mięśnie sztywnieją, i dołączyłam do niego. Opadł na mnie, ciężko dysząc, a jego ciało zabierało mi tlen.

– Ciężki jesteś – powiedziałam, usiłując przesunąć się na bok. – I masz cudownego kutasa.

Na te słowa Massimo wybuchł śmiechem i przekręcił się na bok, uwalniając mnie.

– Potraktuję to jako komplement, mała.

– Muszę się umyć – oznajmiłam, usiłując się podnieść.

Czarny przysunął mnie ręką do kołdry.

– Nie zgadzam się. – Wyciągnął dłoń i sięgnął po pudełko chusteczek stojące na stoliku obok.

Podobnie jak w samolocie, kiedy pierwszy raz smakował moją cipkę, wytarł mnie delikatnie, po czym przykrył kołdrą.

Leżeliśmy, rozmawiając, aż zrobiło się jasno. Opowiadał mi o tym, jak to jest dorastać w rodzinie mafijnej i jak wyglądali jego wujkowie. O tym, jak piękna jest Etna w trakcie eksplozji i co lubi jeść. Kiedy wschodziło słońce, zamówiliśmy śniadanie i nie wychodząc spod kołdry, patrzyliśmy, jak budzi się kolejny dzień.

– Lauro, który dziś jest? – zapytał, siadając naprzeciwko.

Zmarszczyłam brwi i przez chwilę patrzyłam na niego, zastanawiając się, o co pyta.

– Nie rozumiem – powiedziałam, owijając się kołdrą. – Wydaje mi się, że środa.

– Który dzień? – zapytał ponownie, a mnie olśniło i zrozumiałam, czego dotyczy jego pytanie.

Próbowałam po cichu policzyć, ale po ostatnich wydarzeniach nie miało to dla mnie znaczenia.

– Nie mam pojęcia, przestałam liczyć – odpowiedziałam, biorąc łyk herbaty z filiżanki.

Czarny podniósł się i stanął, opierając się rękami o balustradę tarasu. Położyłam się na boku i patrzyłam na niego. Jego pośladki były pięknie wyrzeźbione, kształtne i małe. Smukłe nogi sprawiały, że plecy i ramiona wydawały się jeszcze szersze niż w rzeczywistości.

– Chcesz, żebym cię wypuścił? – przypatrywał mi się w napięciu. – Wiele teraz ryzykuję, ale nie umiem cieszyć się tym, że jesteś obok, wiedząc, że cię unieszczęśliwiam. Zatem jeśli chcesz odejść, jeszcze dziś możesz znaleźć się w Warszawie.

Patrzyłam na niego z niedowierzaniem, a w moich oczach zalśniła radość. Kiedy na mojej twarzy pojawił się szeroki uśmiech, Massimo zamienił się w lód i przeszywając mnie beznamiętnym spojrzeniem, powiedział:

– Domenico odwiezie cię na lotnisko, najbliższy samolot jest o jedenastej trzydzieści.

Siedziałam szczęśliwa i przerażona zarazem, patrząc na morze. Mogę wracać, powtarzałam po cichu. Usłyszałam, jak drzwi apartamentu zamykają się. Owinięta w kołdrę pobiegłam do pokoju. Massima nigdzie nie było, wyjrzałam na korytarz, ale i tam nikogo nie znalazłam. Weszłam z powrotem do środka i osunęłam się po ścianie. Przed oczami jak film przebiegły mi wydarzenia ostatniej nocy, to, jak kochał się ze mną, wszystkie rozmowy, wygłupy. Do oczu napłynęły mi łzy – poczułam, jakbym coś straciła.

Moje serce bolało i prawie nie biło. Czy to możliwe, że się w nim zakochałam?

Ruszyłam w stronę tarasu, podniosłam z ziemi sukienkę, ale była w takim stanie, że nie nadawała się do ponownego włożenia. Pobiegłam do sypialni i wybrałam na telefonie numer do recepcji. Gdy w słuchawce odezwał się głos, poprosiłam o połączenie z numerem Domenica. O dziwo człowiek po drugiej stronie dobrze wiedział, z kim chcę rozmawiać. Ręce mi się trzęsły i nie mogłam złapać tchu. Kiedy młody Włoch odebrał, z dzikim szlochem rzuciłam tylko rozpaczliwie: „Chodź tu" i opadłam na łóżko.

– Lauro, słyszysz mnie?

Powoli otworzyłam oczy i zobaczyłam Domenica siedzącego obok mnie. Na stole stały jakieś fiolki z lekami, a z drugiej strony łóżka starszy mężczyzna rozmawiał przez telefon.

– Co się stało, gdzie Massimo? – rzuciłam przerażona, próbując wstać.

Domenico powstrzymał mnie i spokojnie wyjaśnił:

– To lekarz, który zajął się tobą, nie mogłem znaleźć twoich lekarstw.

Starszy pan powiedział kilka zdań po włosku, po czym uśmiechnął się i zniknął.

– Gdzie jest Massimo? I która jest godzina?

– Dochodzi dwunasta, a don Massimo wyjechał – odparł przepraszającym tonem.

Kręciło mi się w głowie, było mi niedobrze i wszystko mnie bolało.

– W tej chwili zabierz mnie do niego, potrzebuję ubrania! – wykrzyczałam, owijając się szczelnie kołdrą.

Domenico patrzył na mnie przez chwilę, po czym wstał i ruszył w stronę szafy.

– Kazałem przed waszym przyjazdem umieścić tu kilka twoich rzeczy. Łódź czeka na dole, więc jak będziesz gotowa, możemy płynąć.

Zerwałam się i biegiem popędziłam w stronę szafy. Wyjątkowo było mi wszystko jedno, w co się ubiorę. Chwyciłam biały dres Victoria's Secret, który podał mi Domenico, i chwilę później stałam w łazience, nerwowo go wkładając. Popatrzyłam w lustro na lekko nieświeży makijaż. Było mi obojętne, jak wyglądam, ale nie aż do tego stopnia. Wytarłam make-up i wróciłam do pokoju, gdzie przy drzwiach czekał na mnie młody Włoch.

Motorówka płynęła zdecydowanie zbyt wolno mimo rozwijania maksymalnej prędkości.

Po kilkudziesięciu minutach w oddali zobaczyłam szary kadłub Tytana.

– Nareszcie – powiedziałam, podrywając się z miejsca.

Nie czekałam, aż zacumujemy, tylko przeskoczyłam na pokład. Biegłam po wszystkich poziomach, otwierając kolejne drzwi, ale nigdzie go nie było.

Zrezygnowana i zapłakana opadłam na kanapę w otwartym salonie. Fale płaczu zalewały mi oczy, a gula rosnąca w gardle nie pozwalała oddychać.

– Godzinę temu helikopter zabrał go na lotnisko – powiedział Domenico, siadając obok. – Ma teraz dużo pracy, na której musi się skupić.

– Czy wie, że tu jestem? – zapytałam.

– Nie sądzę, jego komórka została w pokoju, więc nie mogłem do niego zadzwonić. Poza tym są miejsca, gdzie nie może mieć ze sobą telefonu.

Zapłakana rzuciłam mu się w ramiona.

– Co teraz mam zrobić, Domenico?

Młody Włoch przytulił mnie i pogłaskał po głowie.

– Nie mam pojęcia, Lauro, nigdy nie byłem w takiej sytuacji, więc ciężko mi powiedzieć. Teraz to ja muszę czekać, aż się odezwie.

– Chcę wracać – powiedziałam, podnosząc się z kanapy.

– Do Polski?

– Nie, na Sycylię, zaczekam, aż wróci, mogę? – Popatrzyłam na niego pytająco, jakbym czekała na pozwolenie.

– Oczywiście. Nic mi nie wiadomo, aby coś się zmieniło.

– A zatem pakujmy się i wracajmy na wyspę.

Przespałam prawie całą podróż, nafaszerowana środkami uspokajającymi. Kiedy wreszcie wsiadłam do SUV-a na lotnisku w Katanii, poczułam, jakbym wróciła do domu. Autostrada biegła wzdłuż zbocza Etny, a ja przed oczami miałam tylko radosnego Massima, który zawinięty w kołdrę opowiadał mi historie z dzieciństwa.

Gdy podjechaliśmy na podjazd, z zaskoczeniem odkryłam, że wyglądał zupełnie inaczej. Kostka z bordowej została wymieniona na grafitową, rosły inne krzewy, kwiaty, prawie nie poznałam wejścia do posiadłości. Zaskoczona patrzyłam, upewniając się, że jesteśmy w dobrym miejscu.

– Don Massimo kazał w trakcie waszego wyjazdu wszystko tu zmienić – powiedział Domenico, wysiadając z samochodu.

Przeszłam przez korytarz i dotarłam do swojej sypialni. Wślizgnęłam się do łóżka i zasnęłam.

Kolejne dni były identyczne. Niektóre spędzałam w łóżku, czasem wychodziłam i siedziałam na plaży. Domenico usiłował wmuszać we mnie jedzenie, ale bezskutecznie, nie dałam rady nic przełknąć. Snułam się po domu, szukając choć najmniejszego śladu obecności Czarnego. Mailowałam z mamą, ale nie byłam w stanie z nią rozmawiać – wiedziałam, że jej nie oszukam i od razu zorientuje się, że coś jest nie tak. Oglądałam polską telewizję, którą Massimo kazał zamontować w mojej sypialni. Czasem próbowałam słuchać włoskiej, lecz mimo sporego wysiłku nadal nie rozumiałam z niej ani słowa.

Jakby tego było mało, na czołówkach wszystkich włoskich plotkarskich gazet i portali pojawiło się zdjęcie z bankietu, na którym Czarny całuje mnie na pomoście. Niemal każdy nagłówek brzmiał: „Kim jest tajemnicza wybranka sycylijskiego potentata?". A także obszerny opis moich tanecznych umiejętności.

Mijały kolejne doby, a ja czułam, że czas wracać do Polski. Wezwałam Domenica i poprosiłam o spakowanie jedynie tych rzeczy, które przyleciały ze mną na wyspę. Nie chciałam zabierać stąd nic, co przypominało mi jego.

W internecie znalazłam przytulną kawalerkę z dala od centrum Warszawy i wynajęłam ją. Nie miałam pomysłu co dalej i nie obchodziło mnie to, chciałam tylko, by przestało boleć.

Następnego poranka obudził mnie dźwięk nastawionego zegarka w telefonie. Wypiłam kakao stojące na nocnej szafce i włączyłam telewizor. To już dziś, pomyślałam. Po chwili do pokoju wszedł Domenico, rzucając mi smutny uśmiech.

– Samolot masz za cztery godziny. – Usiadł obok na łóżku. – Będę tęsknił – powiedział, chwytając mnie za rękę. Złapałam ją i poczułam, jak do oczu napływają mi łzy.

– Wiem, ja też.

– Sprawdzę, czy wszystko gotowe – oznajmił, podnosząc się z miejsca.

Leżałam i gapiłam się w telewizor, skacząc po kanałach. Włączyłam informacje i ruszyłam do łazienki.

„W Neapolu zastrzelono szefa sycylijskiej rodziny mafijnej. Młody Włoch uznawany był za jednego z najniebezpieczniejszych...” – na te słowa wypadłam z łazienki jak oparzona. Na ekranie przewijały się urywki zdjęć z miejsca zdarzenia, na których widać było dwa worki na ciała i czarnego SUV-a w tle. Poczułam pieczenie w mostku, które nie pozwalało mi oddychać, i ukłucie, jakby ktoś wsadził mi nóż w serce. Próbowałam krzyknąć, ale z mojego gardła nie wydobywał się żaden dźwięk. Nieprzytomna padłam na dywan.

ROZDZIAŁ 11

Otworzyłam oczy, sala była jasna, a słońce wpadające do niej tak silne, że prawie nic nie widziałam. Podniosłam rękę, by osłonić powieki, i szarpnęłam rurkę od stojącej obok kroplówki. Co jest?, pomyślałam. Kiedy wzrok przyzwyczaił się do otoczenia, rozejrzałam się wokoło. Otaczająca mnie aparatura sugerowała, że jestem w szpitalu.

Usiłowałam sobie przypomnieć, co się stało, i wtedy mnie olśniło. Massimo, on... Na tę myśl serce znowu przyspieszyło, a wszystkie urządzenia stojące obok łóżka zaczęły piszczeć. Po chwili w pokoju pojawił się lekarz, pielęgniarka, a za nimi Domenico.

Zobaczyłam młodego Włocha i zalała mnie fala łez, a szloch nie pozwolił mi wypowiedzieć ani jednego słowa. Kiedy tak się krztusiłam, machając rękami, drzwi ponownie się otworzyły i w progu stanął Czarny.

Minął wszystkich i padł na kolana przede mną, złapał moją dłoń i tulił do swojego policzka, wpatrując się we mnie przerażonymi, zmęczonymi oczami.

– Przepraszam – wyszeptał. – Kochanie, ja...
– Przesunęłam rękę i zasłoniłam jego usta.

Nie teraz i nie tu, pomyślałam, a po twarzy jeszcze mocniej ciekły mi łzy, choć w tej chwili były to łzy szczęścia.

– Pani Lauro – zaczął spokojnym tonem starszy mężczyzna w białym kitlu, zaglądając w kartę wiszącą na łóżku. – Musieliśmy wykonać pani zabieg udrożnienia tętnicy, gdyż stan, w którym się pani znajdowała, zagrażał życiu. Wprowadziliśmy w tym celu rurkę do pani ciała, stąd opatrunek na pachwinie udowej. Przez otwór przeszedł aż do serca prowadnik, który umożliwił nam udrożnienie tętnicy. To w wielkim skrócie. Zdaję sobie sprawę, że mimo świetnej znajomości angielskiego pani znajomość nomenklatury medycznej nie pozwala mi na bardziej szczegółowe wyjaśnienia, które są w tej chwili zdecydowanie zbędne. Tak czy owak – udało się.

Słyszałam, co mówił, ale nie byłam w stanie oderwać wzroku od Massima. Był tu – cały i zdrowy!

– Lauro, słyszysz mnie?! – Poczułam, jak ktoś na siłę podnosi mi powieki. – Nie rób mi tego, bo on mnie zabije.

Otworzyłam powoli oczy. Leżałam na dywanie, a Domenico nerwowo trząsł się koło mnie.

– Dzięki Bogu – westchnął, gdy popatrzyłam na niego.

– Co się stało? – zapytałam zdezorientowana.

– Znowu straciłaś przytomność, dobrze, że te tabletki były w szufladzie. Lepiej ci?

– Gdzie jest Massimo? W tej chwili chcę się z nim widzieć! – wrzeszczałam, usiłując wstać. – Powiedziałeś, że za każdym razem, gdy sobie tego zażyczę, zabierzesz mnie do niego, więc chcę, byś teraz to zrobił.

Młody Włoch badawczo patrzył, jakby w głowie szukał odpowiedzi na zadane przeze mnie pytanie.

– Nie mogę – wyszeptał. – Na razie nie wiem, co się stało, ale wiem, że coś poszło nie tak. Lauro, pamiętaj, że w mediach nie zawsze podają prawdę. Musisz jednak dziś wylecieć z wyspy i wrócić do Polski. Takie były wytyczne don Massima na temat twojego bezpieczeństwa. Samochód już czeka. W Warszawie masz apartament i konto w jednym z banków na Wyspach Dziewiczych, możesz do woli korzystać z pieniędzy na nim zgromadzonych.

Patrzyłam na niego przerażona i nie wierzyłam w to, co słyszę. On kontynuował.

– Wszystkie dokumenty, karty i klucze znajdują się w twoim bagażu podręcznym. Na miejscu odbierze cię kierowca i zawiezie do nowego lokum. W garażu masz samochód, wszystkie twoje rzeczy z Sycylii zostaną przewiezione wedle twojej prośby.

– Czy on żyje? – przerwałam mu. – Powiedz mi, Domenico, bo oszaleję.

Młody Włoch znowu zamarł, zastanawiając się nad odpowiedzią.

– Na pewno się przemieszcza. Mario, jego consigliere, podąża razem z nim, zatem jest duża szansa, że tak.

– Jak to się przemieszcza? – zapytałam, marszcząc brwi. – A czy oni obaj mogą być... – Urwałam, bojąc się wypowiedzieć słowo „martwi".

– Don Massimo ma wszczepiony nadajnik w wewnętrzną stronę lewej ręki, taki mały chip jak twój – powiedział i dotknął mojego implantu. – Więc wiemy, gdzie jest.

Myślałam chwilę nad tym, co usłyszałam, nerwowo głaszcząc małą rurkę.

– Co to jest, do cholery? – zapytałam z wściekłością. – Implant antykoncepcyjny czy nadajnik?

Domenico nie odpowiedział, jakby pojął, że nie miałam pojęcia, co mi wszczepiono. Ciężko westchnął i podniósł się z dywanu, pociągając mnie za sobą.

– Polecisz rejsowym samolotem, tak będzie bezpieczniej. Zbieraj się, musimy już jechać – rzucił, wnosząc walizki do garderoby. – Lauro, pamiętaj, im mniej wiesz, tym lepiej dla ciebie. – Odwrócił się i zniknął za drzwiami.

Siedziałam tak jeszcze przez chwilę, zastanawiając się nad tym, co usłyszałam, ale mimo wściekłości, którą czułam, byłam wdzięczna Massimowi, że zadbał o wszystko. Na myśl, że nigdy więcej go nie zobaczę, że mnie nie dotknie, w oczach wezbrały mi łzy. Czarne myśli po chwili zastąpiła nadzieja i tlące się we mnie złudne przekonanie, że on jednak żyje, a ja pewnego dnia tu wrócę. Zapakowałam rzeczy i po godzinie siedziałam już w samochodzie. Domenico został w willi, twierdząc, że nie może ze mną jechać. Znowu byłam sama.

Lot był stosunkowo krótki, mimo przesiadki w Mediolanie. Nie wiem, czy to wina leków, które podał mi młody Włoch, czy apatii, w którą popadłam, ale moja panika związana z lataniem całkowicie minęła. Po wyjściu z terminala zobaczyłam człowieka trzymającego kartkę z moim nazwiskiem.

– To ja jestem Laura Biel – powiedziałam z przyzwyczajenia po angielsku.

– Dzień dobry, jestem Sebastian – przedstawił się, a ja skrzywiłam się, słysząc język polski.

Jeszcze kilkanaście dni temu oddałabym dużo za taką rozmowę, ale teraz przypominała mi, gdzie jestem i co się stało. Mój koszmar, który zmienił się w bajkę, dobiegł końca, a ja wróciłam do punktu wyjścia. Przed wejściem stał zaparkowany czarny mercedes klasy S. Sebastian podszedł i otworzył mi drzwi z tyłu. Ruszyliśmy.

Był już wrzesień i w powietrzu zdecydowanie czuć było chłód jesieni. Uchyliłam szybę i wciągnęłam mocno powietrze do płuc. Nigdy jeszcze nie czułam się tak źle jak teraz. Z rozpaczy i smutku bolały mnie nawet włosy na głowie, a każdy powód był dobry do zalania się falą łez. Nie chciałam widzieć ludzi, rozmawiać z nimi, jeść, a najbardziej nie chciałam żyć.

Minęliśmy lotnisko i samochód skierował się w stronę centrum miasta. Boże, tylko nie Śródmieście, pomyślałam. Gdy skręciliśmy w stronę Mokotowa, ucieszyłam się. Auto wjechało na strzeżone osiedle i zaparkowało pod jednym z niewysokich apartamentowców. Kierowca wysiadł i otworzył mi drzwi, podając bagaż podręczny. Przez chwilę siedziałam, wertując jego zawartość, aż znalazłam kopertę z napisem „dom". Były tam klucze i adres.

– Zaniosę pani bagaże, a kolejny samochód z resztą rzeczy powinien zaraz tu być – powiedział Sebastian, podając mi dłoń.

Wysiadłam i skierowałam się w stronę drzwi, a kiedy już się do nich zbliżyłam, przy krawężniku zaparkowało kolejne auto. Kierowca wysiadł i zaczął wypakowywać rzeczy.

Weszłam do holu i podeszłam do młodego człowieka na recepcji.

– Dzień dobry, jestem Laura Biel.

– Witam. Cieszę się, że już pani dotarła. Pani apartament jest gotowy, znajduje się na czwartym piętrze, drzwi po lewej. Czy pomóc pani z bagażami?

– Nie, dziękuję, wydaje mi się, że kierowcy sobie poradzą.

– Do zobaczenia! – krzyknął chłopak stojący za kontuarem i posłał mi szeroki uśmiech.

Po chwili stałam już w windzie jadącej na ostatnie piętro budynku. Wsadziłam klucz do zamka drzwi z numerem, który znalazłam w kopercie, a po ich otwarciu moim oczom ukazał się przepiękny salon z oknami sięgającymi kolejnego piętra. Wszystko było takie ciemne i sterylne, tak bardzo w stylu Massima.

Kierowcy wnieśli bagaże i zniknęli, zostawiając mnie samą. Wnętrze było eleganckie i przytulne. Większość salonu zajmował czarny narożnik z miękkiej alcantary, pod którym znajdował się biały dywan z długim włosiem. Obok stała ława ze szkła, a na ścianie wisiał ogromny płaski telewizor. Za nim było wejście do sypialni z dwustronnym kominkiem, który otaczały miedziane płyty. Kiedy weszłam głębiej, moim oczom ukazało się ogromne nowoczesne łóżko z ledowym podświetleniem, dzięki któremu odnosiło się wrażenie, że mebel lewituje. Było tam także przejście do garderoby i łazienki z wielką wanną.

Wróciłam do salonu i włączyłam telewizor na kanał informacyjny. Otworzyłam bagaż podręczny i usiadłam na dywanie. Wertowałam kolejne koperty, poznając ich zawartość. Karty, dokumenty, informacje; w ostatniej znalazłam kluczyk do samochodu, na którym widniały trzy litery: BMW. Zaskoczona odkryłam, że jestem właścicielką apartamentu, w którym siedziałam, a także samochodu. Po przeczytaniu kolejnych papierów okazało się, że konto z siedmiocyfrową zawartością również było moje. Po co mi to wszystko, kiedy jego nie ma? Czy chciał w ten sposób zadośćuczynić mi za tych parę tygodni? Z perspektywy czasu to ja powinnam była zapłacić jemu za wszystkie cudowne chwile.

Kiedy skończyłam rozpakowywać walizki, nastał wieczór, a ja nie chciałam siedzieć tu sama. Wzięłam telefon, dokumenty od samochodu i kluczyki, po czym wsiadłam do windy zjeżdżającej do garażu. Odszukałam miejsce przyporządkowane do numeru mieszkania i moim oczom ukazał się wielki biały SUV. Wsunęłam kluczyk, a światła samochodu zapaliły się po przyciśnięciu guzika. Bezpieczniej i bardziej ostentacyjnie już chyba się nie dało, pomyślałam, wdrapując się do wyłożonego jasną skórą środka. Wcisnęłam start i ruszyłam przez garaż w poszukiwaniu wyjazdu.

Dobrze znałam Warszawę i lubiłam po niej jeździć. Przejeżdżałam kolejne ulice, bez celu skręcając w następne. Po godzinie jazdy zatrzymałam się pod domem najlepszej przyjaciółki, z którą nie rozmawiałam od tygodni. Nigdzie indziej nie mogłam przyjechać. Wstukałam kod do domofonu, przeszłam przez klatkę, po czym stanęłam przed drzwiami i wcisnęłam dzwonek.

Przyjaźniłyśmy się od piątego roku życia, była dla mnie jak siostra. Młodsza, a czasem starsza, w zależności od okazji. Miała czarne włosy i zmysłowo zaokrąglone ciało. Mężczyźni ją kochali, nie wiem, czy za wulgarność, czy za wyuzdanie, a może za śliczną twarz. Bo Olga niewątpliwie była śliczną dziewczyną o bardzo egzotycznej urodzie. Jej w połowie ormiańskie korzenie nadawały twarzy ciekawe, ostre rysy, a co najbardziej niesprawiedliwe – oliwkowy odcień skóry.

Olga nigdy nie pracowała, wykorzystywała do maksimum fakt, jak bardzo działała na mężczyzn. Była zwolenniczką łamania stereotypów, a szczególnie tego, że kobieta mająca wielu partnerów to dziwka. Jej układ z facetami był prosty: ona dawała im to, czego chcieli, a oni dawali jej pieniądze. Nie była prostytutką, raczej utrzymanką znudzonych głupimi kobietami mężczyzn. Wielu z nich było w niej do szaleństwa zakochanych, ale ona nie znała słowa miłość i nie chciała znać. Na stałe spotykała się z wpływowym singlem, właścicielem kosmetycznego imperium, który nie miał czasu ani ochoty wiązać się z nikim. Towarzyszyła mu na oficjalnych przyjęciach, jadała z nim kolacje i masowała skronie, kiedy był zmęczony. On zapewniał jej wszystkie wygody i luksusy, jakie sobie wymyśliła. Patrząc z boku, można było nazwać to związkiem, ale żadne z nich nie dopuszczało do siebie takiej myśli.

– Laura, kurwa mać! – wykrzyknęła Olga, rzucając mi się na szyję. – Zabiję cię chyba, już myślałam, że cię porwali. Właź, co tak stoisz! – Złapała mnie za rękę i wciągnęła do środka.

– Przepraszam, ja... musiałam... – dukałam, a łzy zalały mi oczy.

Ola stała, patrząc z przerażeniem. Objęła mnie ramieniem i poprowadziła do salonu.

– Coś czuję, że trzeba się napić – powiedziała i po chwili siedziałyśmy już na dywanie z butelką wina.

– Martin był u mnie – zaczęła, patrząc podejrzliwie. – Wypytywał o ciebie i powiedział, co się stało. Że zniknęłaś, zostawiając list, podobno wróciłaś przed nim i wyprowadziłaś się. Cholera, Lari, co się tam wydarzyło? Chciałam zadzwonić, ale wiedziałam, że sama to zrobisz, jak będziesz chciała pogadać.

Patrzyłam na nią, popijając wino, i zdawałam sobie sprawę, że nie mogę powiedzieć jej prawdy.

– Miałam już zwyczajnie dość jego ignorancji, a poza tym zakochałam się. – Podniosłam wzrok i patrzyłam na nią. – Wiem, jak to brzmi, dlatego nie chcę o tym gadać, teraz muszę wszystko poukładać od nowa.

Wiedziałam, że wie, iż nie mówię prawdy, ale była moją przyjaciółką, która zawsze rozumiała, kiedy nie chciałam mówić.

– Aha, no to zajebiście świetnie – rzuciła z irytacją. – Jak było? Fajnie? Masz gdzie mieszkać? Trzeba ci czegoś? – wyrzucała z siebie kolejne pytania.

– Wynajęłam coś od znajomego, duże mieszkanie, ale musiał szybko wyjechać i potrzebował zostawić je komuś zaufanemu.

– No i ekstra, to najważniejsze. A co z pracą? – Nie dawała za wygraną.

– Mam kilka propozycji, ale na razie chcę się skupić na sobie – wymamrotałam, bawiąc się kieliszkiem. – Muszę sobie to wszystko poukładać, a potem już będzie dobrze. Mogę zostać na noc? Nie chcę prowadzić po alkoholu.

Wybuchła śmiechem i wtuliła się we mnie.

– No jasne, a poza tym skąd masz samochód?

– Dostałam pod opiekę razem z mieszkaniem – powiedziałam, nalewając nam po kolejnym kieliszku. Siedziałyśmy tak do późna i gadałyśmy o tym, co działo się przez ten miesiąc. Opowiadałam jej o urokach Sycylii, o jedzeniu, alkoholu i butach. Po opróżnieniu do połowy kolejnej butelki zapytała:

– No dobra, a on? Powiedz mi coś, bo zaraz oszaleję, udając, że nie jestem ciekawa.

Przez głowę przelatywały mi urywki wszystkich chwil z Massimem. Jak pierwszy raz widziałam go nago, kiedy wparował do mnie pod prysznic. Zakupy z nim i chwile na jachcie, jak tańczyliśmy i ostatnia noc, po której zniknął.

– On jest – zaczęłam, odstawiając kieliszek – wyjątkowy, majestatyczny, wyniosły, czuły, przystojny, bardzo troskliwy. Wyobraź sobie typowego samca, który nie znosi sprzeciwu i zawsze wie, czego chce. Dodaj do tego opiekuna i obrońcę, przy którym zawsze czujesz się jak mała dziewczynka. A na koniec połącz to ze spełnieniem najskrytszych seksualnych fantazji. A jakby tego było mało, ma metr dziewięćdziesiąt, zero procent tkanki tłuszczowej i wygląda jak wyrzeźbiony przez samego Boga. Malutka dupeczka, gigantyczne barki, szeroka klatka... ech... To właśnie jest Massimo – odparłam, wzruszając ramionami.

– Ja pierdolę – zaklęła Olga. – Aż mi się nogi ugięły. No dobra, i co z nim?

Przez chwilę myślałam nad tym, co jej powiedzieć, ale nic mądrego nie przychodziło mi do głowy.

– No cóż, potrzebujemy czasu, by to przemyśleć, bo to wszystko nie jest niestety takie proste. On jest z zamożnej sycylijskiej rodziny z tradycjami. A oni nie biorą sobie cudzoziemek – rzuciłam, krzywiąc się.

– Ale cię wzięło – powiedziała, popijając łyk. – Kiedy o nim mówisz, świecisz jak żarówka.

Nie chciałam już rozmawiać o Czarnym, bo każde cudowne wspomnienie bolało na myśl, że nie pojawią się kolejne.

– Chodźmy spać, jutro muszę jechać do rodziców.

– Dobrze, ale pod warunkiem że w sobotę gdzieś wyjdziemy.

Skrzywiłam się na te słowa.

– Chodź, będzie fajnie. Spędzimy dzień w spa, a wieczorem uderzymy w miasto. Impreza, impreza...! – krzyczała, podskakując.

Widząc jej wesołość i podekscytowanie, czułam się winna, że zostawiłam ją na tak długo.

– Dziś jest dopiero poniedziałek, ale dobra, niech ci będzie – weekend jest nasz.

ROZDZIAŁ 12

Droga do rodziców była wyjątkowo krótka, mimo stu pięćdziesięciu kilometrów, które miałam do przejechania. Nawet nie było okazji zastanowić się, co im powiem. Postanowiłam już bardziej nie denerwować mojej mamy i kontynuować przygotowane wcześniej przez Czarnego kłamstwo.

Wjechałam na podjazd i wysiadłam z auta.

– Znikasz na miesiąc i wracasz taką furą? Dobrze ci chyba płacą na tej Sycylii – usłyszałam rozbawiony głos taty. – Witaj, maleństwo – powiedział i mocno mnie przytulił.

– Cześć, tatuś, to służbowe auto – powiedziałam, wtulając się w niego. – Tak bardzo za tobą tęskniłam.

Kiedy poczułam jego ciepło i usłyszałam troskliwy głos, z oczu popłynęły mi łzy. Poczułam się jak mała dziewczynka, którą gdzieś w środku byłam, zawsze z problemami uciekając do rodziców.

– Nie wiem, co się stało, powiesz, jak będziesz chciała – rzekł, wycierając mi oczy.

Tata nigdy nie wnikał, on czekał, aż sama przyjdę i wyznam, co mi leży na sercu.

– Boże, jaka ty jesteś chuda!

Oderwałam się od taty i odwróciłam w stronę werandy, gdzie zza drzwi wyłoniła się moja zachwycająca mama. Jak zawsze była nienagannie ubrana i w pełnym makijażu. Zupełnie nie byłam do niej podobna. Miała długie blond włosy i niebieskoszare oczy. Mimo średniego wieku wyglądała na trzydzieści lat, a jej ciała nie powstydziłaby się niejedna dwudziestolatka.

– Mamo! – Odwróciłam się i z dzikim szlochem padłam jej w ramiona.

Była dla mnie jak schron atomowy, wiedziałam, że zawsze mnie obroni przed całym światem. Mimo nadopiekuńczości była moją najlepszą przyjaciółką i nikt nie znał mnie tak jak ona.

– A widzisz, mówiłam ci, że ten wyjazd to nie jest dobry pomysł – zaczęła, głaszcząc mnie po głowie. – I teraz masz, znowu rozpacz. Możesz mi powiedzieć, czemu płaczesz?

Nie mogłam, bo właściwie to nie wiedziałam.

– Zwyczajnie tęskniłam za wami i wiedziałam, że tu wreszcie będę mogła wyrzucić wszystkie emocje.

– Jak będziesz tak beczeć, to oczy ci spuchną i jutro będzie lament, że źle wyglądasz. Wzięłaś leki na serce? Żeby nie było zaraz tragedii – zapytała, zgarniając mi włosy z twarzy.

– Wzięłam, mam w torebce – odpowiedziałam, wycierając nos.

– Tomasz – zwróciła się do taty. – Przynieś chusteczki i zrób herbaty.

Tata uśmiechnął się i zniknął wewnątrz domu, a my usiadłyśmy na miękkich fotelach w ogrodzie.

– No więc? – zapytała, zapalając papierosa. – Powiesz mi, o co chodzi i czemu musiałam tyle czekać na twój przyjazd?

Westchnęłam ciężko, wiedząc, że rozmowa nie będzie prosta, ale mnie nie ominie.

– Mamo, mówiłam ci i pisałam, że miałam trochę latania w związku z pracą na Sycylii. Musiałam na chwilę wrócić do Włoch i zeszło mi się tam dłużej, niż zakładałam. Na razie zostaję w Polsce, przynajmniej do końca września, bo oddziały tej sieci hotelowej są także tutaj i mogę przygotować się do pracy w Polsce. Poza tym w Warszawie mam nauczyciela włoskiego, tak że nie martw się, nie ucieknę jutro. Jak widzisz, firma o mnie dba. – Wskazałam dłonią na stojące na podjeździe bmw. – Wynajęli mi także mieszkanie i dali służbową kartę kredytową.

Patrzyła na mnie podejrzliwie, ale kiedy nie dałam po sobie poznać kłamstwa, wyluzowała.

– No, trochę mnie uspokoiłaś – powiedziała, wciskając niedopałek w popielniczkę. – A teraz opowiadaj, jak było.

Tata przyniósł herbatę, a ja nie szczędząc im geograficznych szczegółów, opowiadałam o Sycylii. Część historii była z przewodników, które czytałam, bo właściwie nie zdążyłam zobaczyć wyspy. Dzięki bajeczce o hotelach z mojej nowej sieci, które mieszczą się w Wenecji, mogłam opowiedzieć im o Lido i festiwalu. Siedzieliśmy tak do późna i rozmawialiśmy, aż poczułam się zmęczona.

Kiedy leżałam już w łóżku, mama przyniosła mi koc i usiadła obok.

– Pamiętaj, że cokolwiek by się działo, zawsze masz nas. – Pocałowała mnie w czoło i wyszła, zamykając drzwi.

Przez kolejne dni mama wzięła sobie za cel utuczenie mnie. Gotowaniu i piciu wina nie było końca. Kiedy wreszcie przyszedł piątek, dziękowałam Bogu, że wyjeżdżam, bo jeszcze jeden dzień, a mój brzuch by eksplodował. Dobrze, że rodzice mieszkali obok lasu, więc co dzień chodziłam biegać, by spalić to, co udało się jej we mnie wepchnąć. Zakładałam słuchawki i pędziłam przed siebie, czasem trwało to godzinę, czasem dłużej. Nie opuszczało mnie wrażenie, że ktoś mnie obserwuje. Stawałam i rozglądałam się, ale nigdy nikogo nie zauważyłam. Myślałam o Massimie, o tym, czy żyje i czy myśli o mnie.

Po południu wsiadłam do samochodu i wróciłam do Warszawy. Zadzwoniłam do Olgi, meldując się.

– Świetnie się składa, że jesteś, bo musimy chyba jechać na zakupy. Odczuwam brak nowych butów – powiedziała. – Podaj mi adres, będę u ciebie za godzinę.

– Nie, to ja po ciebie przyjadę, i tak jeszcze muszę coś załatwić.

Kiedy podjechałam pod jej mieszkanie, zobaczyłam, jak zamyka drzwi wejściowe i po chwili zatrzymuje się jak wrośnięta w ziemię. Stała, pokazując na samochód palcem, i pukała się w głowę, po czym ruszyła w moją stronę i wsiadając, rzuciła z niedowierzaniem:

– Kto ci dał taki samochód?

– Mówiłam ci, że jest w pakiecie z mieszkaniem – odparłam, wzruszając ramionami.

– To ja jestem ciekawa, jak wygląda to twoje nowe lokum.

– Oj kurwa, no jak mieszkanie. A samochód jak samochód. – Zirytowała mnie, a może bardziej zirytowało mnie to, że nie mogłam powiedzieć jej prawdy. Ona wiedziała, że kłamię, a ja, że wychodzę na idiotkę, ignorując jej intelekt. – Co za różnica? Pamiętasz, jak mieszkałyśmy w tej kawalerce na Bródnie?

Olga zaniosła się śmiechem i zapięła pas.

– Tak, z tą babą pod nami, co mówiła, że urządzamy orgie?!

– No wiesz, nie było to do końca kłamstwem. – Popatrzyłam na nią znacząco, wycofując auto z parkingu.

– Przypierdalasz się, raptem parę razy pisnęłam sobie głośniej.

– Tak, pamiętam, jak kiedyś nieopatrznie wróciłam wcześniej i myślałam, że ktoś cię morduje.

– Och, ten gówniarz, co wtedy mnie posuwał, był naprawdę ostry, a do tego jego tatuś miał klinikę dentystyczną.

– I fundował ci darmowe przeglądy.

– Fundował mi takie dymanie, że gryzłam ściany.

Dzięki Bogu udało mi się zmienić temat z samochodowo-mieszkaniowego i przez resztę drogi nasze dyskusje oscylowały wyłącznie wokół bujnego życia erotycznego Olgi.

Zakupy to zawsze było to, co poprawiało mi humor. Biegałyśmy od butiku do butiku, kupując kolejne pary niepotrzebnych butów. W końcu, po kilku godzinach szaleńczego maratonu, obie miałyśmy dość. Weszłyśmy do garażu wielopoziomowego i rozpoczęłyśmy poszukiwanie auta. Chwilę nam to zajęło, ale odnalazłyśmy je i zaczęłyśmy wkładać zakupy do bagażnika.

– Nowy samochód? – usłyszałam znajomy głos.

Odwróciłam się i skrzywiłam z przerażenia na widok najlepszego przyjaciela Martina.

– Cześć, Michał, co u ciebie? – zapytałam, całując go w policzek.

– To lepiej ty powiedz, co ci strzeliło do głowy, żeby nas tak zostawić. Kurwa, Martin mało nie umarł z niepokoju.

– Już ja wiem, jak on umierał, dymając tą Sycylijkę – powiedziałam, odwracając się i wkładając ostatnią torbę do samochodu. – Taki był przejęty, że aż się z tego wszystkiego musiał wyżyć.

Michał stał jak wryty i przyglądał mi się zdumiony. Podeszłam do niego.

– Co myślałeś, że nie wiem? Zerżnął ją w moje urodziny, menda! – rzuciłam z wściekłością i ruszyłam w stronę samochodu.

– Był pijany – powiedział, wzruszając ramionami, a ja z impetem zamknęłam drzwi.

– No to za chwilę dowie się, że wróciłaś – stwierdziła Olga, zapinając pas. – Pysznie, uwielbiam takie afery.

– A ja mniej, zwłaszcza kiedy dotyczą mnie. Pojedziemy do mojego mieszkania i zostaniesz dziś ze mną, bo nie chcę być sama, okej?

Olga kiwnęła głową, zgadzając się, i ruszyłyśmy.

– Ja pierdolę. – Nie przebierając jak zawsze w słowach, moja przyjaciółka skwitowała salon, gdy tylko weszłyśmy do domu. – I ten twój znajomy wynajął ci to ot, tak? Oczywiście dokładając jeszcze samochód i może pokojówkę? Znam go?

– Oj, przestań, to jest bardziej przysługa. I nie znasz go, bo to ktoś, z kim jakiś czas temu pracowałam. Sypialnia gościnna jest na piętrze, ale wolę, żebyś spała ze mną.

Ola biegała po całym domu, co chwilę wykrzykując kolejne przekleństwa. Z rozbawieniem obserwowałam jej reakcję i zastanawiałam się, co by powiedziała, widząc Tytana albo willę na zboczach Taorminy. Wzięłam z lodówki butelkę portugalskiego wina, dwa kieliszki i ruszyłam za nią na górę.

– Chodź, coś ci pokażę – powiedziałam, wchodząc po schodach.

Kiedy otworzyłam drzwi, aż zamarła. Wyszłyśmy na piękny, ponadstumetrowy taras znajdujący się na dachu. Był tam stół z sześcioma fotelami, grill, leżanki do opalania i czteroosobowe jacuzzi. Postawiłam butelkę na stole i nalałam wina do kieliszków.

– Masz pytania? – Unosząc lekko brwi, podałam jej kieliszek.

– Co ty mu zrobiłaś za to? Przyznaj się. Ja wiem, że to nie w twoim stylu, tylko w moim, ale ja jakoś nigdy nie dostałam chaty z ogrodem na dachu. – Zaśmiała się i opadła na jeden z białych foteli. Okryłyśmy się kocami i patrzyłyśmy na migocące w oddali centrum miasta. Mimo tego, że otaczali mnie ludzie, których kocham, nie było minuty, żebym nie myślała o Massimie. Kilka razy nawet dzwoniłam do Domenica, ale nie odpowiadał na żadne moje pytania, tylko chciał wiedzieć, czy dobrze się czuję. Mimo to lubiłam słyszeć jego głos, bo kojarzył mi się z Czarnym.

ROZDZIAŁ 13

Kiedy obudziłyśmy się następnego dnia i doprowadziłyśmy się do względnego ładu, poczułam się zaskakująco dobrze. Stojąc przed lustrem, próbowałam tłumaczyć sobie, że muszę żyć dalej, kolejny raz na nowo wszystko poukładać i zacząć zapominać o tygodniach spędzonych we Włoszech. Zjadłyśmy śniadanie, przegrzebałyśmy szafę, a także wczorajsze zakupy w poszukiwaniu kreacji na wieczór i po piętnastej ruszyłyśmy do spa.

– Wiesz co, Olo, mam ochotę zaszaleć – powiedziałam, kiedy wychodziłyśmy z domu. – Mamy dziś zamówionego fryzjera?

Popatrzyła na mnie, krzywiąc się.

– A czy ja twoim zdaniem umiem uczesać się sama? No jasne, że mamy – rzuciła ze śmiechem, kiedy zamykałam drzwi.

Nasz pobyt w spa był pewnym rytuałem, któremu poddawałyśmy się raz na jakiś czas. Peeling, później masaż, zabiegi na twarz, paznokcie, fryzjer i na koniec makijaż. Kiedy nadeszła pora na przedostatnią czynność, usiadłam w fotelu, a Magda, moja stylistka, pogłaskała pasmo włosów.

– No i co ja mam z tym zrobić, Lauro?

– Blond. – Olga aż podskoczyła na siedzeniu obok. – I obcinamy na boba, z krótkim tyłem i dłuższym przodem.

– Co?! – Olo wydarła się tak, że wszystkie kobiety na fotelach obróciły głowy. – Pojebało cię?! Laura, tobie chyba całkiem już odbiło.

Magda śmiała się, głaszcząc rozpuszczone kosmyki.

– Nie są zniszczone, więc nic im się nie stanie. Jesteś pewna?

Skinęłam twierdząco, a Ola opadała na fotel, kręcą z niedowierzaniem głową.

W międzyczasie, aby przyspieszyć lekkie opóźnienie spowodowane moimi fanaberiami, pojawili się makijażyści i zaczęli pracę.

– Gotowe – powiedziała Magda po ponad dwóch godzinach, z zadowoleniem patrząc na moje odbicie.

Efekt był zjawiskowy, kolor dojrzałego zboża idealnie pasował do mojej opalonej skóry i czarnych oczu. Wyglądałam młodo, świeżo i smacznie. Olo stała za mną, gapiąc się z uniesioną jedną brwią.

– No dobra, nie miałam racji, wyglądasz zajebiście. A teraz chodź, bo nadszedł czas imprezy. – Złapała mnie za rękę i ruszyłyśmy w stronę samochodu.

Zaparkowałyśmy w garażu i pojechałyśmy windą na górę. Wsadziłam klucz do zamka i przekręciłam go.

– Dziwne, wydawało mi się, że zamknęłam na raz – powiedziałam, wydymając usta. Po wypiciu butelki wina i przebraniu się w coś mniej wygodnego niż dres, ale bardziej spektakularnego, stanęłyśmy przed lustrem. Byłyśmy gotowe.

Na dzisiejsze wyjście wybrałam bardzo zmysłowy czarny komplet. Ołówkową spódnicę z wysokim stanem, do której wcisnęłam na siebie idealnie dopasowany krótki top z długimi rękawami. Między górą a dołem utworzyła się mniej więcej czterocentymetrowa przerwa, subtelnie ukazując mięśnie brzucha. Czarne szpilki z krótkim czubkiem i nabita ćwiekami kopertówka w tym samym kolorze idealnie współgrały z całością. Olga natomiast postawiła na swoje atuty, czyli obfite piersi i cudowne biodra, wkładając bandażową sukienkę w kolorze nude. Całość dopełniła szpilkami i torebką w tym samym odcieniu, a wszystko to przełamała złotymi dodatkami.

– Ta noc jest nasza – powiedziała. – Tylko mnie pilnuj, bo chciałabym z tobą wrócić do domu.

Zaśmiałam się i wypchnęłam ją za drzwi.

Niekwestionowanym plusem życia, jakie wiodła Olga, było to, że w każdym klubie znała co najmniej selekcjonera, a w większości menedżerów lub właścicieli.

Wsiadłyśmy do taksówki i pojechałyśmy do jednego z naszych ulubionych lokali w centrum. Ritual na Mazowieckiej 12, tu piłyśmy, jadłyśmy i chciałabym powiedzieć podrywałyśmy facetów, ale niestety ten zaszczyt dotyczył tylko mojej przyjaciółki.

Kiedy wysiadłyśmy z samochodu, pod klubem w kolejce stało jakieś sto osób. Olga ostentacyjnie minęła tłum i podeszła do liny, dwukrotnie całując selekcjonerkę.

Ta zdjęła sznur blokujący przejście i po chwili byłyśmy już w środku, witane przez żonę właściciela – Monikę, która zapinała nam na ręce VIP-owskie opaski.

– Jak zawsze wyglądasz kwitnąco – zagadała do niej Olo, a Monia machnęła ręką, spławiając ją.

– Zawsze tak mówisz. – Urocza brunetka zaśmiała się i pokręciła głową. – I tak nie uchroni cię to przed napiciem się ze mną. – Puściła nam oczko i kiwnęła głową, byśmy poszły za nią.

Weszłyśmy po schodach i usiadłyśmy przy stoliku, a Monia po wydaniu dyspozycji kelnerce zniknęła.

– Dzisiaj ja stawiam! – powiedziałam, przekrzykując muzykę i wyciągając z torebki kartę, którą dostałam od Domenica.

Uznałam, że najwyższy czas jej użyć. Chciałam zrobić to tylko raz i dzięki niej kupić tylko jedną rzecz.

Skinęłam ręką na kelnerkę i złożyłam zamówienie. Po chwili niosła już przez klub moëta rosé w coolerze z lodem. Widząc to, Ola euforycznie zerwała się z siedziska.

– Na bogato! – krzyknęła, biorąc do ręki kieliszek. – Za co pijemy?

Ja wiedziałam, za co chcę wypić, i dlaczego chcę poczuć akurat ten smak.

– Za nas – powiedziałam, upijając łyk.

Ale nie piłam za mnie ani Olę. To było dla Massima i za trzysta sześćdziesiąt pięć dni, które się nie wydarzyły. Czułam smutek, a jednocześnie spokój, bo wydawało mi się, że po części pogodziłam się już z sytuacją. Po wypiciu połowy butelki ruszyłyśmy na parkiet. Falowałyśmy w rytm muzyki, wygłupiając się. Moje cudowne buty nie były jednak stworzone do tańca, więc po trzech kawałkach musiałam odpocząć. Wracając do stolika, poczułam, że ktoś łapie mnie za rękę.

– Cześć! – Obróciłam się i zobaczyłam Martina.

Wyrwałam mu dłoń i stałam, wbijając w niego lodowate spojrzenie pełne nienawiści.

– Gdzie byłaś tyle czasu? – zapytał. – Możemy pogadać?

W głowie przewijały mi się zdjęcia, które wypadły z koperty pokazanej przez Massima. Miałam ochotę rozerwać go wtedy na strzępy, ale teraz, kiedy emocje opadły, był mi już zupełnie obojętny.

– Nie mam ci nic do powiedzenia – rzuciłam i odwróciłam się, kierując w stronę sofy.

Nie dawał za wygraną i po chwili był znowu przy mnie.

– Lauro, proszę. Daj mi chwilę.

Siedziałam i patrzyłam na niego, beznamiętnie popijając szampana, którego smak dawał mi siłę.

– Nie powiesz mi nic, czego nie wiem albo nie widziałam.

– Rozmawiałem z Michałem, pozwól mi wyjaśnić, proszę, później dam ci spokój.

Mimo wcześniejszej złości i obrzydzenia, jakim darzyłam go po obejrzeniu zdjęć, uznałam, że zasługuje na możliwość powiedzenia mi swojej wersji.

– Dobrze, ale nie tutaj. Zaczekaj.

Zeszłam do Oli i wyjaśniłam jej sytuację. Nie była zdziwiona ani zła, bo już zdążyła znaleźć sobie zastępstwo za mnie w postaci czarującego blondyna.

– Idź! – krzyknęła. – Ja dziś raczej nie wrócę, więc nie czekaj.

Podeszłam do Martina i skinęłam głową, dając mu sygnał do wyjścia.

Kiedy opuściliśmy klub, pokierował mnie w stronę parkingu i otworzył drzwi do swojego auta.

– Z tego, co widzę, nie przyjechałeś tu na imprezę? – zapytałam, wsiadając do białego jaguara xkr.

– Przyjechałem tu po ciebie – odparł i zamknął za mną drzwi.

Jechaliśmy przez kolejne dzielnice, a ja dobrze wiedziałam, gdzie będzie finał tej podróży.

– Lauro, w tych włosach wyglądasz zachwycająco – powiedział spokojnym tonem, spoglądając na mnie.

Zignorowałam go, ponieważ jego zdanie zupełnie mnie nie interesowało, i nadal wpatrywałam się w krajobraz za szybą.

Martin przycisnął guzik pilota od garażu i brama podniosła się. Zaparkował i weszliśmy na górę. Kiedy stanęłam w korytarzu jego mieszkania, aż zrobiło mi się słabo. Nawet to wnętrze, mimo że nigdy nieodwiedzone przez Czarnego, kojarzyło mi się z nim.

– Chcesz coś do picia? – spytał, podchodząc do lodówki.

Usiadłam na kanapie i poczułam się nieswojo. Miałam przedziwne wrażenie, że w tej chwili postępuję wbrew woli Massima, łamiąc jego zakaz kontaktów z Martinem. Gdyby widział mnie teraz, gdyby wiedział, zabiłby go.

– Myślę, że woda będzie najlepsza – zadecydował, stawiając przede mną szklankę. – Opowiem ci wszystko, a ty zrobisz z tym, co zechcesz.

Usadowiłam się i machnęłam ręką, by zaczął.

– Kiedy zerwałaś się z leżaka i uciekłaś, zrozumiałem, że masz rację, i pobiegłem za tobą. Ale na recepcji zatrzymał mnie jeden z pracowników hotelu, twierdząc, że w naszym pokoju jest jakaś poważna awaria i muszą do niego wejść. Gdy razem z ludźmi z serwisu skończyliśmy sprawdzać ten sygnał, okazało się, że to błąd systemu i nic się nie dzieje. Wybiegłem na ulicę i szukałem cię, aż zrobiło się ciemno. Byłem pewny, że cię znajdę, sądziłem, że nie odeszłaś daleko, dlatego nie wracałem od razu po telefon. A kiedy wreszcie przyjechałem do hotelu, żeby zadzwonić, w pokoju leżał już list, w którym pisałaś to wszystko, i miałaś rację. Wiedziałem, że zjebałem. – Zwiesił głowę i zaczął skubać palce. – Wściekły zamówiłem drinki do pokoju i zadzwoniłem po Michała. Nie wiem, czy przez nerwy, czy dlatego, że byłem na kacu, ale poczułem się pijany po skończeniu pierwszego. – Podniósł wzrok i głęboko popatrzył mi w oczy. – I czy chcesz w to wierzyć, czy nie, później już nic nie pamiętam. Kiedy obudziliśmy się rano, a Karolina opowiedziała mi, co zrobiłem, chciało mi się rzygać. – Martin zrobił wdech i kolejny raz spuścił głowę. – A jak myślałem, że już gorzej być nie może, recepcja poinformowała nas, że musimy opuścić hotel, bo nasze karty kredytowe nie mają pokrycia. Wyjechaliśmy więc z wyspy. Nad tymi wakacjami ciążyło jakieś fatum, jakby wszystko od początku miało się układać źle.

Kiedy skończył mówić, zakryłam rękami twarz i głośno westchnęłam. Wiedziałam, że to, co mówi, mimo iż brzmiało niedorzecznie, przy odrobinie interwencji ze strony Massima było bardzo prawdopodobne. Teraz już nie wiedziałam, na kogo jestem bardziej wściekła, na Czarnego i ukartowanie tego wszystkiego, czy na Martina, że dał się w to wciągnąć.

– Ale co to zmienia? – odparłam po chwili. – Czy nie pamiętasz, czy że się z nią przespałeś. Poza tym prawda jest taka, że nasze oczekiwania są zupełnie różne. Ty chcesz mieć ciastko i zjeść ciastko, a ja zawsze oczekiwać będę więcej atencji, niż jesteś w stanie mi dać.

Martin zsunął się z kanapy, klękając koło mnie.

– Lauro – zaczął, łapiąc mnie za ręce – masz we wszystkim rację, tak było. Ale przez te tygodnie zrozumiałem, jak bardzo cię kocham, i nie chcę cię stracić. Zrobię wszystko, by udowodnić ci, że umiem być inny.

Patrzyłam na niego oszołomiona i czułam, jak wypity niedawno szampan podchodzi mi do gardła.

– Niedobrze mi – oznajmiłam, wstając z kanapy i zataczając się w stronę łazienki.

Wymiotowałam tak długo, aż mój żołądek był zupełnie pusty; miałam dość tego dnia i tej rozmowy. Wyszłam z łazienki i usiłowałam włożyć leżące w korytarzu buty.

– Jadę do domu – rzuciłam, wciskając stopy w szpilki.

– Nigdzie nie jedziesz, nie puszczę cię w takim stanie – powiedział, wyciągając mi z ręki torebkę.

– Martin, proszę! – Byłam zniecierpliwiona. – Chcę jechać do siebie.

– Dobrze, ale pozwól, że cię odwiozę. – Nie przyjmując odmowy, zabrał mi kluczyki od samochodu.

Wyjechaliśmy z garażu, a on zwrócił się w moją stronę z pytaniem wymalowanym na twarzy. Zapomniałam, że nie znał mojego nowego adresu.

– W lewo – pokazałam, machając dłonią. – Później w prawo i prosto.

W końcu po dziesięciu minutach mojej nawigacji byliśmy pod domem.

– Dziękuję – powiedziałam, łapiąc za klamkę, ale drzwi nawet nie drgnęły.

– Odprowadzę cię, chcę mieć pewność, że dotarłaś bezpiecznie.

Wjechaliśmy na górę, a ja za wszelką cenę chciałam już zostać sama.

– To tu – powiedziałam, wkładając klucz w drzwi mojego mieszkania. – Dziękuję za troskę, ale teraz już sobie poradzę.

Martin nie dawał za wygraną; kiedy otworzyłam, próbował wsunąć się za mną do mieszkania.

– Co ty, kurwa, wyprawiasz? Nie rozumiesz, że nie potrzebuję już twojego towarzystwa? – warknęłam, stając w progu. – Powiedziałeś, co miałeś do powiedzenia, a teraz chcę zostać sama. Cześć.

Usiłowałam zamknąć drzwi, ale potężne ręce Martina nie pozwalały mi na to.

– Stęskniłem się, pozwól mi wejść. – Nie poddawał się.

W końcu puściłam drzwi, cofnęłam się do środka i zapaliłam światło.

– Martin, do cholery jasnej, zaraz zadzwonię po ochronę! – wrzasnęłam.

Mój były facet stał w progu, nie przekraczając go, i gniewnym wzrokiem wpatrywał w coś za mną. Obróciłam się i prawie stanęło mi serce. Z kanapy niespiesznie podnosił się Massimo i zmierzał w kierunku drzwi wejściowych.

– Nie rozumiem, co mówicie, ale Laura chyba nie chce, żebyś wchodził – rzucił Czarny, stając kilkanaście centymetrów od Martina. – Czy mam ci to powiedzieć ja, żebyś zrozumiał? Może po angielsku będzie łatwiej?

Martin napiął całe ciało i nie spuszczając wzroku z Czarnego, powiedział spokojnym, niskim tonem:

– Do zobaczenia, Lauro. Jesteśmy w kontakcie. – Odwrócił się i wsiadł do windy.

Kiedy zniknął z pola widzenia, Czarny zamknął drzwi i stanął przodem do mnie. Nie byłam pewna, czy to wszystko dzieje się naprawdę. Przerażenie i złość mieszały się z radością i ulgą. Był tu, cały i zdrowy. Staliśmy tak przez dłuższą chwilę, wpatrując się w siebie nawzajem, a napięcie między nami było nie do wytrzymania.

– Gdzieś ty, kurwa, był?! – wrzasnęłam, wcześniej wymierzając mu siarczysty policzek. – Czy zdajesz sobie sprawę, egoisto, z tego, co ja przeżyłam? Czy tobie się wydaje, że ciągłe tracenie przytomności jest doskonałą formą spędzania czasu? Jak mogłeś mnie tak zostawić? Jezu! – Zrezygnowana osunęłam się po ścianie.

– Wyglądasz zniewalająco, mała – powiedział, usiłując wziąć mnie na ręce. – Te włosy...

– Nie dotykaj mnie, do cholery! Nie dotkniesz mnie nigdy więcej, jeśli nie wyjaśnisz mi, co się stało.

Na dźwięk podniesionego tonu Czarny wyprostował się i chwilę stał, górując nade mną. Wyglądał jeszcze piękniej, niż zapamiętałam. Ubrany w ciemne spodnie i koszulkę z długim rękawem w tym samym kolorze, eksponował idealnie wyrzeźbioną sylwetkę. Nawet teraz, wściekła na niego, nie umiałam nie zauważyć, jak bardzo był pociągający. Wiedziałam, że czai się na mnie jak dzikie zwierzę i za chwilę nastąpi atak.

Nie myliłam się. Massimo nachylił się i łapiąc mnie za ramiona, postawił na nogi, wprawnie wsunął się barkiem pod mój brzuch i przerzucił mnie przez ramię, tak że zwisałam głową w dół wzdłuż jego pleców.

Zdawałam sobie sprawę, że mój opór czy krzyki nic nie dadzą, dlatego bezwładnie wisiałam, czekając na to, co zrobi. Przeszedł przez drzwi do sypialni i rzucił mnie na łóżko, przywierając swoim ciałem do mojego, tak aby zablokować mi możliwość ruchu.

– Spotkałaś się z nim mimo mojego zakazu. Wiesz, że jeśli będzie trzeba, zabiję tego człowieka, by nie widywał się z tobą?

Milczałam, nie chciałam otwierać ust, ponieważ wiedziałam, że wypłynie z nich potok słów. Było późno, byłam zmęczona i głodna, a cała sytuacja zdecydowanie mnie przerastała.

– Lauro, mówię do ciebie.

– Słyszę, ale nie chce mi się z tobą gadać – powiedziałam cicho.

– To nawet lepiej, bo ostatnie, na co teraz mam ochotę, to trudne rozmowy – stwierdził i brutalnie wdarł się językiem w moje usta.

Chciałam go odepchnąć, ale kiedy poczułam jego smak i zapach, przed oczami przeleciały mi te wszystkie dni bez niego. Dobrze pamiętałam towarzyszące mi cierpienie i smutek.

– Szesnaście – wyszeptałam, nie przerywając pocałunku.

Massimo zatrzymał swój szaleńczy pęd i popatrzył na mnie pytająco.

– Szesnaście – powtórzyłam. – Tyle dni jesteś mi winien, don Massimo.

Uśmiechnął się i jednym ruchem ściągnął czarną koszulkę, którą miał na sobie. Przytłumione światło z salonu oświetliło jego tors. Moim oczom ukazał się widok świeżych ran, niektórych jeszcze z opatrunkami.

– Boże, Massimo – wyszeptałam, wysuwając się spod niego. – Co się stało?

Dotykałam delikatnie jego ciała, jakbym w czarodziejski sposób chciała zlikwidować bolesne miejsca.

– Obiecuję, że opowiem ci wszystko, ale nie dziś, dobrze? Chcę, żebyś była wyspana, najedzona i przede wszystkim trzeźwa. Lauro, jesteś strasznie chuda – rzekł, głaszcząc moje opięte czarną tkaniną ciało. – Odnoszę wrażenie, że jest ci w tym niewygodnie – powiedział, przekręcając mnie na brzuch.

Powoli rozpiął suwak spódnicy i zsunął ją z moich bioder, aż znalazła się na podłodze. Z topem postąpił podobnie i po chwili leżałam przed nim jedynie w koronkowej bieliźnie.

Przyglądał mi się, rozpinając pasek od spodni. Patrzyłam, jak to robił, i przypomniała mi się drastyczna scena z samolotu.

– Nie znam tego kompletu – zauważył, ściągając spodnie razem z bokserkami. – I nie podoba mi się, chyba powinnaś go zdjąć.

Obserwowałam go, powoli rozpinając stanik. Pierwszy raz miałam okazję zobaczyć jego męskość, kiedy nie była twarda. Jego gruby, ciężki kutas powoli podnosił się, w miarę jak pozbywałam się bielizny, ale nawet kiedy nie stał, był cudowny, i jedyne, o czym myślałam, to by poczuć go w sobie.

Leżąc naga na łóżku, zarzuciłam ręce za głowę, kolejny raz okazując uległość.

– Chodź do mnie – powiedziałam, rozkładając szerzej nogi.

Massimo złapał moją stopę i podniósł do ust, całował wszystkie palce i pomału opadał na materac.

Wspinał się językiem po wewnętrznej stronie moich ud, aż dotarł do miejsca ich złączenia. Uniósł wzrok i popatrzył na mnie, kipiąc pożądaniem. To spojrzenie oznajmiało mi, że to nie będzie romantyczna noc.

– Jesteś moja – jęknął i zatopił we mnie język. Lizał łapczywie, docierając do najbardziej wrażliwych punktów. Wiłam się pod nim i czułam, że osiągnięcie orgazmu nie zajmie mi dużo czasu.

– Nie chcę – powiedziałam, łapiąc go za głowę. – Chodź do mnie, wejdź we mnie, muszę cię poczuć.

Massimo bez chwili zawahania wykonał, o co go prosiłam; wszedł we mnie brutalnie i mocno, nadając naszym ciałom galop przypominający stukot mojego serca w tej chwili. Pieprzył mnie namiętnie, mocno zaciskał ramiona wokół mnie i całował tak głęboko, że nie mogłam złapać tchu. Nagle po moim ciele rozlała się fala rozkoszy, wbiłam paznokcie w jego plecy i przesunęłam je aż do pośladków. Ból, który mu sprawiłam, był dla niego jak decydujące pchnięcie i ciepło nasienia rozlało się wewnątrz mnie. Zaczęliśmy i skończyliśmy niemal równocześnie. Po policzkach popłynęła mi niekontrolowana fala łez, poczułam ulgę. To jednak dzieje się naprawdę, pomyślałam, i wtuliłam w niego twarz.

– Hej, mała, co się dzieje? – zapytał, zsuwając się ze mnie.

Nie chciałam z nim rozmawiać, nie teraz, przekręciłam się w jego stronę i przytuliłam tak, jakbym pragnęła schować się w niego. Głaskał mnie po włosach i wargami zbierał z policzka łzy, aż zasnęłam.

Obudziłam się, kiedy do salonu przez niezasłonięte okno wdzierały się promienie słońca. Z na wpółzamkniętymi oczami sięgnęłam badawczo ręką na drugą stronę łóżka. Był tam. Odwróciłam wzrok i zerwałam się z krzykiem. Cała pościel była zakrwawiona, a on nawet nie drgnął.

– Massimo – szarpałam go, wrzeszcząc.

Przekręciłam go na plecy, a on zdezorientowany otworzył oczy. Z ulgą opadałam na materac. Rozejrzał się dookoła i przejechał dłonią po klatce piersiowej, ścierając krew.

– To nic, kochanie, szwy puściły – powiedział, unosząc się i uśmiechając do mnie. – Nawet tego nie czułem w nocy. Ale chyba musimy się umyć, bo wyglądamy, jakbyśmy wspólnie kogoś zaszlachtowali – powiedział z rozbawieniem, przeczesując włosy czystą ręką.

– Nie bawi mnie to – rzuciłam i poszłam do łazienki.

Nie musiałam długo czekać, by pojawił się obok. Tym razem to ja myłam jego, delikatnie ściągając nasiąknięte krwią opatrunki. Kiedy skończyłam, wzięłam apteczkę i zakleiłam je na nowo.

– Czeka cię wizyta u lekarza – oznajmiłam tonem nieznoszącym sprzeciwu.

Popatrzył na mnie ciepłym wzrokiem, w którym czaiła się uległość.

– Będzie, jak zechcesz, tylko najpierw musisz zjeść śniadanie. Twój post skończył się wczoraj – powiedział, wychodząc z wanny i całując mnie w czoło.

Podeszłam do lodówki i odkryłam absolutny brak jedzenia. Na półce leżały tylko wina, woda i soki. Czarny zaszedł mnie od tyłu i przytulając twarz do mojej, patrzył w niemal puste wnętrze.

– Widzę, że mamy okrojone menu.

– Ostatnio jakoś nie miałam apetytu. Ale na dole jest sklep, poczuj się jak normalny człowiek i idź po zakupy, zrobię ci listę, a później przygotuję śniadanie – powiedziałam, zamykając drzwi.

Na te słowa cofnął się i oparł o niewielki stół stojący w kuchni.

– Zakupy? – zapytał, marszcząc brwi.

– Tak, don Massimo, zakupy. Masło, bułki, bekon, jajka równa się śniadanie.

Czarny z nieukrywanym rozbawieniem wyszedł z kuchni, rzucając w progu:

– Zrób listę.

Po krótkiej instrukcji, jak dotrzeć do sklepu, który znajdował się w tym samym budynku jakieś pięć metrów od wyjścia z klatki na zewnątrz, patrzyłam, jak wsiada do windy.

Przewidywałam, że zajmie mu to więcej czasu, niż powinno, ale mniej, niż potrzebowałam ja, by doprowadzić się do porządku. Popędziłam więc do łazienki, poprawiłam włosy, zrobiłam lekki makijaż w stylu „nie malowałam się, ja tak wyglądam co rano" i po wskoczeniu w różowy dres ułożyłam się na kanapie.

Massimo zaskakująco szybko wrócił na górę, nie używając wideofonu.

– Od kiedy jesteś w Polsce? – spytałam, gdy wszedł.

Zawahał się i patrzył przez chwilę.

– Najpierw śniadanie, później rozmowa, Lauro. Ja nigdzie się nie wybieram, a już na pewno nie bez ciebie.

Odstawił zakupy na blat w kuchni i wrócił do mnie.

– Ty zrobisz śniadanie, mała, bo nie mam pojęcia o gotowaniu, a ja w tym czasie skorzystam z twojego komputera.

Podniosłam się i ruszyłam w stronę kuchni.

– Masz szczęście, że kocham gotować i jestem w tym całkiem niezła – powiedziałam i zabrałam się do roboty.

Po trzydziestu minutach siedzieliśmy na miękkim dywanie w salonie, jedząc w stylu all-American.

– No dobrze, Massimo, i tak już długo wytrzymałam. Mów! – warknęłam, odkładając sztućce.

Czarny oparł się plecami o brzeg kanapy i mocno wciągnął powietrze.

– Pytaj! – Przeszył mnie lodowatym wzrokiem.

– Jak długo jesteś w Polsce? – zaczęłam.

– Od wczorajszego poranka.

– Byłeś w tym mieszkaniu, kiedy mnie tu nie było?

– Tak, kiedy wyszłyście z Olgą koło piętnastej.

– Skąd znasz kod do domofonu i ile jeszcze jest par kluczy?

– Sam go ustaliłem, to rok mojego urodzenia, a klucze mamy tylko ja i ty.

Tysiąc dziewięćset osiemdziesiąt sześć, czyli ma dopiero trzydzieści dwa lata, pomyślałam, i wróciłam do rozmowy, która teraz bardziej mnie interesowała niż jego wiek.

– Czy od czasu, kiedy ja jestem w Polsce, twoi ludzie także tu są?

Massimo z rozbawieniem splótł ręce na piersi.

– No jasne, chyba nie sądziłaś, że zostawię cię samą?

Podświadomie znałam odpowiedź, jeszcze zanim mi jej udzielił. Wiedziałam, że ciągłe poczucie bycia obserwowaną nie brało się znikąd.

– A wczoraj? Też wysłałeś ludzi za mną?

– Nie, wczoraj byłem prawie wszędzie tam, gdzie ty, Lauro, łącznie z mieszkaniem twojego byłego faceta, jeśli o to ci chodzi. I przyrzekam ci, że kiedy pod klubem wsiadałaś do jego samochodu, niewiele brakowało, bym wyciągnął broń. – Jego spojrzenie było poważne i lodowate. – Wyjaśnijmy coś sobie, mała. Albo nie będziesz z nim utrzymywać żadnych kontaktów, albo zwyczajnie pozbędę się go.

Wiedziałam, że negocjacje z nim nie mają sensu, ale dziesiątki godzin szkoleń z manipulacji nie poszły na marne, więc wiedziałam, jak to rozegrać.

– Dziwi mnie to, że widzisz w nim rywala – zaczęłam beznamiętnie. – Nie sądziłam, że boisz się konkurencji, zwłaszcza że akurat po tym, co zobaczyłam na zdjęciach, on konkurencją nie jest. Zazdrość to słabość, a odczuwa się ją jedynie wtedy, kiedy człowiek czuje, że rywal jest jej godzien. Czyli jest co najmniej tak dobry jak on albo nawet lepszy. – Zwróciłam się w jego stronę i delikatnie go pocałowałam. – Nie sądziłam, że masz słabości.

Czarny siedział w milczeniu, bawiąc się kubkiem herbaty.

– Wiesz co, Lauro, masz rację. Potrafię przyjąć racjonalne argumenty. Co w tej sytuacji proponujesz?

– Co proponuję? – powtórzyłam po nim. – Nic, uważam, że ten etap mojego życia jest zamknięty, jeśli Martin czuje inaczej, to jego sprawa. Może męczyć się nadal, mnie to już nie dotyczy. Poza tym musisz wiedzieć, że ja, tak jak ty, nie wybaczam zdrady. A właśnie, jeśli już o tym mowa, co wrzuciliście mu do drinka w moje urodziny?

Massimo odstawił kubek i spojrzał na mnie z przerażeniem.

– Co, myślałeś, że się nie dowiem? To dlatego zakazałeś mi rozmów z nim, żebym nie poznała prawdy? – wycedziłam przez zaciśnięte zęby.

– Liczy się fakt – zdradził, poza tym nie każdy po tej substancji leci posuwać pannę. To nie była tabletka gwałtu, mała, czy MDMA, to był tylko środek potęgujący działanie alkoholu. On miał się upić szybciej niż zwykle, to wszystko. Nie będę zaprzeczał, że nie miałem udziału w tym, aby nie wyszedł za tobą od razu, kiedy wybiegłaś z hotelu. Oczywiście, że spowolniłem go celowo. Tylko zastanów się, ile by to zmieniło i czy na pewno chciałabyś, by cała ta sytuacja wyglądała inaczej.

Wstał z dywanu i usiadł na kanapie.

– Czasem mam wrażenie, że zapominasz, kim jestem i jaki jestem. Możesz zmieniać mnie, kiedy jestem z tobą, ale nie zmienię się dla całego świata. I jeśli chcę czegoś, mam to. Porwałbym cię tego czy innego dnia, to była tylko kwestia czasu i takich lub innych metod.

Po tym, co usłyszałam, byłam zła. Niby wiedziałam, że i tak zrobiłby, co chce, ale fakt, że nic nie zależało ode mnie, doprowadzał mnie do szału.

– Naprawdę chcesz roztrząsać przeszłość, na którą oboje już nie mamy wpływu? – zapytał, pochylając się w moją stronę i lekko mrużąc oczy.

– Masz rację – westchnęłam zrezygnowana. – A Neapol? – rzuciłam, zaciskając powieki na myśl o słowach, które wtedy usłyszałam. – W telewizji powiedzieli, że zginąłeś.

Massimo wyciągnął się, opierając się o poduszki na kanapie. Przyglądał mi się badawczo, jakby chciał ocenić, ile prawdy zniosę. W końcu zaczął opowiadać.

– Kiedy wyszedłem z pokoju hotelowego, zostawiając cię, zjechałem do recepcji. Chciałem dać ci czas na podjęcie decyzji. Przechodząc przez hol, zobaczyłem Annę wsiadającą do samochodu swojego przyrodniego brata. Wiedziałem, że skoro don Emilio jest tutaj, coś musiało się stać.

Przerwałam mu.

– Jak to: don?

– Emilio to głowa neapolitańskiej rodziny, która od pokoleń panuje nad zachodnią częścią Włoch. Po tym, co powiedziała, kiedy nas spotkała, i znając jej charakter, czułem, że coś kombinuje. Musiałem cię zostawić, bo wiedziałem, że nie podejrzewa, iż to zrobię. A jeśli zamierzała dopaść ciebie, ścigając mnie, musiałem trochę zepsuć jej plan. Wróciłem na statek i poleciałem na Sycylię. Aby zachować maksimum pozorów, dołączyła do mnie jedna z kobiet obsługujących Tytana, która najbardziej przypominała ciebie. Przebrana w twoje rzeczy udała się ze mną do domu, po czym wylecieliśmy do Neapolu. Spotkanie z Emiliem zaplanowane było już wiele tygodni wcześniej, mamy sporo wspólnych interesów.

– Poczekaj – wtrąciłam. – Byłeś z siostrą innego dona? To tak można?

Massimo zaśmiał się i upił łyk herbaty.

– A czemu nie? Poza tym wtedy wydawało mi się to doskonałym pomysłem. Ewentualne połączenie dwóch ogromnych rodzin gwarantowałoby spokój na długi czas i monopol w dużej części Włoch. Widzisz, Lauro, ty źle postrzegasz mafię. My jesteśmy firmą, korporacją i jak w każdym biznesie, u nas także są fuzje i przejęcia. Z tą tylko różnicą, że trochę bardziej brutalne niż w zwykłym przedsiębiorstwie. Zostałem solidnie przygotowany do biznesu, który miałem kiedyś przejąć. Nauczono mnie rozwiązań dyplomatycznych i tylko w ostateczności uciekam się do przemocy. Dlatego moja rodzina jest jedną z najsilniejszych i najbogatszych pośród włoskich mafii na całym świecie.

– Na świecie? – zapytałam zdezorientowana.

– Owszem, prowadzę interesy w Rosji, Wielkiej Brytanii, w Stanach Zjednoczonych, chyba łatwiej byłoby powiedzieć, gdzie ich nie prowadzę. – Radość i duma z tego, ile osiągnęła jego rodzina, były niemal namacalne.

– No dobrze, a wracając do tego, co się stało w Neapolu... – ponaglałam go.

– Anna wiedziała o moim spotkaniu z jej bratem, sama jeszcze wiosną nakłaniała mnie do niego. Nie mogłem odmówić tylko dlatego, że już nie byliśmy parą, to byłaby potwarz dla Emilia, a na to nie mogłem sobie pozwolić. Stawiłem się w umówionym miejscu, towarzyszył mi jak zawsze Mario, mój consigliere, i kilku ludzi, którzy zostali w samochodach. Rozmowy nie toczyły się tak, jakbym tego chciał, poza tym czułem, że jest coś, o czym mi nie mówi. Kiedy uznaliśmy, że porozumienie jest niemożliwe, opuściliśmy budynek. Emilio wyszedł za mną i wyrzucił z siebie potok gróźb, wykrzykiwał, jak potraktowałem jego siostrę, że znieważyłem ją i kazałem usunąć nienarodzone dziecko. Później padło słowo, którego nienawidzimy wszyscy, bo każdy, kto ma choć odrobinę rozumu, wie, że nie prowadzi to do niczego dobrego: wendeta, czyli krwawa zemsta.

– Że co?! – krzyknęłam skrzywiona, jakby jego opowieść zadawała mi ból. – Przecież tak jest tylko w filmach?!

– Niestety, nie tylko, tak jest w cosa nostrze. Jeżeli zabijesz członka rodziny albo zdradzisz go, wtedy cała organizacja poluje na ciebie. Wiedziałem, że tłumaczenia i dalsza rozmowa nie mają sensu. Gdyby nie miejsce, gdzie byliśmy, i czas, pewnie rozegrałoby się to od razu, ale on także nie był głupi i chciał załatwić to najszybciej, jak się dało. Kiedy jechaliśmy ze spotkania na lotnisko, drogę zastawiły nam dwa range rovery, z których wysiedli ludzie Emilia, a także on sam. Wywiązała się strzelanina, w której zginął, jak sądzę, od mojej kuli. Zjawili się karabinierzy, a ja razem z Mariem musiałem zaszyć się w bezpiecznym miejscu i przeczekać. Samochody, które pozostały na miejscu zdarzenia, były zarejestrowane na jedną z moich firm. Dlatego pismaki, posiadając tylko lakoniczne informacje od policji, uśmierciły mnie, a nie Emilia.

Głośno oddychałam, gapiąc się na niego, i miałam wyrażenie, że oglądam drastyczny gangsterski film. Nie wiedziałam, czy ja i moje chore serce pasujemy do tego świata, ale miałam pewność co do jednego – byłam szaleńczo zakochana w człowieku, który siedział przede mną.

– Żebyś miała jasność, Lauro – nie było żadnej ciąży, w tej kwestii jestem bardzo uważny.

Kiedy wypowiedział te słowa, aż zamarłam. Zupełnie zapomniałam o tym, co powiedział mi Domenico w dzień mojego wyjazdu z Sycylii.

– Masz nadajnik wszczepiony pod skórę? – zapytałam najspokojniej, jak umiałam.

Massimo poprawił się na siedzeniu, a jego twarz zmieniła wyraz, jakby wiedział, do czego zmierzam.

– Mam – rzucił krótko, gryząc wargi.

– Możesz mi go pokazać?

Massimo zdjął bluzę od dresu, którą miał na sobie, i podszedł do mnie. Wyciągnął lewą rękę, a prawą chwycił moją dłoń, naprowadzając na małą rurkę pod skórą. Zabrałam ją, jakby mnie parzyła, po czym dotknęłam tego samego miejsca na moim ciele.

– Lauro, zanim zaczniesz histeryzować – zaczął, wkładając bluzę. – Tamtej nocy ja...

Nie dałam mu dokończyć.

– Zabiję cię, Massimo, serio – wysyczałam przez zęby. – Jak mogłeś okłamać mnie w takiej sprawie? – Patrzyłam na niego, czekając, aż powie coś mądrego, a przez głowę przelatywały mi myśli, co będzie, jeśli...

– Przepraszam. Wtedy sądziłem, że najłatwiejszym sposobem zatrzymania cię będzie dziecko.

Wiedziałam, że jest szczery, ale to zwykle kobiety łapały bogatych facetów tym sposobem, a nie odwrotnie.

Wstałam, chwytając torebkę, i ruszyłam w stronę drzwi, a Czarny zerwał się za mną, ale machnęłam ręką, by usiadł, i wyszłam. Zjechałam windą do garażu, próbując sama się uspokoić, wsiadłam do samochodu i ruszyłam do centrum handlowego niedaleko mojego domu. Znalazłam w nim aptekę, kupiłam test i wróciłam. Kiedy weszłam, Czarny siedział w dokładnie tej samej pozycji, w której go zostawiłam. Położyłam wszystko na ławie i odezwałam stanowczym głosem:

– Zaingerowałeś w moje życie, porywając mnie, poprosiłeś o rok, szantażując śmiercią moich ukochanych osób, ale to ci nie wystarczyło. Musiałeś spróbować spierdolić wszystko już do końca, decydując samodzielnie o tym, czy mamy zostać rodzicami. A zatem, don Massimo, ja teraz powiem ci, jak będzie – wyrzuciłam podniesionym tonem. – Jeśli za chwilę okaże się, że jestem w ciąży, wyjdziesz stąd, a ja nigdy nie będę twoja.

Na te słowa Czarny wstał i głośno wciągnął powietrze.

– Jeszcze nie skończyłam – powiedziałam, odchodząc od niego w stronę okna. – Będziesz widywał się z dzieckiem, ale nie ze mną, a ono nigdy nie obejmie władzy po tobie i nie zamieszka na Sycylii, czy to jasne? Urodzę je i wychowam, mimo że nie jest mi to na rękę, bo jestem przyzwyczajona, że rodzinę tworzy co najmniej trójka ludzi. Ale nie pozwolę, by twoje zachcianki zniszczyły życie istocie, która sama nie pcha się na ten świat. Rozumiesz?

– A jeśli nie jesteś? – Czarny zbliżył się i stanął naprzeciwko.

– Wtedy czeka cię długa pokuta – powiedziałam, odwracając się.

W drodze do łazienki wzięłam test ze szklanego blatu i na miękkich nogach zamknęłam za sobą drzwi toalety. Zrobiłam, co nakazywał przepis, i położyłam plastikowy wskaźnik na umywalce. Siedziałam na podłodze oparta o ścianę, mimo że czas potrzebny, aby pokazał się wynik, dawno minął. Serce waliło mi tak, że prawie widziałam je przez skórę, a krew pulsowała w skroniach. Bałam się i chciało mi się rzygać.

– Lauro. – Massimo zapukał do drzwi. – Wszystko okej?

– Zaraz – krzyknęłam, podnosząc się i spoglądając w stronę umywalki. Jezu... – szepnęłam.

ROZDZIAŁ 14

Kiedy wyszłam, Czarny siedział na łóżku z miną, której nigdy u niego nie widziałam. Na jego twarzy malowały się troska, strach, niepokój i przede wszystkim napięcie. Na mój widok poderwał się z miejsca. Stanęłam przed nim i wyciągnęłam rękę z testem. Był negatywny. Rzuciłam go na podłogę i poszłam w stronę kuchni. Z lodówki wyciągnęłam butelkę wina, nalałam sobie kieliszek i opróżniłam cały. Aż się wzdrygnęłam. Odwróciłam głowę i popatrzyłam na opartego o ścianę Massima.

– Nigdy więcej tak nie rób. Jeśli zdecydujemy się zostać rodzicami, będzie tak, ale za obopólną zgodą albo przez przypadek i głupotę nas obojga. Rozumiesz?

Podszedł i mocno wtulił twarz w moje włosy.

– Przepraszam, mała – wyszeptał. – A tak serio, to przykro mi, mielibyśmy śliczne dziecko.

Odsunął się ze śmiechem, jakby wiedział, że zaraz wymierzę mu cios. Łapiąc moje ręce, którymi wymachiwałam, dalej droczył się ze mną.

– Gdyby był to chłopiec z charakterkiem po tobie, w wieku trzydziestu lat stałby się capo di tutti capi, a to nie udało się nawet mnie. – Stanęłam przed nim i opuściłam ręce.

– Znowu leci ci krew – powiedziałam, rozpinając jego bluzę, która zdążyła już przemięknąć. – Jedziemy do lekarza, a tę głupią rozmowę uważam za zakończoną, nasz syn nie będzie w mafii.

Przywarł do mnie nagim ciałem, zupełnie nie zwracając uwagi na to, że mnie brudzi. Z uśmiechem patrzył mi w oczy i delikatnie całował.

– A więc – powiedział, przerywając pocałunkami – będziemy mieli syna?

– Oj, przestań, to takie dywagacje sytuacyjne. Ubieraj się, jedziemy do kliniki.

Kolejny raz opatrzyłam mu rany i poszłam do garderoby. Zrzuciłam z siebie zabrudzone na czerwono ciuchy. Wcisnęłam się w jasne podarte dżinsy, białą koszulkę i ukochane trampki Isabel Marant. Kiedy skończyłam się ubierać, do pomieszczenia wszedł Czarny i otworzył jedną z czterech ogromnych szaf. Z zaciekawieniem odkryłam, że cała była wypchana jego rzeczami.

– Kiedy zdążyłeś się rozpakować?

– Wczoraj w ciągu dnia i nocy było dużo czasu, poza tym chyba nie sądzisz, że zrobiłem to sam.

Nigdy nie widziałam, by się tak nosił, wyglądał jak normalny młody, dobrze ubrany facet. Włożył granatowe przecierane dżinsy i czarną bluzę, a do tego sportowe mokasyny. Wyglądał obłędnie. Sięgnął do walizki, która stała wewnątrz szafy, i wyciągnął małe pudełeczko.

– Zapomniałaś czegoś – powiedział, zapinając mi na ręce zegarek, który jakiś czas temu dostałam od niego, gdy jechaliśmy na lotnisko.

– Czy to też nadajnik? – rzuciłam ze śmiechem.

– Nie, Lauro, to zegarek, jeden nadajnik wystarczy i nie wracajmy już do tego. – Skończył i posłał mi ostrzegawcze spojrzenie.

– Jedźmy, bo zaraz twoje stygmaty kolejny raz się otworzą – zakomenderowałam, biorąc kluczyki od bmw.

– Piłaś, więc nie poprowadzisz – powiedział, odkładając je na blat.

– No dobrze, ale ty możesz, chyba że nie umiesz prowadzić auta?

Massimo stał z cwaniackim uśmiechem i przyglądał mi się, unosząc brwi.

– Jakiś czas temu ścigałem się w rajdach, więc zaufaj mi, znam obsługę skrzyni biegów. Ale nie pojedziemy twoim samochodem, bo nie lubię prowadzić autobusów.

– No to wezwę taksówkę.

Wyciągnęłam telefon z torebki i wystukałam numer, a Czarny powoli wyjął mi go z dłoni i wcisnął czerwoną słuchawkę. Podszedł do szafki, która stała obok drzwi, i otworzył najniższą szufladę. Wyciągnął z niej dwie koperty.

– Nie zaglądałaś tu, co? – zapytał ironicznie, otwierając pierwszą. – Mamy też inne środki transportu stojące w garażu, które bardziej mi odpowiadają. Chodź.

Zjechaliśmy na poziom minus jeden, Massimo wcisnął guzik na pilocie, który trzymał w ręku. Na jednym z miejsc zamigotały światła samochodu. Przeszliśmy kawałek i moim oczom ukazało się czarne ferrari italia. Zatrzymałam się i z niedowierzaniem patrzyłam na płaski, zachwycający sportowy samochód.

– Który jeszcze należy do ciebie? – zapytałam, patrząc, jak wsiada do środka.

– Który tylko sobie wybierzesz, mała, wsiadaj.

Auto w środku przypominało nieco statek kosmiczny: kolorowe guziki i pokrętła, spłaszczona na dole kierownica. Bez sensu, pomyślałam. Jak tym można jeździć bez przeczytania instrukcji obsługi?

– Ostentacyjniej już się nie dało?

Czarny wcisnął guzik z napisem start, a samochód ryknął.

– Dało, ale pagani zonda zbyt mocno rzucał się w oczy. Poza tym stan polskich dróg nie jest zadowalający na tyle, by jego zawieszenie to zniosło. – Uniósł z rozbawieniem brwi i nadepnął gaz.

Wyjechaliśmy z garażu. Już po pierwszych metrach zrozumiałam, że doskonale wiedział, co robi, siadając za kierownicą. Mijaliśmy kolejne skrzyżowania, a ja nawigowałam nas w drodze do prywatnego szpitala w Wilanowie. Wybrałam to miejsce, bo akurat tam pracowało kilku znajomych lekarzy. Poznałam ich na jednej z konferencji medycznych, które organizowałam, i przypadliśmy sobie do gustu. Generalnie lubili się bawić, dobrze zjeść i pić drogie trunki, a do tego cenili moją dyskrecję. Zadzwoniłam do jednego z nich, który był chirurgiem, i oznajmiłam, że potrzebuję przysługi.

W recepcji szpitala siedziały młode kobiety, podeszłam do jednej z nich, przedstawiłam się i poprosiłam o skierowanie nas na oddział do doktora Ome. Niemal zupełnie mnie zignorowały, wpatrując się w przystojnego Włocha, który mi towarzyszył. Pierwszy raz widziałam, by kobiety tak na niego reagowały. W jego kraju śniada cera i czarne oczy nie były niczym szczególnym, ale tu uchodził za towar importowany, bardzo chodliwy. Ponowiłam więc prośbę, a zawstydzona młoda kobieta podała nam piętro i numer gabinetu.

– Pan doktor już czeka na państwa – wymamrotała, usiłując się skupić.

Kiedy jechaliśmy windą, Massimo dotknął ustami mojego ucha.

– Lubię, kiedy mówisz po polsku – wyszeptał. – Tylko wkurza mnie, że nic nie rozumiem. Ale to dobrze, bo nasz syn będzie mówił w trzech językach.

Nie zdążyłam zripostować, bo drzwi windy otworzyły się i wyszliśmy na korytarz.

Doktor Ome był mało przystojnym mężczyzną w średnim wieku, co wyraźnie ucieszyło Czarnego.

– Lauro, witaj. – Wyciągnął do mnie dłoń na powitanie. – Jak się masz?

Przywitałam go i przedstawiłam Massimowi, uprzedzając, że będziemy rozmawiać po angielsku.

– To mój...

– Narzeczony. – Czarny dokończył za mnie. – Massimo Torricelli, dziękuję, że nas pan przyjął.

– Paweł Ome, miło mi i proszę, mówmy sobie po imieniu. Co was do mnie sprowadza?

Torricelli, powtarzałam w myślach, bo po tych kilku tygodniach nie miałam pojęcia, jak ma na nazwisko.

Czarny rozebrał się do pasa, a Paweł zaniemówił.

– Byłem na polowaniu – rzucił, widząc jego reakcję. – Trochę za dużo chianti i takie są skutki – powiedział rozbawiony.

– Doskonale cię rozumiem, kiedyś po imprezie postanowiliśmy złapać – i to dosłownie – jadący pociąg.

Opowiadając tę historię, doktor Ome podał znieczulenie i pozaszywał rany, wypisał receptę z maścią, antybiotyk i nakazał „nie ocierać się".

Wyszliśmy z kliniki i wsiedliśmy do samochodu.

– Lunch? – zapytał, odgarniając mi pasmo włosów za ucho. – Nie mogę przyzwyczaić się do tego koloru. Podoba mi się i bardzo do ciebie pasuje, ale jesteś taka... – Chwilę myślał. – Nie moja.

– Na razie mi się podoba, poza tym to tylko włosy, za jakiś czas zmienię. Jedźmy, znam świetną włoską knajpę.

Massimo uśmiechnął się i wklepał w nawigację adres.

– Włoskie jedzenie jada się we Włoszech. A tu chyba polskie, z tego, co wiem. Zapnij pas.

Przemykaliśmy przez kolejne uliczki, a ja cieszyłam się, że samochód miał prawie zupełnie czarne szyby, bo na jego widok ludzie stawali w miejscu i usiłowali zajrzeć do środka.

To auto było dokładnie jak Massimo: skomplikowane, niebezpieczne, ciężkie do opanowania i szalenie zmysłowe.

Zatrzymaliśmy się w centrum, obok jednej z najlepszych restauracji w mieście.

Kiedy weszliśmy do środka, przywitał nas menedżer. Czarny dyskretnie powiedział coś do niego i mężczyzna po wskazaniu nam stolika zniknął. Po chwili na sali pojawił się elegancki starszy mężczyzna z głową ogoloną na łyso. Miał na sobie grafitowy garnitur z purpurową podszewką, widać, że szyty na miarę, rozpiętą ciemną koszulę i oszałamiające buty.

– Massimo, przyjacielu! – wykrzyknął i mocno przytulił Czarnego, który ledwo zdążył wstać.

Bez ocierania, bez ocierania, powtarzałam po cichu.

– Jak dobrze nareszcie cię widzieć w moim kraju.

Mężczyźni wymienili uprzejmości, przypominając sobie po dłuższej chwili o moim istnieniu.

– Karlo, poznaj, to Laura, moja narzeczona.

Mężczyzna pocałował mnie w rękę i dodał:

– Karol, miło mi, ale możesz mówić do mnie Karlo.

Byłam trochę zdziwiona, że Massimo zna właściciela restauracji w centrum Warszawy, mimo że nigdy tu nie był.

– Pewnie moje pytanie nie będzie dla was zaskoczeniem, ale skąd się znacie?

Karol popatrzył pytająco na Massima, a ten odpowiedział, patrząc na mnie lodowatym wzrokiem.

– Z pracy. Robimy razem interesy. Ludzie Karla przywieźli cię z lotniska i chronili tu na miejscu pod moją nieobecność.

– Zamówiliście już coś do jedzenia? Jeśli nie, pozwólcie, że ja wybiorę za was – powiedział gospodarz, siadając z nami przy stoliku.

Po kolejnych daniach i butelkach wina czułam się pełna i coraz bardziej niepotrzebna, ponieważ ich rozmowy zeszły na sprawy zawodowe. Z tego, co mówili, wywnioskowałam, że Karol był w połowie Polakiem, a w połowie Rosjaninem. Inwestował w gastronomię i miał potężną firmę logistyczną zajmującą się transportem międzynarodowym.

Z niebywale nudnej konwersacji wyrwał ich dźwięk telefonu Karola. Restaurator przeprosił nas i odszedł na chwilę. Massimo skupił na mnie wzrok i wyciągnął rękę, łapiąc mnie za dłoń.

– Wiem, że się nudzisz, ale to będzie niestety część twojego życia. W niektórych spotkaniach będziesz musiała uczestniczyć, a w niektórych nie będziesz mogła. Muszę omówić z Karlem kilka spraw. – Ściszył głos i lekko pochylił się w moją stronę. – A potem wrócimy do domu, żebym mógł zerżnąć cię na każdym piętrze w każdą część twojego ciała – powiedział z pełną powagą, lekko mrużąc oczy.

Te słowa sprawiły, że zrobiło mi się gorąco. Uwielbiałam ostry seks, a jego groźba była obietnicą, na którą warto było poczekać.

Wyciągnęłam rękę z jego dłoni i upiłam łyk z kieliszka, opierając się o krzesło.

– Zastanowię się.

– Lauro, ja nie pytam cię o pozwolenie, ja cię informuję, co zamierzam zrobić.

Widząc jego wzrok, wiedziałam, że nie żartuje, ale to była jedna z tych gier, które uwielbiałam w jego wykonaniu. Siedział spokojny i opanowany, a w środku aż się gotował. Wiedziałam, że im bardziej on będzie zły, tym lepszy będzie seks.

– Chyba nie mam dziś ochoty – oznajmiłam i wzruszyłam lekceważąco ramionami.

Wzrok Czarnego zapłonął złością niemal tak intensywnie, że czułam, jak mnie parzy. Nie odezwał się, tylko ironicznie uśmiechnął, jakby bezdźwięcznie pytał mnie, czy jestem tego pewna.

Gęstniejącą atmosferę rozrzedził głos Karola, który podszedł do stolika.

– Massimo, pamiętasz Monikę?

– Oczywiście, jakbym mógł zapomnieć twoją uroczą żonę.

Czarny podszedł do kobiety i ucałował ją dwa razy, a potem wskazał ręką w moją stronę.

– Moniko, poznaj Laurę, moją narzeczoną.

Wyciągnęła do mnie dłoń i mocno ją uścisnęła.

– Cześć, miło wreszcie zobaczyć kobietę u boku Massima, a nie ciągle Maria. Zdaję sobie sprawę, że to jego doradca, czy jak oni tam wolą consigliere, ale jemu nie mogę powiedzieć, że ma śliczne buty.

Mimo dzielącej nas sporej różnicy wieku po tych słowach wiedziałam, że się dogadamy. Monika była wysoką brunetką o delikatnych rysach. Trudno było powiedzieć, ile ma lat, bo nie dało się ukryć, że albo ma geny kosmity, albo doskonałego lekarza.

– Miło mi, jestem Laura. Z ust mi wyjęłaś tekst o butach, to ostatnia kolekcja Givenchy, jak sądzę? – powiedziałam, wskazując na jej kozaki.

Monika uśmiechnęła się porozumiewawczo.

– Widzę, że coś nas łączy. Nie wiem, na ile jesteś zainteresowana ich rozmową, ale proponuję ci wyprawę ze mną do baru. Zapewniam moc atrakcji w postaci procentów.

Zaśmiała się, ukazując szereg białych, pięknych zębów, i wskazała miejsce w drugim końcu sali.

– Od godziny już czekam na ratunek, dzięki – powiedziałam, wstając.

Massimo nie zrozumiał ani słowa z tego, co powiedziałyśmy, gdyż język polski, dzięki Bogu, nadal był mu obcy. Popatrzył na mnie, gdy odsunęłam krzesło.

– Wybierasz się gdzieś?

– Tak, z Moniką porozmawiać o czymś ważniejszym niż zarabianie pieniędzy, na przykład o butach – powiedziałam, pokazując mu żartobliwie język.

– To baw się szybko, bo niebawem kończymy. Jak pamiętasz, mamy kilka spraw do załatwienia później.

Stałam, ze zdziwieniem wpatrując się w niego. Spraw? Nagle jego oczy zrobiły się zupełnie czarne, jakby źrenice zalały tęczówkę. A, tych spraw, pomyślałam.

– Jak już mówiłam, don Massimo, zastanowię się.

Kiedy chciałam odejść od stolika, złapał mnie za nadgarstek i energicznie podniósł się z miejsca, przyciągnął mnie siebie i opierając o ścianę, mocno i głęboko pocałował. Zachowywał się tak, jakby obok nie było ludzi, a przynajmniej jakby ich obecność w niczym mu nie przeszkadzała.

– Zastanawiaj się szybciej, mała – powiedział, odrywając ode mnie usta, a zaraz później całe swoje ciało.

Stałam jeszcze przez chwilę oparta o ścianę i taksowałam go wzrokiem. Kiedy byli przy nas ludzie, stawał się zupełnie innym człowiekiem, jakby wkładał maskę dla nich, a przy mnie się jej pozbywał.

Czarny usiadł na krzesło i wrócił do rozmowy z Karolem, a ja ruszyłam za Moniką w stronę baru.

Restauracja, mimo że serwowała wyłącznie polskie jedzenie, nie była przaśną chatą z folkowymi elementami. Usytuowana we wnętrzu starej kamienicy zajmowała niemal cały jej parter. Wysokie sufity i szerokie kolumny podtrzymujące strop nadawały pomieszczeniu specyficzny przedwojenny klimat. Na środku stał czarny fortepian, na którym nieustająco grał leciwy, bardzo elegancki mężczyzna. Wszystko prócz instrumentu było białe: nakrycia stolików, ściany, bar, tworząc spójną całość.

– Long Island – powiedziała Monika, siadając na stołku barowym. – Chcesz to samo?

– Oj nie, Long Island to zło, zwłaszcza że wczorajsza noc była ciężka. Poproszę kieliszek prosecco.

Przez dłuższą chwilę naszym głównym tematem były jej obłędne kozaki i moje trampki. Opowiadała mi o tegorocznym tygodniu mody w Nowym Jorku, o wsparciu, jakiego udziela młodym polskim projektantom, i o tym, jak ciężko jest się ubrać w tym kraju. Ale widać było, że nie to jest powodem odciągnięcia mnie od Czarnego.

– A więc istniejesz naprawdę – powiedziała, zmieniając nagle temat i z niedowierzaniem patrząc na mnie.

Przez chwilę zastanawiałam się, o co jej chodzi, aż przypomniałam sobie moje portrety w posiadłości Czarnego.

– Nawet mnie trudno w to uwierzyć, ale wygląda na to, że tak. Z tą różnicą, że od paru dni mam jasne włosy.

– Kiedy cię znalazł? I gdzie przede wszystkim? Zdradź coś, bo obydwoje z Karolem umieramy z ciekawości, no, może on trochę mniej, ale mnie aż rozsadza.

Minęła chwila, zanim opowiedziałam pokrótce całą naszą historię, omijając zbędne szczegóły. Nie wiedziałam, na ile z nich mogę sobie pozwolić w stosunku do kobiety, którą poznałam przed chwilą. Mimo że miałam wrażenie, iż znam ją od lat, postanowiłam zachować ostrożność przy wypowiadaniu myśli.

– Czeka cię trudne zadanie, Lauro. Bycie kobietą takiego człowieka to ogromne wyzwanie – ostrzegła mnie, patrząc na obracaną w dłoniach szklankę. – Wiem, czym zajmuje się twój i mój mężczyzna, dlatego pamiętaj – im mniej wiesz, tym lepiej śpisz.

– Zauważyłam, że pytania nie są wskazane – wyszeptałam skrzywiona.

– Nie pytaj, będzie chciał, to sam ci powie, a jak nie powie, to znaczy, że sprawa cię nie dotyczy. I to, co jest bardzo ważne: nigdy nie kwestionuj jego decyzji w sprawach bezpieczeństwa. – Odwróciła się przodem i wbiła we mnie wzrok. – Pamiętaj, że wszystko, co on robi, jest po to, by cię chronić. Ja kiedyś nie posłuchałam – powiedziała, podnosząc rękawy białej koszuli. – I taki był skutek, porwano mnie.

Popatrzyłam na jej nadgarstki, na których widniały dwie, ledwo widoczne już blizny.

– Tu był drut. Karol znalazł mnie w niecałą dobę i już nigdy więcej nie miałam ochoty spierać się z nim w kwestiach ochrony czy nadopiekuńczości. Massimo będzie jeszcze gorszy, bo on szukał cię wiele lat i mocno wierzy w znaczenie swojej wizji. Będzie traktował cię jak najcenniejszy skarb, który jego zdaniem wszyscy chcą posiąść. Dlatego bądź cierpliwa, myślę, że na to zasługuje.

Siedziałam i starałam się przetrawić to, co właśnie powiedziała. Spoza bańki, jaką było życie z Massimem, docierały do mnie coraz mocniejsze bodźce uświadamiające mi, że to nie jest sen, a już na pewno nie bajka. Z natłoku myśli wyrwał mnie głos Czarnego.

– Drogie panie, na nas już czas, mamy pilne sprawy do załatwienia. Moniko, bardzo miło było spotkać cię znowu i mam nadzieję, że niebawem odwiedzicie nas z Karlem na Sycylii.

Pożegnaliśmy się i ruszyliśmy w stronę wyjścia. Zanim odeszłam, Monika złapała mnie za rękę i wyszeptała:

– Pamiętaj, co ci mówiłam.

Jej poważny ton przeraził mnie. Po co ktoś miałby mnie porywać? No tak, a po co ktoś miałby porywać ją?

– Mała, wsiadaj – powiedział Massimo, otwierając mi drzwi do samochodu.

Potrząsnęłam głową, odganiając głupie myśli, i zrobiłam, o co prosił.

– Będziesz prowadził? Przecież piłeś!

Czarny przekręcił się na siedzeniu i pogłaskał kciukiem mój policzek.

– Ty piłaś, ja wysączyłem jeden kieliszek przez całe popołudnie. Zapnij pas, trochę spieszy mi się do domu – powiedział, ściągając klamrę.

Czarne ferrari pędziło przez Warszawę, a ja zastanawiałam się, co on planuje. Przez głowę przebiegały mi rozmaite scenariusze, które tylko potęgowały ciekawość i podniecenie. Wjechaliśmy do garażu, nie zamieniając po drodze ani słowa. Czułam się dokładnie tak jak wtedy, gdy robił ze mną zakupy w Taorminie. Z tą jednak różnicą, że teraz świetnie zdawałam sobie sprawę, iż nie ignoruje mnie, a jedynie jest skupiony. Kiedy wysiedliśmy z auta, podszedł do nas mężczyzna z ochrony.

– Pani Lauro, dostarczono przesyłki dla pani. Stoją w recepcji budynku na poziomie zero.

Zdziwiona popatrzyłam na Czarnego, który przyglądał mi się badawczo z lekko przymrużonymi oczami.

– To nie ode mnie – powiedział, podnosząc ręce w geście obrony. – Wszystkie twoje rzeczy z Sycylii zostały dostarczone tu razem z tobą.

Wjechaliśmy windą do holu i naszym oczom ukazało się morze białych tulipanów.

– Laura Biel – powiedziałam, podchodząc do recepcjonisty. – Podobno jest dla mnie przesyłka.

– Zgadza się, wszystkie kwiaty, które pani widzi, są dla pani. Czy pomóc w transporcie ich na górę?

Z otwartymi ustami rozglądałam się po korytarzu. Tulipanów były setki. Podeszłam do jednego z bukietów i wzięłam do ręki bilecik wetknięty między kwiaty.

„Czy on wie, jakie kwiaty lubisz?", widniał napis na małej karteczce. Podeszłam do kolejnego i otworzyłam kartonik: „Czy on wie, ile słodzisz herbatę?". Złapałam następny: „Czy zna Twoje pasje?". Z przerażeniem otwierałam kolejne liściki, miętam je i upychałam do kieszeni dżinsów.

Czarny stał i z rękami splecionymi na klatce piersiowej obserwował, co robię, aż powyciągałam wszystkie kartoniki.

– Wie pan co? – Zwróciłam się do recepcjonisty. – Proszę to odesłać albo wyrzucić, no chyba że ma pan dziewczynę, to ona na pewno się ucieszy – powiedziałam i wcisnęłam guzik przywołujący windę. Massimo stanął koło mnie i bez słowa wsiadł do niej. Podeszłam do drzwi i oderwałam od nich kopertę. Weszłam do środka i usiadłam na kanapie, obracając w palcach biały papier. W tym momencie podniosłam wzrok i spojrzałam na stojącego w progu Massima. Jego oczy płonęły nienawiścią, a szczęki rytmicznie się zaciskały. Przerażona tym widokiem ruszyłam w jego stronę.

– Znieważa mnie – wysyczał przez zaciśnięte zęby, kiedy stałam naprzeciwko.

– Daj spokój, to tylko kwiaty.

– Tylko kwiaty, tak, a co jest w kopercie?

– Nie wiem i szczerze mówiąc, gówno mnie to obchodzi! – wrzasnęłam zirytowana i cisnęłam papier w kominek. Wzięłam do ręki pilot i uruchomiłam płomień, który w kilka sekund pozbawił nas problemu.

– Lepiej ci, don Massimo? – Gapiłam się na niego, ale nie reagował. – Kurwa, Massimo, nigdy nie walczyłeś o kobietę? On ma prawo do tego, żeby się starać, jeśli tak czuje, a ja mam prawo podjąć decyzję. – Nieco zniżyłam podniesiony ton i ujęłam w ręce jego wściekłą twarz. – Dokonałam już wyboru, jestem tu obok ciebie. Więc nawet jeśli za chwilę orkiestra zagra mi serenadę za oknem, a on ją zaśpiewa, nic się nie zmieni. Dla mnie on nie żyje, tak jak ten człowiek, który zginął z twojej ręki na podjeździe.

Massimo stał, wbijając we mnie lodowaty wzrok. Wiedziałam, że to, co mówię, nie dociera do niego. Szarpnął głową w bok i wyrwał się z moich dłoni, po czym wściekły ruszył w stronę sypialni. Usłyszałam, jak wyciąga coś z garderoby i wraca. Przeszedł koło mnie, przeładowując w ręce broń.

– Zabiję go – wysyczał i wyciągnął telefon z kieszeni.

Przerażona jego stanowczością stałam, wpatrując się w niego. Nie miałam pomysłu, co zrobić, by go powstrzymać.

ROZDZIAŁ 15

Spokojnym ruchem wyciągnęłam telefon z jego dłoni i odłożyłam na szafkę obok drzwi. Przekręciłam klucz w zamku i ostentacyjnie schowałam go w majtkach, nie odrywając wzroku od twarzy Czarnego. Rozwścieczony złapał mnie za szyję i przycisnął do ściany. Jego oczy płonęły żarem żądzy i nienawiści. Mimo siły, jakiej użył w stosunku do mnie, nie bałam się go, bo wiedziałam, że nie zrobi mi krzywdy, a przynajmniej taką miałam nadzieję. Stałam spokojnie z opuszczonymi rękami i zagryzałam dolną wargę, wciąż patrząc mu prowokacyjnie w oczy.

– Oddaj mi klucz, Lauro.

– Weź sobie, jeśli chcesz – powiedziałam, rozpinając guzik w spodniach.

Massimo brutalnie wsadził mi rękę w majtki, nie odrywając drugiej od szyi. Furię zastąpiło pożądanie, kiedy jęknęłam, czując jego palce na sobie.

– Myślę, że jest głębiej – poinformowałam, zamykając oczy.

Tego zaproszenia nie był w stanie zignorować.

– Mała, jeśli chcesz rozegrać to w ten sposób, musisz mieć świadomość, że nie będę delikatny – ostrzegł, głaszcząc moją łechtaczkę. – Cała złość skupi się na tobie i obawiam się, że może nie spodobać ci się sposób, w jaki cię potraktuję, więc pozwól mi wyjść.

Otworzyłam oczy i popatrzyłam na niego.

– Zerżnij mnie, don Massimo... proszę.

Massimo zwiększył uścisk na szyi i przywarł do mnie, przeszywając lodowatym spojrzeniem.

– Potraktuję cię jak szmatę, rozumiesz to, Lauro? I nawet jeśli w trakcie zmienisz zdanie, nie cofnę się.

Podniecało mnie to, co mówił, kręciły mnie strach i świadomość, że od tego, jak dobra będę, zależy życie człowieka. Wewnętrzny przymus, który czułam, rozpalał mnie i sprawiał, że pragnęłam go coraz bardziej. A myśl o tym, jak brutalny i bezwzględny może być dla mnie, odbierała mi oddech.

– A zatem zrób to – powiedziałam, przyciskając jego usta do swoich.

Czarny oderwał się ode mnie, przeciągnął przez salon i cisnął mnie na kanapę. Zrobił to z taką łatwością, jakbym była szmacianą lalką. Wcisnął guzik na pilocie i wielkie rolety zasłoniły wszystkie okna. Podszedł do drzwi i wyłączył światło, a w całym mieszkaniu, mimo że był wczesny wieczór, zapanowała ciemność. Nie wiedziałam, gdzie jest, bo moje oczy bardzo wolno przyzwyczajały się do mroku. Nagle poczułam, jak łapie mnie za szyję i wkłada kciuk do ust, rozciągając je.

– Ssij – powiedział, zastępując go swoim nabrzmiałym kutasem. – Chcesz odbyć karę za swojego chłoptasia, no to proszę.

Złapał mnie za głowę i zaczął mocno nacierać swoją męskością na moje usta, nie dając mi możliwości złapania oddechu. Robił to coraz mocniej i szybciej, aż zaczęłam się dusić. Wyciągnął go powoli, dając mi złapać powietrze, i wsadził ponownie; robił to wolniej, ale wkładał go zdecydowanie głębiej.

– Otwórz szerzej buzię, chcę wsadzić go całego – powiedział, opierając moją głowę o zagłówek kanapy i klękając na niej przede mną.

Złapałam go za nagie pośladki i przysunęłam do siebie. Poczułam, jak jego penis opiera się o moje gardło, przesuwając się po nim w dół. Jęczałam zachwycona, czując jego smak w ustach. Nie mogłam dłużej powstrzymywać się od dotyku. Odepchnęłam go delikatnie i złapałam dłonią jego ciężkie jądra. Bawiłam się nimi, głęboko biorąc penis do ust. Massimo oparł się obiema rękami o zagłówek za mną i głośno oddychał. Wiedziałam, że wczorajszej nocy nie był zaspokojony i jeśli się postaram, doprowadzenie go do orgazmu nie zajmie mi dużo czasu. Ssałam go coraz mocniej i szybciej. Czarny złapał mnie za włosy i wbił moją głowę w poduszkę, odciągając ją od siebie.

– Chyba nie sądzisz, że tak łatwo ci odpuszczę? Leż i nie ruszaj się.

Nie posłuchałam go i uniosłam głowę z poduszki, próbując kolejny raz objąć go ustami. Wściekły Massimo złapał mnie za szyję i wcisnął w narożnik. Po chwili obrócił mnie na brzuch i trzymając mnie tym razem za kark, ściągnął mi spodnie razem z majtkami.

– Chcesz sprawdzić, ile wytrzymasz, Lauro? Zaraz przekonamy się, jak bardzo lubisz ból.

Te słowa mnie przestraszyły, zaczęłam się wyrywać, ale był ode mnie zdecydowanie silniejszy. Objął moje ciało w pasie i podniósł tak, że opierałam się na kolanach, brzuchem leżąc na poduszkach. Kiedy wypięłam pośladki, poczułam, jak jego dłoń mocno w nie uderza. Z mojego gardła wyrwał się jęk, Czarny jednak nie przestawał. Trzymając jedną ręką moje włosy, mocno dociskał mi twarz do poduszki, tamując krzyki, i uderzał ponownie. Delikatnie i powoli wsunął mi w cipkę środkowy palec, mrucząc z zadowoleniem.

– Widzę, że ci się podoba to, co robię – powiedział, oblizując go. – Uwielbiam twój zapach, Lauro, dobrze, że nie zdążyłaś wziąć prysznica – odezwał się, wciskając go ponownie.

Na te słowa próbowałam się poderwać z kanapy, ale przygniótł mnie łokciem ręki, która zaciskała się na moich włosach. Byłam zawstydzona i zażenowana, nie miałam ochoty, by trwało to dalej.

– Massimo, puść mnie w tej chwili, słyszysz? – Kiedy nie reagował, krzyknęłam raz jeszcze. – Kurwa, don Massimo!

To tylko pogorszyło sytuację. Do jego rytmicznie poruszającego się we mnie środkowego palca dołączył kciuk, który pomału wsunął w moje tylne wejście.

– Twoja dupka jest taka ciasna, już nie mogę się jej doczekać – wyszeptał, przekręcając mi głowę na bok.

Kiedy jego palce zaczęły szaleńczy pęd we mnie, odleciałam. Nie miałam ochoty ani siły na szarpanie się z nim, zwłaszcza że było mi cudownie. Czarny poczuł, że przestałam stawiać opór, i puścił moje włosy. Przesunął poduszkę, na której leżałam tak, że znajdował się teraz dokładnie za mną. Poczułam, jak jego klatka opiera się o moje plecy, a sterczący kutas trąca moje uda. Nie przerywając ruchu ręką, gryzł i całował mój kark.

– Wejdę w ciebie za chwilę, Lauro, rozluźnij się.

Już nie mogłam się tego doczekać, dlatego posłusznie rozłożyłam szeroko nogi. Byłam tak podniecona, że gdyby sam tego nie zrobił, nabiłabym się na niego.

Massimo kolejny raz chwycił mnie za włosy, jakby spodziewał się, że za chwilę spróbuję ucieczki.

– Chyba mnie nie zrozumiałaś, mała – powiedział i powoli wsunął się w moją pupę.

Zesztywniałam i przestałam oddychać, a on natarł odrobinę mocniej.

– Rozluźnij się, kochanie, nie chcę zrobić ci krzywdy.

Mimo całej brutalności, jaką ociekała ta sytuacja, w jego głosie słychać było troskę, a on starał się być najbardziej delikatny, jak to tylko możliwe. Ufałam mu, wiedziałam, że chce dać mi rozkosz, a nie ból. Na powrót zaczęłam oddychać, a jego palce powędrowały do mojej łechtaczki, delikatnie ją masując.

– Bardzo dobrze, dziecinko, a teraz wypnij się mocno dla mnie – wyszeptał, a ja poczułam, że już cały jest w środku.

Powoli wyciągał go ze mnie i wsadzał, nie przerywając ruchu palcami, których nacisk doprowadzał mnie do szaleństwa. Po chwili przyspieszył i wsunął wolne palce do mojej cipki. Był obecny we wszystkich miejscach na moim ciele. Wiłam się pod nim i głośno krzyczałam. Kiedy poczułam, że jestem na krawędzi, wysyczałam do niego:

– Mocniej!

Czarny wykonał moje polecenie, rżnąc mnie z taką siłą, że orgazmy napływały jeden za drugim. Zgrzytałam zębami, nie mogąc opanować fali przyjemności, a dźwięk jego bioder uderzających o moje pośladki przypominał oklaski. Poczułam, jak w pewnym momencie eksploduje, a jego ruchy zwalniają. Całe ciało Czarnego zaczęło drżeć, a on sam wydał z siebie potężny jęk przypominający ryk wściekłego zwierzęcia. Opadł na moje plecy i przez chwilę się nie ruszał. Czułam, jak jego serce galopuje, a on stara się uspokoić szaleńczy oddech.

Wysunął się ze mnie i opadł na podłogę, głośno dysząc. Na miękkich nogach poszłam do łazienki wziąć prysznic.

Kiedy wróciłam, Massima nigdzie nie było. Przerażona ruszyłam w stronę drzwi i złapałam za klamkę – były zamknięte. Włączyłam światło i zobaczyłam, że klucz leży obok moich majtek na podłodze, a don Massimo zawinięty w ręcznik schodzi po schodach.

– Nie chciałem ci przeszkadzać, więc skorzystałem z łazienki na górze – powiedział, odwijając ręcznik z bioder i rzucając go na schody.

Ten widok sprawił, że moje kolana ponownie stały się miękkie. Jego smukłe długie nogi przechodziły w śliczne, wyćwiczone pośladki. Powoli schodził w moją stronę, nie odrywając ode mnie wzroku. Poraniona klatka nie straciła nic ze swojej atrakcyjności, a nawet zyskała nową. Był idealny i dobrze zdawał sobie sprawę z tego, jak wygląda. Podszedł i pocałował mnie w czoło.

– Wszystko dobrze, mała?

Pokiwałam głową i złapałam go za rękę, prowadząc do sypialni.

– Chcę jeszcze – powiedziałam, kładąc się na łóżku.

Massimo zaśmiał się i przykrył mnie kołdrą.

– Jesteś nienasycona. Podoba mi się to. Ale prawda jest taka, że zapomnieliśmy zajechać na stację po gumki. – Wzruszył ramionami. – Więc albo jeszcze raz posiądę tę słodką dupkę, albo nic z tego, bo ja nie przerywam w trakcie, a podobno na dziecko jeszcze nie czas.

Patrzyłam na niego rozbawiona, układając się przed nim.

– A więc co będziemy robić? – zapytałam.

– A co robią ludzie w Polsce w niedzielne wieczory?

– Kładą się spać, bo rano wstają do pracy – powiedziałam z uśmiechem.

Massimo przytulił mnie i sięgnął po pilot od telewizora.

– Więc dziś będziemy jak oni i położymy się, jutro czeka nas ciężki dzień.

Podniosłam się i popatrzyłam na niego z niepokojem.

– Jak to ciężki?

– Mam kilka spraw do załatwienia razem z Karlem i chciałbym, żebyś mi towarzyszyła. Musimy pojechać do Szczecina. Polecielibyśmy, ale wiem, jak bardzo tego nie lubisz, więc spotkamy się z nim na miejscu. No, chyba że chcesz zostać, ale licz się z tym, że ochrona nie odstąpi cię na krok.

Na te słowa przypomniałam sobie, co powiedziała mi Monika.

– Ludzie Karola będą mnie chronić?

– Nie, moi, kupiłem mieszkanie naprzeciwko, więc są najbliżej, jak się dało, nie przeszkadzając ci. W każdym pomieszczeniu są kamery, dzięki którym pod moją nieobecność wiem, co się tu dzieje, a oni mogą mieć cię na oku.

– Słucham? Don Massimo, czy ty nie przesadzasz?

Czarny z rozbawieniem przeturlał się na łóżku w moją stronę i leżąc na boku, oplótł mnie nogą.

– Don Massimo, może od razu don Torricelli, skoro chcesz być taka oficjalna? A jak się czuje twoja mała dziurka? – zapytał, głaszcząc mnie między pośladkami. – Lauro, żebyśmy mieli jasność: ja nadal mam ochotę go zabić i zrobię to, jeśli kolejny raz zakpi ze mnie.

Myślałam, wpatrując się w niego.

– To takie proste zabić człowieka?

– To nigdy proste nie jest, ale jeśli znajduje się powód ku temu, staje się to zdecydowanie łatwiejsze.

– Pozwól mi zatem z nim porozmawiać.

Czarny wziął głęboki oddech i obrócił się na plecy.

– Massimo, kocham cię, więc... – Urwałam, kiedy dotarło do mnie, co przed chwilą powiedziałam.

Podniósł się i usiadł naprzeciwko, wpatrując się we mnie badawczo. Usiadłam tak, by być na równi z nim, zamknęłam oczy i opuściłam głowę. Nie byłam gotowa na to wyznanie, mimo że było prawdą.

Palcem podniósł mi brodę do góry i poważnym, spokojnym tonem powiedział:

– Powtórz.

Przez kilkanaście sekund łapałam nerwowo oddech, a słowa grzęzły mi w gardle.

– Kocham, cię, Massimo – wyrzuciłam jednym tchem. – Uświadomiłam to sobie w chwili, kiedy zostawiłeś mnie na Lido, a później, gdy myślałam, że nie żyjesz, byłam już tego absolutnie pewna. Odpychałam od siebie to uczucie, bo byłeś moim oprawcą i więziłeś mnie, uciekając się do szantażu, ale kiedy pozwoliłeś mi odejść, ja nadal chciałam być przy tobie.

Gdy skończyłam to mówić, z moich oczu pociekły łzy. Ulżyło mi, chciałam, by to wiedział.

Czarny wstał bez słowa i zniknął w garderobie. No pięknie, pomyślałam, zaraz zapakuje się i wyjdzie. Usiadłam na brzegu łóżka i okryłam się ręcznikiem, który leżał na podłodze. Kiedy wrócił, miał na sobie spodnie od dresu i zaciskał coś w pięści.

– Nie tak to miało wyglądać – powiedział, klękając przede mną. – Lauro, chciałbym, żebyś za mnie wyszła. – I otworzył czarne pudełeczko, które trzymał w dłoni.

Moim oczom ukazał się największy kamień, jaki widziałam w życiu. Oszołomiona gapiłam się na niego, usiłując złapać powietrze. Czułam, jak ciśnienie w moim ciele rośnie, a serce przyspiesza, było mi niedobrze. Czarny zauważył, co się dzieje, i sięgnął do nocnej szafki po tabletkę, którą wsadził mi pod język.

– Nie pozwolę ci umrzeć, póki się nie zgodzisz – wyszeptał z uśmiechem, wkładając mi na palec pierścionek.

Czułam, że napięcie opuszcza moje ciało i z każdą minutą jest mi lepiej. Massimo nie dawał za wygraną. Klęcząc przede mną, oczekiwał na decyzję.

– Ale ja... – zaczęłam, nie mając pojęcia, co chcę powiedzieć. – To za szybko. Nie znamy się i generalnie zaczęliśmy to jakoś tak... – bełkotałam.

– Kocham cię, mała, zawsze będę cię chronił i nigdy nie pozwolę na to, by ktoś mi cię zabrał. Zrobię wszystko, żebyś była spokojna i miała to, czego zapragniesz. Jeśli nie będę z tobą, Lauro, nie będę z nikim.

Wierzyłam we wszystko, co mówił, czułam, że każde ze słów jest prawdziwe, a ta romantyczna szczerość wiele go kosztuje. Właściwie nie miałam nic do stracenia. Całe życie postępowałam tak, jak inni tego oczekiwali, albo tak, jak było najpoprawniej. Nie ryzykowałam, bo obawiałam się tego, co przynoszą ze sobą zmiany, i czy nikogo nie zawiodę. Poza tym od zaręczyn do ślubu jest daleka droga.

– Tak – wyszeptałam, klękając obok. – Wyjdę za ciebie, Massimo.

Czarny pochylił głowę i z ulgą wypuścił powietrze.

– Boże, co ja najlepszego wyprawiam – powiedziałam prawie szeptem, opierając się o łóżko. – Komplikujemy sobie bardzo życie, wiesz o tym?

Milczał, a jego pochylona głowa nawet nie drgnęła.

– Posłuchaj mnie teraz, Massimo, chcę dokończyć to, co zaczęłam. Martin i jego życie nie mają dla mnie zupełnie znaczenia, ale nie chcę, byś niepotrzebnie popełnił błąd z mojego powodu. Masz mnie, jestem tylko twoja i tylko ja mogę sprawić, by on to zrozumiał. Związek opiera się na szczerości i zaufaniu, więc jeśli ufasz mi, pozwolisz na to, bym z nim porozmawiała.

Czarny podniósł oczy i popatrzył na mnie beznamiętnie.

– Nawet w takiej chwili ten cholerny gnój jest tutaj. I tylko dlatego pozwolę na to spotkanie, by raz na zawsze się go pozbyć, a jeśli to nie podziała, później zrobimy to po mojemu.

Wiedziałam, że mówił poważnie, a ja mam jedną szansę na to, by ocalić życie byłego chłopaka lub mu je odebrać.

– Dziękuję, kochanie – powiedziałam, czule go całując. – A teraz chodź do mnie, bo jako mój narzeczony masz więcej obowiązków.

Nie kochaliśmy się już tej nocy, ale nie było nam to potrzebne. Wzajemna bliskość i miłość w zupełności wystarczały.

ROZDZIAŁ 16

Nie lubiłam wstawać wcześnie, ale wiedziałam, że nie mam wyjścia, bo Czarny nie pozwoli mi zostać. Zwlekłam się z łóżka, poszłam do łazienki i po niecałych dwudziestu minutach byłam gotowa. Massimo siedział w salonie z komputerem na kolanach i telefonem w ręce, był poważny i skupiony. Znowu miał na sobie ubrania, do których przywykłam: czarną koszulę i ciemne materiałowe spodnie, wyglądał elegancko i szykownie. Obserwowałam go zza ściany, bawiąc się ogromnym pierścionkiem na moim palcu. To będzie mój mąż, myślałam, i spędzę z nim resztę życia. Jednego mogłam być pewna – to nie będzie nudne i zwyczajne życie, raczej gangsterski film w połączeniu z porno. Po chwili obserwacji poszłam do garderoby, wybrałam rzeczy pasujące do stroju Czarnego i zaczęłam pakować niewielką walizkę. Kiedy weszłam do salonu, Massimo podniósł spokojnie wzrok i popatrzył na mnie. Grafitowe spodnie z wysokim stanem optycznie wydłużały moją sylwetkę. Podobnie działały także niebotycznie wysokie szpilki ukryte pod luźnymi nogawkami, które całkowicie je przykrywały. Dobrałam do nich kaszmirowy sweterek w odrobinę jaśniejszym odcieniu szarości. Byłam elegancka i idealnie pasowałam do narzeczonego.

– Pani Torricelli, wygląda pani niezwykle ponętnie – powiedział, odkładając komputer i podchodząc do mnie. – Mam nadzieję, że te spodnie łatwo się ściągają i nie mną, bo jeśli nie, to dojedziesz odrobinę mniej szykowna.

Rozbawiona patrzyłam na niego.

– Po pierwsze, don Massimo, twoje zachwycające ferrari nie nadaje się do igraszek, bo nawet przy zwykłej jeździe jest niewygodne. A po drugie, odrobinę rozpraszałaby mnie obecność naszej ochrony, więc zapomnij.

– A kto powiedział, że jedziemy ferrari?

Massimo uniósł brwi i wyjął z szuflady kolejny kluczyk.

– Proszę – powiedział, otwierając przede mną drzwi i wskazując mi ręką kierunek.

W drodze do garażu towarzyszyło nam już czterech mężczyzn, więc w windzie zrobiło się dość tłoczno. Kiedy pomyślałam, jak wyglądamy, rozbawiło mnie to, pięciu facetów, z których zdecydowana większość waży więcej niż sto kilogramów, i do tego drobna blondynka. Czarny rozmawiał z nimi po włosku, wyglądało to tak, jakby dawał im wytyczne.

Gdy drzwi otworzyły się na poziomie minus jeden, cała ochrona zapakowała się do dwóch zaparkowanych przy wejściu bmw, a my poszliśmy w głąb garażu. Don Massimo przycisnął guzik na pilocie, a ja zastanawiałam się, które auto zamruga do mnie tym razem. Porsche panamera, oczywiście czarne z czarnymi szybami, odetchnęłam z ulgą, bo perspektywa seksu w ferrari była przerażająca nawet dla osoby tak wysportowanej jak ja. Massimo podszedł do drzwi pasażera i otworzył je dla mnie. Kiedy wsiadałam do środka, oparł mnie o ciemną szybę i wydyszał wprost w moje usta:

– Co sto kilometrów zerżnę cię na tylnym siedzeniu, mam nadzieję, że samochód ci odpowiada.

Podniecał mnie, kiedy był władczy, podobało mi się w nim to, że często nie pyta mnie o zdanie, tylko informuje, ale lubiłam się z nim droczyć. Wsuwając się na siedzenie, rzuciłam:

– Tam jest prawie sześćset kilometrów, myślisz, że dasz radę?

Zaśmiał się i nim zamknął drzwi, rzucił do mnie ostrzegawczo:

– Nie prowokuj mnie, bo będę robił to co pięćdziesiąt.

Droga do Szczecina minęła nam na rozmowie, wygłupach i przygodnym seksie na leśnych parkingach. Zachowywaliśmy się jak dwójka nastolatków, którzy wzięli samochód od rodziców, kupili największą paczkę prezerwatyw i postanowili przeżyć przygodę. Za każdym razem, kiedy zjeżdżaliśmy na parking, nasza ochrona dyskretnie znikała, dając nam odrobinę prywatności i swobody.

Na miejscu spędziliśmy kilka dni, które upłynęły mi na wizytach w spa, a Massimowi na pracy. Mimo natłoku spotkań każdy posiłek jedliśmy wspólnie, a każdej nocy zasypiałam obok niego, by o poranku obudzić się w jego ramionach.

Kiedy w środę wracaliśmy do Warszawy, zadzwoniła moja mama.

– Cześć, kochanie, jak się czujesz?

– Och, cudownie, mamo, mam strasznie dużo pracy, ale generalnie wszystko gra.

– No to świetnie, mam nadzieję, że pamiętasz o weselu twojej kuzynki, które jest w sobotę?

– O kurwa mać – warknęłam prosto do słuchawki.

– Lauro Biel, jak ty się wyrażasz! – upomniała mnie podniesionym tonem.

Słowo „kurwa" było jednym z niewielu polskich wyrazów, które znał Massimo, więc gdy je usłyszał, wiedział, że nie jestem szczególnie zadowolona.

– Jak wnioskuję po tym lapidarnym stwierdzeniu, zapomniałaś, więc przypominam ci, że ślub jest o szesnastej, ale postaraj się być wcześniej.

– Mamusiu, ależ to było z radości. Oczywiście, że pamiętam, potwierdź dwie osoby.

W słuchawce zapanowała wymowna cisza, a ja podświadomie czułam, co za chwilę usłyszę.

– Jak to dwie? A kogo zabierasz?

Mówcie do mnie wróżko, pomyślałam i ugryzłam się w język.

– Mamo, poznałam kogoś na Sycylii, pracuje ze mną i chciałabym go wziąć, bo tak się fartownie składa, że jest w Warszawie na szkoleniu przez kilka dni. Czy taka informacja ci wystarczy, czy mam wysłać jego metrykę mailem?

– A więc do zobaczenia w sobotę – powiedziała obrażona i się rozłączyła.

Siedziałam, gapiąc się na przelatujące za oknem drzewa. Jak mam powiedzieć Czarnemu o tym, że pozna moich rodziców? Popatrzyłam na niego i zastanawiałam się, jaka będzie jego reakcja. Czuł, że patrzę, czuł też, że coś nie gra, dlatego na pierwszym zjeździe z autostrady zaparkował samochód i przekręcając się na fotelu, zwrócił się w moją stronę.

– Słucham – powiedział spokojnym tonem, marszcząc brwi.

Za nami stanęły dwa czarne bmw, a jeden z ludzi wysiadł i ruszył w stronę naszego auta. Massimo otworzył szybę, machnął ręką i powiedział dwa zdania po włosku. Mężczyzna zawrócił, stanął koło auta i zapalił papierosa.

– W sobotę musimy jechać do moich rodziców. Przez to wszystko całkiem zapomniałam, że moja kuzynka wychodzi za mąż – wyjaśniłam, krzywiąc się i zakrywając rękami twarz.

Czarny siedział i patrzył na mnie, nie kryjąc rozbawienia.

– I już? To wszystko? Myślałem, że coś się stało. Chyba jednak muszę zacząć się uczyć polskiego, bo rozumiejąc jedynie przekleństwa, źle odbieram sytuację.

– To będzie katastrofa. Nie znasz mojej mamy, ona cię zamęczy pytaniami. A w dodatku będę musiała w tym uczestniczyć, robiąc za tłumacza, bo jedyny obcy język, jaki ona zna, to rosyjski.

– Lauro – powiedział spokojnie, zabierając mi ręce od twarzy. – Mówiłem ci, że rodzice postawili na moje wykształcenie, prócz włoskiego i angielskiego znam jeszcze rosyjski, niemiecki i francuski, więc nie będzie tak źle.

Popatrzyłam na niego z niedowierzaniem i poczułam się głupia, bo władałam jedynie jednym językiem obcym.

– Zupełnie mnie to nie uspokaja.

Czarny zaśmiał się i ruszył z miejsca.

Kiedy dojechaliśmy, było już ciemno. Massimo zaparkował w garażu i wyciągnął moją walizkę z bagażnika.

– Idź na górę, ja muszę porozmawiać z Paulem – powiedział i ruszył w stronę zaparkowanych po drugiej stronie aut.

Wzięłam walizkę i poszłam w stronę windy, wcisnęłam guzik i po chwili zorientowałam się, że nie działa. Otworzyłam drzwi i ruszyłam schodami na górę. Kiedy doszłam na poziom zero, moim oczom ukazały się setki białych róż. O Boże, tylko nie to, pomyślałam.

– Pani Lauro! – krzyknął recepcjonista na mój widok. – Cieszę się, że panią widzę, bo kolejny raz przyszły do pani kwiaty.

Spanikowana rozglądałam się wokoło.

– Winda nie działa, on będzie musiał tędy przejść – wybełkotałam.

– Przepraszam, ale nie bardzo rozumiem – powiedział recepcjonista.

Kwiatów było za dużo, by je schować, a czasu zbyt mało, żeby próbować wynieść je z budynku. Wyrwałam bilecik z bukietu, obok którego stałam. „Nie zrezygnuję".

– Kurwa mać! – wrzasnęłam, gniotąc kartkę.

W tym momencie drzwi otworzyły się, a do holu wszedł Massimo. Popatrzył na morze kwiatów przed sobą i zacisnął ręce w pięści. Zanim zdążyłam wypowiedzieć choć słowo, zobaczyłam, jak znika, i usłyszałam trzask zamykających się drzwi. Oszołomiona stałam, gapiąc się na ścianę, a przez głowę przelatywały mi scenariusze tego, co się teraz wydarzy. Z otępienia wyrwał mnie dźwięk porsche, które z piskiem skręciło w uliczkę koło klatki. Biegiem rzuciłam się w stronę schodów i pędząc po nich, za minutę byłam już przy drzwiach. Trzęsącymi się rękami usiłowałam wsadzić klucz w zamek. Kiedy już mi się udało, chwyciłam ze szklanej ławy kluczyki od bmw i popędziłam do garażu. Wyjeżdżając z niego, wystukałam numer do Martina i modliłam się, by odebrał.

– Widzę, że tym razem przesyłka bardziej przypadła ci do gustu – odezwał się w słuchawce niski głos.

– Gdzie jesteś?! – krzyknęłam.

– Słucham?

– Gdzie, do cholery, jesteś teraz?!

– Czemu krzyczysz? Jestem w domu. A co, chcesz wpaść?

Boże, tylko nie to, pomyślałam i wcisnęłam mocniej pedał gazu.

– Martin, w tej chwili wyjdź z domu, rozumiesz? Spotkajmy się przy McDonaldzie koło ciebie, będę tam za pięć minut.

– Chyba naprawdę kwiaty ci się spodobały, ale czemu nie przyjedziesz do mnie? Zamówiłem sushi, wpadnij, zjemy razem.

Zirytowana i przerażona pędziłam przez kolejne ulice, łamiąc absolutnie wszystkie przepisy ruchu drogowego.

– Martin, kurwa mać, możesz wyjść z domu i spotkać się ze mną tam, gdzie mówiłam?

Nagle w tle usłyszałam dzwonek domofonu, a serce prawie mi stanęło.

– Ktoś dzwoni, to pewnie jedzenie, będę tam za pięć minut. Pa.

Krzyczałam do niego, ale już mnie nie słuchał i rozłączył się. Kolejny raz wybrałam jego numer, nie odbierał, dzwoniłam znowu i znowu, i znowu. Bałam się, chyba jeszcze nigdy w życiu tak się nie bałam. Wiedziałam, że to wszystko moja wina.

Kiedy dotarłam na miejsce, zostawiłam samochód na ulicy i pobiegłam do mieszkania, wstukałam kod i popędziłam na górę. Złapałam za klamkę, a drzwi otworzyły się. Naprzeciwko zobaczyłam ludzi Czarnego, resztkami sił przeszłam przez próg i osunęłam się po ścianie.

Massimo, który siedział na kanapie niedaleko Martina, poderwał się z miejsca, a Martin ruszył zaraz za nim. Ochroniarz przytrzymał go i cisnął z powrotem na siedzenie.

– Gdzie masz leki? – słyszałam oddalający się głos Czarnego, który chwycił mnie za ramiona. – Lauro!

– Ja mam – powiedział Martin.

Kiedy otworzyłam oczy, leżałam na łóżku w sypialni, a Massimo siedział obok.

– Dajesz mi więcej powodów, bym go zabił, niż on sam – wysyczał z wściekłością. – Gdyby nie to, że zostały tu twoje leki... – Urwał i zacisnął szczęki.

– Pozwól mi z nim porozmawiać – powiedziałam, siadając. – Obiecałeś mi to, a ja ci zaufałam.

Czarny milczał przez chwilę, po czym rzucił coś po włosku, a stojący w salonie mężczyźni zniknęli za drzwiami.

– Dobrze, ale ja zostanę tutaj. Wasza rozmowa będzie po polsku, więc i tak nic nie zrozumiem, a będę miał pewność, że cię nie dotknie.

Podniosłam się i powoli, lekko jeszcze otępiała, poszłam do salonu, gdzie na grafitowym narożniku siedział wściekły Martin. Na mój widok jego spojrzenie złagodniało. Usiadłam obok, a Massimo zajął fotel pod akwarium.

– Jak się czujesz? – zapytał z troską.

– Tak serio czy jak powinnam? Jestem wściekła do granic i zaraz zabiję was obu. Martin, co ty wyprawiasz, po co ci to?

– Jak to co? Walczę, czy nie tego chciałaś? Nie oczekiwałaś atencji i starania? Poza tym to chyba ty powinnaś odpowiedzieć mi na parę pytań, na przykład kim są ludzie z bronią i co ten Włoch robi w moim domu?

Zwiesiłam głowę w geście kapitulacji.

– Powiedziałam ci wyraźnie, że to koniec. Zdradziłeś mnie, ja nie wybaczam zdrady, a mężczyzna, który siedzi na fotelu, to mój przyszły mąż.

Wiedziałam, że te słowa zranią go, ale to był jedyny sposób, by odczepił się ode mnie i przeżył. Martin gapił się na mnie ze skrzywioną miną, a w jego oczach płonęła złość.

– A więc to o to chodziło, chciałaś wyjść za mąż, a ja ci się nie oświadczyłem, więc znalazłaś sobie włoskiego gangstera i zamierzasz zostać jego żoną? Pojechałaś z fagasem na wakacje, szukać sobie frajera – pięknie.

Podniesiony i kpiący ton Martina rozjuszył Massima, który powoli zza paska spodni wyciągnął broń i położył ją na kolanach. Na ten widok moja wściekłość na nich obu sięgnęła zenitu. Miałam dość całej tej sytuacji i tego, jak się czułam.

Zmieniając język na angielski, tak aby obaj zrozumieli, wrzasnęłam, patrząc na Martina:

– Zakochałam się, rozumiesz?! Nie chcę być z tobą, zdradziłeś mnie i upokorzyłeś. W moje urodziny zachowałeś się jak cham i nic już tego nie zmieni, więc nigdy więcej nie chcę o tobie słyszeć. A w tej chwili mam dosyć was obu i jeśli chcecie, możecie się pozabijać! – Odwróciłam się w stronę Massima. – Ale to nic nie zmieni. To ja decyduję o swoim życiu, a nie któryś z was. Więc obaj odpierdolcie się ode mnie! – wrzasnęłam i wybiegłam z mieszkania.

Massimo krzyknął coś do ludzi stojących na korytarzu, a ci ruszyli za mną. Byłam od nich zdecydowanie szybsza i lepiej znałam osiedle. Dopadłam do samochodu i ruszyłam z piskiem opon, zostawiając ich za mną. Wiedziałam, że w normalnych okolicznościach zapewne by strzelili, ale tym razem nie mogli.

Mój telefon ciągle dzwonił, a na wyświetlaczu migotał napis „ukryty numer". Wiedziałam, że to Massimo, ale nie miałam w tej chwili ochoty na rozmowy z nim, więc wyłączyłam aparat. Podjechałam pod dom Olgi i modliłam się, by była w środku. Wcisnęłam dzwonek, po chwili drzwi otworzyły się i zobaczyłam przed sobą zmelanżowaną przyjaciółkę.

– O, żyjesz – powiedziała, wracając do środka. – Chodź, głowa zaraz mi eksploduje, strasznie się wczoraj najebałam.

Zamknęłam drzwi i poszłam za nią do salonu. Usiadła na kanapie i owinęła się kocem.

– Od soboty balowałam z tym blondynem z Ritual, chyba się chłopina zakochał, bo nie daje mi żyć.

Siedziałam obok i nie odzywałam się, dopiero teraz docierało do mnie, że zostawiłam ich we dwóch z bronią i kazałam się pozabijać.

– Laura, jesteś blada jak łydki Dominiki, która chodziła z nami do podstawówki, co jest?

Potrząsnęłam głową i popatrzyłam na nią. Musiałam powiedzieć jej prawdę, bo wszystkie te sekrety gniotły mnie coraz bardziej.

– Okłamałam cię.

Olga ze skrzywioną miną odwróciła się w moją stronę.

– Nie mieszkam u kolegi, a we Włoszech nie poznałam zwykłego faceta.

Opowiedzenie całej historii zajęło mi dobre dwie godziny, a kiedy skończyłam, wyjęłam z kieszeni pierścionek i włożyłam go na palec.

– A oto dowód – westchnęłam, opierając się o zagłówek. – No to teraz już wiesz wszystko.

Olo siedziała naprzeciwko mnie na dywanie i gapiła się z szeroko otwartymi ustami na moją dłoń.

– Ja pierdolę. Jakbyś opowiedziała mi film sensacyjny o silnym zabarwieniu erotycznym. Jak myślisz, co się stało z Martinem? – Jej oczy błyszczały z ekscytacji.

– Boże, Ola, ja nie chcę nawet o tym myśleć, a ty pytasz mnie o takie rzeczy.

Po chwili namysłu sięgnęła po telefon, wystukała numer i włączyła zestaw głośnomówiący.

– Zaraz sprawdzimy.

Kolejne sekundy ciągnęły się w nieskończoność, dobrze wiedziałam, że dzwoni do niego.

Po piątym sygnale wreszcie odebrał.

– Czego chcesz, nimfomanko? – zapytał niskim głosem Martin.

– Och, mi także miło cię słyszeć, szukam Laury. Nie wiesz może, gdzie jest?

– No to nie jesteś jedyną osobą, która jej szuka. Nie wiem i nie chcę wiedzieć, bo zupełnie mnie już nie interesuje. Cześć. – Rozłączył się, a my obie wybuchnęłyśmy histerycznym śmiechem.

– Żyje – powiedziałam, nie mogąc przestać nerwowo chichotać. – Dzięki Bogu.

– Nawet sycylijska cosa nostra nie dała mu rady – dodała Ola, wstając z podłogi. Skoro wszyscy żyją, a ja już wiem, co jest grane, może zostaniesz u mnie na noc, żeby twój narzeczony trochę się pomartwił?

Odetchnęłam z ulgą i pokiwałam głową, przytakując. Z rozbawienia wyrwało nas pukanie do drzwi.

– O tej godzinie?! – zdziwiła się Ola, idąc w ich stronę. – Pewnie to ten blondas, zaraz go spławię.

Kiedy otworzyła, zapadła grobowa cisza. Ola cofnęła się o dwa kroki, a do mieszkania wszedł Massimo. Wbił we mnie lodowaty wzrok i stanął w korytarzu, jakby na coś czekał.

– No proszę, robi nam się z tego niezły burdel – powiedziała po polsku Ola, wiedząc, że nie zrozumie ani słowa. – Będziesz tak siedziała, a on ma tak stać, czy ja mam wyjść, bo już nie wiem?

– Co tu robisz? – zapytałam. – I jak mnie znalazłeś?

– Samochód ma lokalizację na wypadek kradzieży, a poza tym wiem, gdzie mieszka twoja najlepsza przyjaciółka. Nie przedstawiłem się – powiedział, patrząc w stronę Olo. – Massimo Torricelli.

– Wiem, kim jesteś – powiedziała, podając mu dłoń. – Dzięki jej opisom nie miałam wątpliwości, komu otwieram. Będziecie tak się na siebie gapić czy chcecie pogadać?

Oczy Massima złagodniały, a mnie zachciało się śmiać. Sytuacja była tak niedorzeczna, jak wszystko, co działo się w moim życiu od kilku tygodni. Podniosłam się z kanapy i wzięłam kluczyki od samochodu, podeszłam do przyjaciółki i pocałowałam ją w czoło.

– Idę, zobaczymy się jutro na lunchu, okej?

– Idź i wydymaj go za mnie, jest taki gorący, że aż mam mokro – odpowiedziała Olga, klepiąc mnie w tyłek. – A może ma jakiegoś kolegę? – dodała, kiedy oboje przechodziliśmy przez próg.

– Zaufaj mi, nie chcesz tego. – Pomachałam jej na do widzenia.

Wyszliśmy na dwór, nie odzywając się do siebie, wcisnęłam kluczyk i wsiadłam do auta, a Czarny usiadł na siedzeniu pasażera.

– Gdzie porsche?

– Paulo odstawił je do domu.

Wcisnęłam start i ruszyłam przed siebie. W drodze do apartamentu także nie wypowiedzieliśmy żadnego zdania, jakby każde czekało, aż to drugie zacznie.

Kiedy weszliśmy do mieszkania, Massimo usiadł na kanapie i nerwowo przegarniał włosy ręką.

– Czy twoja przyjaciółka wie, kim jestem? Powiedziałaś jej wszystko?

– Tak, bo już miałam serdecznie dość kręcenia się w twoich kłamstwach, Massimo. Ja nie umiem tak żyć, może kiedy byliśmy we Włoszech, było to prostsze, bo tam i tak wszyscy wiedzą, kim jesteś, ale tu jest inny świat, inni ludzie – bliscy mi. I za każdym razem, kiedy mam ich okłamać, podle się czuję.

Siedział, wbijając we mnie niemal martwe spojrzenie.

– Po weekendzie wracamy na Sycylię – oznajmił, wstając.

– Kto wraca, ten wraca, ja się nigdzie nie wybieram. Poza tym chyba powinieneś mnie przeprosić.

Czarny podszedł do mnie, trzęsąc się ze złości, jego oczy kolejny raz zrobiły się zupełnie czarne, a szczęki rytmicznie zaciskały.

– Nie zabiłem go, więc nie możesz mieć do mnie pretensji. Pojechałem tam, by uświadomić mu, z kim ma do czynienia, i wyraźnie zaznaczyć granicę między tobą a nim.

– Wiem, że żyje, wiem też, że da mi już spokój. Powiedział Oli, że ja już go nie interesuję.

Massimo z nieukrywanym rozbawieniem wcisnął ręce w kieszenie i zakołysał się na piętach.

– No dziwne by było, gdyby po tym, co od ciebie, a później ode mnie usłyszał, chciał nadal starać się o twój powrót.

Zmarszczyłam brwi i spojrzałam na niego pytająco.

– Nie zabiłem go, doceń to – powiedział, całując mnie w czoło i zniknął w sypialni.

Stałam tak jeszcze chwilę, zastanawiając się, jak wyglądała ich rozmowa. Nie mogąc nic wymyślić, ruszyłam za nim. Czarny był w garderobie, więc minęłam go, poszłam do łazienki i wzięłam prysznic, marząc o tym, aby się położyć. Kiedy wróciłam, leżał w łóżku owinięty ręcznikiem i oglądał telewizję. Wyglądał absolutnie normalnie, nie jak ktoś, kto kilka godzin wcześniej groził komuś bronią. Kolejny raz zafascynowała mnie jego skrajność.

Dla mnie był mężczyzną idealnym, prawdziwym samcem, opiekunem i obrońcą, ale dla reszty świata stawał się nieobliczalnym i niebezpiecznym mafiosem. To było dziwne i podniecające, ale czy na dłuższą metę do zniesienia? Od wczorajszego wieczora, kiedy klęknął przede mną, zastanawiałam się, czy spędzenie z nim reszty życia to dobry pomysł.

– Lauro, musimy porozmawiać – powiedział, nie odrywając wzroku od telewizora. – Dziś, mało tego, że nie odebrałaś połączenia ode mnie, to jeszcze wyłączyłaś telefon. Chciałbym, żeby to był pierwszy i ostatni raz. Tu chodzi o twoje bezpieczeństwo. Jeśli nie masz ochoty na rozmowę ze mną, odbierz i powiedz mi to, ale nie powoduj sytuacji, w których muszę używać środków ostatecznych, takich jak namierzanie cię.

Stałam w drzwiach łazienki i miałam ochotę na kłótnię, przypomniałam sobie jednak słowa Moniki i z przykrością przyznałam, że ma rację. Podeszłam do łóżka i zrzuciłam z siebie ręcznik. Stałam naga, a on nadal nie zwracał na mnie uwagi. Wściekła z powodu jego ignorancji położyłam się i zawinęłam w kołdrę, przytuliłam głowę do poduszki i momentalnie zasnęłam.

Obudziło mnie delikatne głaskanie wejścia do mojej cipki i poczułam, jak dwa palce wślizgują się do środka. Zawieszona między jawą a snem byłam zdezorientowana, nie wiedziałam, czy dzieje się to naprawdę, czy to tylko moja wyobraźnia.

– Massimo?

– Tak? – usłyszałam jego zmysłowy szept tuż za moim uchem.

– Co robisz?

– Muszę w ciebie wejść, bo oszaleję – powiedział, przysuwając biodra tak blisko, że jego twardy kutas oparł się o moje pośladki.

– Nie mam ochoty.

– Wiem – potwierdził i natarł nim brutalnie.

Jego penis wszedł w moją mokrą od jego śliny dziurkę. Jęknęłam, odchylając głowę do tyłu i opierając się o jego bark. Leżeliśmy na boku, a jego potężne ramiona obejmowały mnie całą. Biodra Czarnego były nieruchome, a ręce powoli błądziły po moich piersiach. Niemal z nabożnością dotykał mojego nagiego ciała, co jakiś czas mocno ściskając sutki. Jego intensywny dotyk zupełnie mnie obudził, a to, co robił, rozpaliło we mnie namiętność.

– Chcę cię czuć, Lauro – wyznał, kiedy moje biodra zaczęły się delikatnie kołysać. – Nie ruszaj się.

Byłam wkurzona, obudził mnie, rozpalił, a teraz kazał leżeć jak kłoda.

Wyjęłam go z siebie i przekręciłam się, przerzucając nogę nad nim; dosiadłam go.

– To zaraz poczujesz głębiej i szybciej – powiedziałam, łapiąc go za szyję.

Czarny nie bronił się; złapał moje biodra obiema rękami i delikatnie nimi poruszał. Nawet leżąc pode mną, musiał zachować choć pozory dominacji. Zacisnęłam mocniej dłonie i pochyliłam się w jego stronę.

– Tym razem ja wydymam ciebie – oznajmiłam i spokojnie zaczęłam kołysać pupą.

Kiedy moja łechtaczka ocierała się o jego brzuch, chciałam więcej i szybciej. Moje ruchy stawały się coraz bardziej natarczywe i bezwzględne. Czarny wbijał palce w moje pośladki, zadając mi ból, i głośno jęczał. Nie mogąc już wytrzymać, wymierzyłam mu siarczysty policzek wolną dłonią i zaczęłam długo, intensywnie dochodzić. Kiedy orgazm zawładnął moim ciałem, wszystkie mięśnie zrobiły się sztywne, a ja znieruchomiałam. Massimo złapał mnie jeszcze mocniej i zaczął rytmicznie mną poruszać, a po chwili poczułam, jak jego palec wsuwa się w moją pupę, i doszłam kolejny raz z głośnym krzykiem, podczas gdy on nacierał mną na siebie coraz mocniej i głębiej.

– Jeszcze raz, mała – wyszeptał.

Oderwałam rękę, na której się wspierałam, od jego klatki piersiowej i uderzyłam go w twarz. Jeszcze nigdy nie szczytowałam tak długo i z taką ilością wielokrotnych orgazmów. Czarny przerzucił mnie na plecy, nie wyciągając kutasa ze środka, i klęknął przede mną. Byłam wycieńczona, ale miałam ochotę na więcej.

– Nie mam zamiaru kończyć – powiedział, zatrzymując się i kładąc obok. – Poza tym gumki zostały w samochodzie, a ja nie przerywam.

Zdumiona spojrzałam na Massima, ale w mroku nie byłam w stanie dostrzec wyrazu jego twarzy. Jego orgazm traktowałam jak osobiste wyzwanie i spełnienie, dające więcej satysfakcji niż mój własny.

– Skoro nie chcesz kończyć, ja skończę za ciebie – zadecydowałam i zaczęłam głęboko brać go do gardła, jednocześnie mocno zaciskając na nim dłoń. Czarny ciężko i głęboko oddychał, wijąc się pode mną, a jego ciało mówiło, że jest gotowy, aby skończyć.

Złapałam go za rękę i położyłam sobie ją na głowie, tak by nadał rytm, jaki mu odpowiada. Massimo zacisnął palce na moich włosach i dociskając moją głowę do swoich bioder, zmusił do objęcia go całego.

Zaczął szczytować, a fala jego nasienia zalała mi gardło. Nie byłam w stanie przełykać, więc zawartość częściowo wypływała z moich ust. Zupełnie nic sobie z tego nie robił, zagubiony w rozkoszy, jaką dawały mu moje wargi. W pewnym momencie uścisk jego dłoni zelżał. Osunęła się po mojej głowie, aż opadła na prześcieradło. Podniosłam wzrok i wulgarnie oblizałam jego brzuch.

– Jesteś słodki – oceniłam, kładąc się obok.

Wcisnęłam guzik na pilocie, który leżał na nocnej szafce, i ledy pod łóżkiem zaświeciły się, tworząc poświatę, która pozwoliła mi zobaczyć jego twarz. Leżał z głową na boku i wbijał we mnie namiętnie gniewny wzrok.

– A ty okrutnie zboczona, Lauro – wydyszał, nie mogąc uspokoić oddechu.

– Czyżby twoja wizja nie obejmowała aspektów seksualnych? – zapytałam, prowokacyjnie oblizując usta z resztek jego spermy.

– Często myślałem o tym, jaka jesteś w łóżku, ale za każdym razem to ja rżnąłem ciebie, a nie ty mnie.

Zbliżyłam się do niego i całując delikatnie brodę, głaskałam jego ciężkie jądra.

– Niestety ja już tak mam, że czasem potrzebuję odrobiny władzy. Ale nie martw się, to jest raczej rzadkie zjawisko, zwykle wolę być niewolnikiem niż katem. I nie jestem zboczona, tylko perwersyjna, a to różnica.

– Może jeśli nie będzie zbyt częste, jakoś to zniosę. I zaufaj mi, mała – powiedział, wplatając palce w moje włosy. – Jesteś zboczona, perwersyjna, wyuzdana i, dzięki Bogu, moja.

ROZDZIAŁ 17

Następne dwa dni były raczej zwyczajne, ja widywałam się z Olgą, a Massimo spotykał się z Karolem. Jadaliśmy razem śniadania i oglądaliśmy telewizję przed zaśnięciem.

W sobotę już od szóstej nie mogłam spać, bo myśl, że muszę zabrać Czarnego do rodziców, nie dawała mi spokoju. Jeszcze kilka tygodni temu bałam się, że zginą z jego ręki, a teraz miał ich poznać.

Kiedy wreszcie obudził się, mogłam zacząć przygotowania, udając, że wszystko jest w porządku. Ruszyłam do garderoby, by przekopać szafę w poszukiwaniu odpowiedniej kreacji. Zupełnie zapomniałam o tym, że najlepsze suknie zostały na Sycylii. Zrezygnowana opadłam na miękki dywan, wgapiając się w wieszaki, i zakryłam twarz dłońmi.

– Wszystko okej? – zapytał Czarny, z kubkiem kawy w dłoni opierając się o futrynę drzwi.

– Standardowy dylemat połowy kobiet na kuli ziemskiej: nie mam się w co ubrać – odpowiedziałam, krzywiąc się.

Massimo powoli upił łyk, wpatrując się we mnie, jakby podświadomie czuł, że nie strój stanowi problem.

– Mam coś dla ciebie – powiedział, podchodząc do swojej części garderoby. – Przyszła w piątek, to wybór Domenica, więc mam nadzieję, że będzie ci się podobać.

Sięgnął do wnętrza szafy i wyciągnął wieszak z materiałowym futerałem, na którym widniało logo Chanel. Zachwycona poderwałam się z miejsca i podeszłam do niego, pomału odpinając suwak. Aż jęknęłam, kiedy moim oczom ukazała się krótka jedwabna sukienka w kolorze nude. Miała długie rękawy i bardzo głęboki, efektownie marszczony dekolt. Była idealna, prosta i skromna, a zarazem seksowna.

– Dziękuję – powiedziałam, odwracając się do niego i całując w policzek. – Jak mogę ci się za nią odwdzięczyć? – zapytałam, powoli osuwając się na podłogę i zatrzymując ustami dokładnie w okolicy jego rozporka. – Bardzo chciałabym pokazać ci swoje zadowolenie.

Massimo oparł się o szafę i złapał rękami moje włosy. Zsunęłam jego spodnie aż do kostek i otworzyłam usta tak, aby to on zadecydował, kiedy i jak chce, bym to zrobiła. Czarny przyglądał mi się wzrokiem owładniętym pożądaniem, ale nawet nie drgnął. Zniecierpliwiona chciałam złapać go ustami, ale wtedy dłonie na moich włosach zacisnęły się, uniemożliwiając mi ruch.

– Rozepnij bluzę i zdejmij ją – powiedział, nie zwalniając uścisku. – A teraz otwórz szeroko buzię.

Wsunął się w moje gardło powoli, tak żebym dokładnie poczuła każdy centymetr, który we mnie wchodził. Jęknęłam z zadowoleniem i zaczęłam mocno ssać. Uwielbiałam mu obciągać, kochałam jego smak i to, jak zachowywało się jego ciało pod wpływem mojego dotyku.

– Wystarczy – powiedział po kilkunastu sekundach, wyciągając go i wkładając spodnie. – Nie możesz mieć zawsze tego, czego chcesz, mała, poza tym zaraz spóźnisz się do fryzjera.

Siedziałam skrzywiona i napalona, obserwując, jak wychodzi z garderoby. Wiedziałam, że nie pozbawił się przyjemności tak po prostu, a jego zachowanie jest celowe. Popatrzyłam na zegarek i odkryłam, że faktycznie jestem w lekkim niedoczasie. Zerwałam się i popędziłam do kuchni, upiłam łyk herbaty i chwyciłam słodką bułkę. Kiedy jej pierwszy kęs przeszedł przez moje gardło, poczułam, że robi mi się niedobrze. W ostatniej chwili dobiegłam do łazienki, prawie tratując Czarnego. Po chwili do drzwi toalety rozległo się pukanie. Wstałam z kolan, wypłukałam usta i wyszłam.

– Wszystko w porządku? – zapytał, oglądając mnie jak małe dziecko.

Pochyliłam głowę i oparłam się czołem o jego tors.

– To nerwy, myśl o twoim spotkaniu z moimi rodzicami przeraża mnie. Nie wiem, po co powiedziałam, że przyjedziemy – wyrzuciłam z siebie, podnosząc na niego wzrok. – Jestem spięta, zdenerwowana i najchętniej zostałabym w domu.

Czarny stał rozbawiony i przyglądał się mojemu zrezygnowaniu.

– Czy jeśli zerżnę cię tak, że nie będziesz mogła siedzieć, poczujesz się spokojniejsza i łatwiej zniesiesz ten dzień? – zapytał z zupełnie poważnym wyrazem twarzy, lekko mrużąc oczy.

Myślałam przez chwilę, zastanawiając się, czy nadal jest mi niedobrze, czy już może czuję się dobrze. Po bardzo krótkiej chwili namysłu doszłam do wniosku, że moje samopoczucie jest wyśmienite, a seks może faktycznie poprawi mi humor, a przede wszystkim rozładuje napięcie.

Czarny popatrzył na zegarek i złapał mnie za rękę, ciągnąc do salonu. Jednym ruchem ściągnął mi spodnie, kiedy zatrzymaliśmy się przed szklanym stołem.

– Oprzyj się – powiedział, powoli wkładając gumkę. – A teraz wypnij dla mnie dupkę, zrobię to mocno i szybko.

Zrobił tak, jak obiecał, i już po chwili zrelaksowana, a przede wszystkim zdecydowanie spokojniejsza, jechałam do fryzjera.

Po ponad godzinie wróciłam do domu, ale Massima nigdzie nie było. Wyciągnęłam telefon i wybrałam jego numer, nie odbierał. Nie wspominał mi o żadnym spotkaniu, więc byłam trochę zaniepokojona, ale uznałam, że jest dorosły, i poszłam się malować. Po dwóch godzinach i trzydziestu telefonach byłam porządnie wkurzona. Poszłam do mieszkania naprzeciwko, aby dowiedzieć się czegoś od jego ludzi, ale niestety nikt mi nie otworzył. Popatrzyłam na zegarek i zaklęłam pod nosem, bo już powinniśmy byli wyjeżdżać. Wystrojona w krótką opiętą sukienkę i niebotycznie wysokie szpilki, usiadłam na kanapie, zastanawiając się, co mam teraz zrobić. Nie chciałam jechać, ale mama nie dałaby mi spokoju, gdybym teraz poinformowała ją, że mnie nie będzie. Wzięłam torebkę, kluczyki od bmw i zjechałam do garażu.

Jadąc, zastanawiałam się, jak wyjaśnię nieobecność mojego partnera, i doszłam do wniosku, że bajeczka o chorobie będzie najlepsza. Kiedy od celu dzieliło mnie około dwudziestu kilometrów, zobaczyłam w lusterku bardzo szybko zbliżający się do mnie samochód, który po chwili minął mnie i zatarasował mi drogę. Zatrzymałam się. Z czarnego ferrari z gracją wynurzył się Massimo i ruszył w moją stronę. Był ubrany w elegancki szary garnitur, który idealnie opinał jego wytrenowaną sylwetkę. Otworzył drzwi i podał mi rękę, aby łatwiej było mi wysiąść.

– Interesy – rzucił, wzruszając ramionami. – Chodź.

Siedziałam z rękami na kierownicy i patrzyłam przed siebie. Nienawidziłam tego uczucia niemocy, którą regularnie odczuwałam z powodu jego tajemniczych interesów. Wiedziałam, że nie wolno mi zapytać, a nawet jeśli to zrobię, on i tak nie odpowie, a ja tylko jeszcze bardziej się wściekne.

Po chwili za moim autem zaparkował czarny SUV, a Massimo wyraźnie już zirytowany rzucił:

– Lauro, jeśli za chwilę nie wysiądziesz, wyciągnę cię z samochodu, gniotąc ci sukienkę i niszcząc fryzurę.

Z nadąsaną miną podałam mu rękę i wsiadłam do czarnego ferrari. Kilkanaście sekund później Massimo siedział już obok, trzymając rękę na moim udzie, jak gdyby nic się nie stało.

– Pięknie wyglądasz – powiedział, delikatnie mnie głaszcząc. – Ale czegoś ci brakuje.

Pochylił się i wyciągnął ze schowka pudełko, na którym widniał napis Tiffany & Co. Aż zaświeciły mi się oczy, ale postanowiłam nie zdradzać radości i udawać obojętną.

– Nie przekupisz mnie byle naszyjnikiem – rzuciłam, kiedy otworzył pudełko, ukazując skrzącą się drobnymi kamieniami obrożę.

Wyciągnął ją i zapiął mi na szyi, całując delikatnie w policzek.

– Teraz jest idealnie – ocenił, ruszając. – A ten byle naszyjnik to platyna z diamentami, więc przykro mi, jeśli nie spełnia twoich oczekiwań.

Lubiłam ten jego cwaniacki uśmiech, kiedy wydawało mu się, że udowadnia mi swoją wyższość. Kręcił mnie i wkurzał do granic tym, jaki był.

– Gdzie masz pierścionek, Lauro? – zapytał, wyprzedzając kolejny samochód. – Wiesz, że i tak będziesz musiała im powiedzieć, że wychodzisz za mąż?

– Ale mogę nie dziś, prawda?! – krzyknęłam rozdrażniona. – Poza tym, Massimo, co ja mam im powiedzieć? Może na przykład to: wiecie, poznałam faceta, bo mnie porwał i oznajmił, że miał wizję ze mną. Potem więził mnie, szantażując waszą śmiercią, ale w końcu zakochałam się w nim i teraz chcę za niego wyjść. Myślisz, że to właśnie chcą usłyszeć?

Czarny patrzył na wprost i rytmicznie zaciskał szczęki, nie odzywając się ani słowem.

– Może tym razem to ja zaplanuję wydarzenie. Powiem ci, jak będzie. Za parę tygodni oznajmię mamie, że się zakochałam. Później, po paru miesiącach, że się zaręczyliśmy, i dzięki temu wszystko wyda jej się naturalne i zdecydowanie mniej podejrzane.

Massimo nadal patrzył przed siebie, a ja niemal czułam jego wściekłość.

– Wyjdziesz za mnie w przyszły weekend, Lauro. Nie za parę miesięcy czy lat, ale za siedem dni.

Patrzyłam na niego szeroko otwartymi oczami, a serce waliło mi tak, że słyszałam tylko jego stukot. Nie podejrzewałam go o taki pośpiech, mój plan zakładał, że stanie się to najwcześniej na początku lata, na pewno nie za tydzień. Przez głowę przelatywały mi dziesiątki myśli, a wśród nich podstawowe pytanie: po co ja się zgodziłam?

Czarny zatrzymał się przed bramą wjazdową do domu rodziców.

– Posłuchaj, mała, teraz ja ci powiem, jak będzie – rzekł, odwracając się do mnie. – W następną sobotę zostaniesz moją żoną, a za parę miesięcy wyjdziesz za mnie ponownie, aby twoi rodzice mieli zapewniony wewnętrzny spokój. – Zbliżył usta i złożył na moim czole delikatny pocałunek. – Kocham cię, a ślub z tobą to przedostatnia rzecz, jaką chcę zrobić w życiu.

Zaparkował na podjeździe przed domem.

– Przedostatnia? – zapytałam zdziwiona, kiedy stanął.

– Ostatnia to syn – powiedział, otwierając drzwi.

Siedziałam spokojnie, łapiąc oddech, wciąż nie mogąc uwierzyć w to, co wyprawiam, i jak bardzo moje życie zmieniło się w niecałe dwa miesiące. Weź się w garść, powiedziałam do siebie, wysiadając. Poprawiłam sukienkę i wciągnęłam głęboko powietrze. Drzwi wejściowe do domu otworzyły się i w progu stanął tata.

– Miejmy to już z głowy – rzuciłam, lekko chwiejąc się na nogach. – Mam nadzieję, że pamiętasz ustaloną wersję?

Massimo zaśmiał się i pewnie wyciągnął dłoń w stronę nadchodzącego taty.

Wymienili kilka zdań po niemiecku, jak sądzę o niczym ważnym, po czym tata zwrócił się do mnie:

– Kochanie, wyglądasz przepięknie, te jasne włosy bardzo ci pasują. I nie wiem, czy to zasługa tego człowieka obok ciebie, czy zmiany fryzury, ale kwitniesz.

– Zapewne i jedno, i drugie – rzuciłam, całując go i wtulając się w jego ramiona.

Przeszliśmy na taras i usiedliśmy na miękkich fotelach ustawionych wokół wielkiego stołu. Massimo, zgodnie z moją prośbą, zachowywał odpowiedni dystans. W pewnym momencie wyraz jego twarzy zmienił się. Wpatrywał się w coś, co znajdowało się za mną. Z zaciekawieniem przekręciłam głowę – moja mama w olśniewającej kremowej kreacji do ziemi zbliżała się do nas, obdarowując Czarnego promiennym uśmiechem. Podniosłam się i ucałowałam ją.

– Massimo, poznaj, to moja mama, Klara Biel.

Czarny stał, lekko osłupiały, ale szybko zebrał myśli i zmieniając język na rosyjski, powitał ją, całując w rękę. Mama subtelnie wdzięczyła się do niego przez chwilę, aż do momentu, kiedy jej wzrok skupił się na mnie.

– Kochanie, czy pójdziesz ze mną do kuchni i pomożesz mi? – rzuciła z rozbrajającym uśmiechem, który zwiastował tylko kłopoty.

Obróciła się i zniknęła w domu, zostawiając panów pochłoniętych rozmową; ruszyłam za nią.

Kiedy weszłam do środka, stała przy stole z założonymi na piersiach rękami.

– Lauro, co się dzieje? – zapytała. – Zmieniasz pracę, miejsce zamieszkania, bardzo radykalnie zmieniłaś wygląd, a teraz przywozisz do domu Włocha. Powiedz mi, bo czuję, że czegoś nie wiem.

Jej sensor jak zawsze działał bezbłędnie, wiedziałam, że oszukać ją nie będzie łatwo, nie sądziłam jednak, że zorientuje się tak szybko.

– Mamo, to tylko włosy, potrzebowałam odmiany. Temat wyjazdu już wałkowałyśmy, a Massimo to kolega z pracy, podoba mi się i dużo mnie uczy. Nie wiem, co mam ci powiedzieć na jego temat, bo sama znam go dopiero od kilku tygodni.

Wiedziałam, że im mniej powiem, tym lepiej dla mnie, bo nie jestem w stanie zapamiętać większej ilości kłamstw.

Stała, wbijając we mnie lekko przymrużone oczy.

– Nie wiem, po co mnie okłamujesz, ale skoro tak chcesz, dobrze. Pamiętaj, Lauro, że ja sporo widzę i mam pewne obycie w świecie. Doskonale zdaję sobie sprawę, ile kosztuje samochód, który stoi na podjeździe. I nie sądzę, by pracownika hotelu było na niego stać.

W myślach używałam wszystkich znanych mi przekleństw. Przez jego dzisiejsze zniknięcie zmieniliśmy samochód, a początkowy plan zakładał przyjazd autem, które już widzieli.

– Poza tym wiem, jak wyglądają diamenty – kontynuowała, przesuwając palce po moim naszyjniku. – I jakie są suknie w ostatniej kolekcji Chanel. Pamiętaj, kochanie, że to ja pokazałam ci, czym jest moda.

Skończyła i usiadła na krześle, czekając na wyjaśnienia. Stałam przed nią i nie byłam w stanie wymyślić nic mądrego. Zrezygnowana opadłam na siedzenie obok.

– A co, miałam zacząć od tego, że jest obrzydliwie bogatym właścicielem hotelu? Pochodzi z zamożnej rodziny i sporo inwestuje, spotykamy się i chciałabym, żeby to było coś poważnego. A na prezenty od niego i ich cenę nie mam wpływu.

Patrzyła na mnie badawczo i z każdą sekundą jej wzrok łagodniał.

– Pięknie mówi po rosyjsku, widać, że to wykształcony, dobrze wychowany człowiek. A dodatkowo ma gust do kobiet i biżuterii – oznajmiła, wstając z krzesła. – No dobrze, chodźmy do nich, zanim Tomasz zanudzi go na śmierć.

Wytrzeszczyłam oczy, nie mogąc uwierzyć w nagłą zmianę frontu. Wiedziałam, że rodzice zawsze chcieli, bym bogato wyszła za mąż, ale jej reakcja rozbiła mnie na tysiące małych kawałeczków. Po dłuższej chwili pozbierałam je i w pełni otumaniona, lekko kręcąc głową z niedowierzaniem, ruszyłam za nią.

Na dworze toczyła się zażarta dyskusja, nie miałam niestety pojęcia o czym, bo zupełnie

nie rozumiałam niemieckiego, ale wiedziałam, że muszę na chwilę odciągnąć Czarnego, by przedstawić mu nową wersję opowieści. Na moje nieszczęście tata nie mówił po angielsku, ale bardzo dużo rozumiał.

– Massimo, pokażę ci pokój, w którym będziesz spał – podeszłam, klepiąc go po koleżeńsku. – Poza tym, tato, zaraz musimy wychodzić, więc zbieraj się – dodałam, zwracając się w drugą stronę.

– O cholera, późno już – rzucił tata, podrywając się z fotela.

Weszliśmy po schodach i skręciliśmy do starego pokoju mojego brata.

– Tu będziesz spał, ale nie o tym chciałam porozmawiać – szeptałam konspiracyjnie, przekazując mu nową wersję wydarzeń.

Kiedy skończyłam, stał rozbawiony z rękami w kieszeniach i rozglądał się po pokoju.

– Czuję się jak nastolatek – rzekł ze śmiechem. – A gdzie jest twój pokój, mała? No bo chyba nie liczysz na to, że ja naprawdę tu zostanę?

– Mój pokój jest po drugiej stronie korytarza i owszem, zostaniesz. Moi rodzice sądzą, że na razie ta znajomość jest platoniczna, więc nie wyprowadzajmy ich z błędu.

– Pokaż mi swój pokój, mała – powiedział, starając się zachować powagę.

Chwyciłam go za rękę i przeprowadziłam przez drzwi obok do mojej sypialni. Była zdecydowanie mniejsza niż ta, którą wygospodarował mi na

Sycylii, ale cudownie mi się kojarzyła i nie potrzebowałam tu zbyt wiele. Łóżko, telewizor, mała toaletka i setki zdjęć przypominały mi beztroskie czasy szkolne.

– Kiedy mieszkałaś z rodzicami, miałaś chłopaka? – zapytał, oglądając fotografie i uśmiechając się.

– Oczywiście, czemu pytasz?

– Robiłaś mu laskę w tym pokoju?

Zdziwiona otworzyłam szeroko oczy i ze zmarszczonymi brwiami patrzyłam pytająco.

– Słucham?

– W drzwiach nie masz zamka, więc zastanawiam się, gdzie i jak to robiłaś, wiedząc, że rodzice mogą tu wejść w każdej chwili.

– Opierałam go o drzwi i klękałam przed nim – powiedziałam, kładąc mu rękę na klatce i lekko popychając w stronę futryny.

Massimo stał dokładnie tam, gdzie dziesięć lat temu mój ówczesny chłopak, i niespiesznie rozpinał rozporek. Uklękłam przed nim i docisnęłam mocno jego pośladki do drzwi.

– Nie ruszaj się, don Massimo, i bądź cicho, ten dom jest niesamowicie akustyczny – rozkazałam i włożyłam go do ust.

Obciągałam mu szybko i bardzo brutalnie, chcąc, aby szczytował w jak najkrótszym czasie. Po kilku minutach poczułam, jak jego nasienie zalewa mi gardło. Połknęłam wszystko grzecznie i wstałam, wycierając palcami usta. Massimo z zamkniętymi oczami ledwo stał na nogach, opierając się o futrynę.

– Lubię, kiedy zachowujesz się jak dziwka – wyszeptał, zapinając rozporek.

– Coś takiego, serio? – zapytałam z ironicznym uśmiechem.

Ogarnęliśmy się, zeszliśmy na dół i ruszyliśmy do kościoła. Lublin był zdecydowanie mniejszy od Warszawy, mniej było tu także samochodów podobnej klasy jak ten, którym aktualnie podróżowaliśmy. Kiedy podjechaliśmy pod kościół, oczy wszystkich gości zwróciły się w stronę czarnego ferrari.

– Zajebiście – wymamrotałam zachwycona sensacją, jaką wywołaliśmy.

Massimo elegancko wysiadł z samochodu, poprawił marynarkę i ruszył w stronę moich drzwi, otwierając je po chwili. Wsparta o jego dłoń wysiadłam z auta, chowając się za ciemnymi okularami. Oczekujący tłum zamilkł, a ja chwyciłam Czarnego mocno pod rękę. To tylko twoja rodzina, powtarzałam w głowie jak mantrę i sztucznie szczerzyłam się do wszystkich.

Z otępienia wyrwał mnie głos brata.

– Młoda, widzę, że opowieści mamy o twojej bajkowej pracy potwierdzają się – powiedział, podchodząc do mnie i chwytając w ramiona. – Wyglądasz zajebiście i wozisz się po włosku.

Uściskałam go najmocniej, jak umiałam; widywaliśmy się sporadycznie z powodu odległości, jaka nas dzieliła. Był moim przyjacielem, ukochanym facetem i niedoścignionym ideałem. Był najmądrzejszym mężczyzną, jakiego znałam, niepokonany matematyczny umysł, a do tego jeszcze przystojniak. Kiedy mieszkaliśmy w domu rodzinnym, zaliczył po kolei wszystkie moje koleżanki – ku ich głębokiej radości. Mężczyzna kompletny, mądry, przystojny, elegancki i bezwzględny. Byliśmy zupełnie różni pod względem charakterów i wyglądu. Ja – drobna brunetka z prawie czarnymi oczami, on – wysoki blondyn ze szmaragdowym spojrzeniem. Kiedy był mały, wyglądał jak aniołek ze swoimi niemal platynowymi wtedy lokami.

– Jakub, braciszku, jak miło cię widzieć. Zupełnie zapomniałam, że tu będziesz. Pozwól, że ci przedstawię – powiedziałam, przechodząc płynnie na angielski. – Mój... Massimo Torricelli, pracujemy razem.

Obydwaj wymienili spojrzenia, podając sobie dłonie, ale wyglądało to bardziej jak mierzenie się przed walką niż powitanie.

– Ferrari Italia, silnik cztery i pół litra, pięćset siedemdziesiąt osiem koni. Potwór – powiedział Kuba, z uznaniem kiwając głową.

– Kluczyki leżały akurat na wierzchu – rzucił Massimo, wkładając okulary.

Jego nonszalancja była rozbrajająca, ale na mojego brata nie działała, oglądał go badawczo, jakby chciał przeniknąć do jego umysłu.

Msza była nudna i zdecydowanie zbyt długa, a cała moja rodzina wbijała wzrok w przystojnego Włocha u mojego boku. Jedyne, o co się modliłam w trakcie jej trwania, to żeby wesele już się zaczęło, a wtedy uwaga gości skupi się na młodej parze i wódce.

W trakcie przysięgi przypomniałam sobie o tym, co powiedział Czarny, kiedy podjechaliśmy pod dom: za tydzień będziemy stać jak oni teraz. Tylko czy mam na to ochotę? Czy chcę wyjść za mąż za człowieka, którego prawie nie znam, który mnie przeraża i wkurza do granic? Poza tym, czy chcę się wiązać z kimś, przy kim nie będę miała nic do powiedzenia? Z kimś, kto za każdym razem postawi na swoim i nie pozwoli mi na wiele rzeczy, które kocham, sądząc, że ochrania mnie, a ja tego potrzebuję. Niestety, smutna prawda była taka, że bardzo byłam w nim zakochana i racjonalne myślenie zupełnie mi nie wychodziło. Nie wyobrażałam sobie stracić Massima kolejny raz, dlatego zostawienie go nie wchodziło w grę.

– Dobrze się czujesz? – wyszeptał, kiedy ceremonia dobiegała końca. – Jesteś bardzo blada.

Faktycznie, od kilku dni nie czułam się najlepiej, byłam zmęczona i zupełnie bez apetytu, ale nie ma co się dziwić – przy tym natężeniu stresu, jaki mi towarzyszył, powinnam dziękować Bogu, że żyję.

– Trochę mi słabo, ale to pewnie nerwy. Zaraz będzie koniec.

Po wyjściu z kościoła poszło już z górki, wszyscy zajęli się składaniem życzeń i celebrowaniem święta mojej kuzynki Marii.

Wesele odbywało się w malowniczym dworku jakieś trzydzieści kilometrów od miasta. Kompleks składał się z kilku budynków, hotelu, stajni i sali, w której przygotowano przyjęcie. Dojechaliśmy ostatni, gdyż usilnie nalegałam, żebyśmy nie zwracali na siebie kolejny raz uwagi, a Czarny wyjątkowo mnie posłuchał. Niemal niezauważeni przemknęliśmy przez salę i dotarliśmy do okrągłego stolika, przy którym nas usadzono. Odetchnęłam z ulgą, widząc, że Kuba również tam siedzi. Mój brat miał w zwyczaju przychodzić na takie imprezy solo i polować. Uwielbiał, kiedy kobiety adorowały go, ulegały mu, a w efekcie szły z nim do łóżka. Był stuprocentowym kolekcjonerem. W moim przypadku temat seksu był bardziej skomplikowany i zdarzało się, że cierpiałam z powodu mężczyzn. Jedynym cierpieniem mojego brata była sporadyczna odmowa psująca mu statystyki.

Kiedy usiedliśmy przy stole, okazało się, że jedno miejsce jest puste. Popatrzyłam na znajome twarze, które nam towarzyszyły, próbując rozgryźć, kogo brakuje. Nie potrafiłam zgadnąć. Kiedy przyniesiono przystawki, rzuciłam się na jedzenie – od wczoraj nie byłam w stanie nic przełknąć, więc kiedy wreszcie poczułam głód – apetyt wziął górę nad rozsądkiem.

– Smacznego – usłyszałam znajomy głos i podniosłam wzrok znad talerza.

Omal nie wyplułam na stół jedzenia, które trzymałam w ustach. Puste krzesło naprzeciwko odsuwał mój były facet, z którym przez parę lat byliśmy partnerami tanecznymi. Ja pierdolę, czy może być gorzej?, pomyślałam, wgapiając się w niego.

Mój brat z nieukrywaną radością z zaistniałej sytuacji obserwował mnie znad talerza, uśmiechając się ironicznie. Massimo na szczęście nic nie zauważył, a przynajmniej tak mi się wydawało. Ratował mnie fakt, że kompletnie nic nie rozumie.

Piotr zajął miejsce i powoli zaczął jeść, nie spuszczając ze mnie wzroku. I szlag trafił mój apetyt. Z obrzydzeniem odsunęłam niedojedzony krem z dyni, łapiąc pod stołem udo Czarnego. Pogładził delikatnie moją rękę i zerknął badawczo; czytał we mnie jak w otwartej księdze, dlatego wiedziałam, że prędzej czy później będę musiała przedstawić mu mężczyznę z przeszłości.

Piotr był tą częścią mojego życia, o której wolałam zapomnieć. Poznaliśmy się, kiedy miałam szesnaście lat, zaczęło się od tańca i jak to zwykle bywa, skończyło na związku. Najpierw był moim instruktorem, później partnerem, a na końcu katem. Miał wtedy dwadzieścia pięć lat i kochały go wszystkie kobiety, które spojrzały w jego stronę. Szarmancki, przystojny, wysportowany i pewny siebie, a do tego tancerz. Niestety, miał też swoje demony, a głównym z nich była kokaina. Na początku nie widziałam w tym nic złego, do czasu aż jego nałóg zaczął się odbijać na mnie. Kiedy był naćpany, nie interesowało go, co czuję, co myślę ani czego chcę, ważny był on. Ja natomiast miałam tylko siedemnaście lat i byłam wpatrzona w niego jak w obraz. Nie wiedziałam, na czym polega związek ani jak powinnam być w nim traktowana. Oczywiście nie wytrzymałabym pięciu lat w absolutnej patologii – kiedy był trzeźwy, starał się przychylić mi nieba, wylewnie przepraszając za swoje zachowanie. To dzięki niemu, a raczej z jego powodu uciekłam do Warszawy. Wiedziałam, że inaczej się od niego nie uwolnię. Z niekoniecznie miłych wspomnień wyrwał mnie jego głos:

– Czerwone, jeśli dobrze pamiętam? – zapytał Piotr, pochylając się nad stołem z butelką wina.

Jego zielone oczy wbijały się we mnie hipnotycznie, a ogromne usta wygięły w subtelny uśmiech. Nie dało się ukryć, że nie stracił nic ze swojego magnetyzmu. Mocno zarysowana szczęka i zupełnie łysa głowa nie pasowały do wizerunku tancerza, ale przez to wydawał się jeszcze bardziej intrygujący. Widać, że trenował mniej niż kiedyś, bo jego ciało nabrało masy.

Upiłam łyk z kieliszka i zmarszczyłam oczy.

– Co tu, do cholery, robisz? – wysyczałam przez zęby z głupkowatym uśmiechem, tak aby pozostali goście, a w szczególności jeden, nie domyślili się, co jest grane.

– Maria mnie zaprosiła, a raczej jej mąż. Od pół roku przygotowywałem z nimi ich pierwszy taniec i przypadliśmy sobie do gustu. Poza tym poznałem ich kiedyś na rocznicy ślubu twoich rodziców, jeśli nie pamiętasz.

Kipiałam ze złości, zastanawiając się, jak moja kuzynka mogła mi to zrobić, kiedy poczułam, jak dłoń Czarnego przesuwa się po moich plecach.

– Czy możesz mówić po angielsku? – zapytał zirytowany. – Drażni mnie to, że nic nie rozumiem.

Skrzywiłam się lekko i zamknęłam oczy, marząc o tym, żeby umrzeć.

– Słabo mi, przejdźmy się – rzuciłam, wstając z miejsca, a Massimo ruszył za mną.

Przeszliśmy do ogrodu obok budynku i ruszyliśmy w stronę stajni.

– Jeździsz konno? – zapytałam, chcąc odwrócić jego uwagę od mojego samopoczucia.

– Kim jest ten mężczyzna, Lauro? Kiedy się pojawił, cała aż zesztywniałaś.

Zatrzymał się i wpatrywał we mnie, trzymając ręce w kieszeniach.

– Mój partner taneczny. Nie odpowiedziałeś mi, czy jeździsz – kontynuowałam, nie zatrzymując się.

– Tylko partner taneczny?

– Jezu, Massimo, jakie to ma znaczenie? Nie, nie tylko i nie chcę o tym rozmawiać. Ja nie pytam cię o byłe dziewczyny.

– A więc byliście ze sobą? Długo?

Złapałam głęboki oddech i próbowałam opanować irytację.

– Kilka lat. Przypominam ci, że kiedy mnie poznałeś, nie byłam dziewicą i choćbyś nie wiem jak się starał, nie zmienisz tego. Nie masz wehikułu czasu, więc po prostu nie myśl o tym, a mnie nie każ tego wspominać.

Wściekła wróciłam na salę. Było już po pierwszym tańcu i goście rozpoczęli szaleństwa na parkiecie. Kiedy przeszłam przez drzwi, moja kuzynka zbiegła z parkietu i złapała mikrofon.

– Nasz pierwszy taniec był zasługą fantastycznego instruktora, który jest tu dziś z nami. Piotr, zapraszam cię obok. I tak się zabawnie składa, że jest tu jego wieloletnia partnerka taneczna i moja kuzynka Laura.

Kiedy to usłyszałam, pomyślałam, że zemdleję. Co ona, kurwa, wyprawia!

– Zróbcie nam tę przyjemność i pokażcie, jak powinno się tańczyć.

Na sali rozbrzmiały brawa, a Piotr złapał mnie za rękę i pociągnął w stronę parkietu. Zaraz się porzygam, pomyślałam, sunąc za nim.

– Enrique Iglesias, *Bailamos* poproszę – krzyknął do DJ-a. – Salsa, kochanie... – wyszeptał i uniósł brwi, z zadowoleniem rzucając marynarkę na przypadkowe krzesło.

Stanęłam obok niego, dziękując Bogu, że nie wybrał tanga. Kiedy jeszcze byliśmy ze sobą, nasze tango za każdym razem kończyło się w łóżku.

Z głośnika popłynęły pierwsze dźwięki gitary, a ja popatrzyłam w stronę drzwi, gdzie oparty o futrynę stał Massimo z płonącym od gniewu wzrokiem. Obok niego dostrzegłam swojego brata, który nachylał się do niego, tłumacząc mu coś. Nie miałam pojęcia, czy opowiadał mu, dlaczego stoimy teraz na parkiecie, czy po prostu rozmawiali, ale wzrok Massima wciąż był przepełniony wściekłością. Wyrwałam rękę Piotrowi i podbiegłam do Czarnego, pocałowałam go najmocniej, jak umiałam, tak by czuł, że jestem tylko jego, i z uśmiechem, w otoczeniu braw wróciłam na parkiet. DJ raz jeszcze puścił *Bailamos*, a ja przyjęłam pozycję. To były najdłuższe trzy minuty w moim życiu i największy wysiłek, jaki kiedykolwiek włożyłam w taniec. Kiedy wreszcie schyliłam się do ukłonu, na sali rozbrzmiała burza oklasków i wiwatów. Maria podbiegła do mnie, całując i ściskając nas oboje, a moja mama przyjmowała od gości gratulacje. Powoli wycofałam się w stronę Massima.

Kiedy do niego podeszłam, nadal stał z kamiennym obliczem.

– Kochanie, ja nie mogłam odmówić, to moja rodzina – jąkałam się, usiłując go uspokoić. – A zresztą to tylko taniec.

Czarny stał, nie wypowiadając nawet jednego słowa, po czym odwrócił się i wyszedł. Chciałam pójść za nim, ale za plecami usłyszałam głos mojej matki:

– Lauro, kochanie, widzę, że nauka nie poszła na marne i nadal jesteś w tym genialna.

Odwróciłam się, a ona wpadła mi w ramiona, całując i przyglądając mi się.

– Jestem z ciebie taka dumna – powiedziała prawie z płaczem.

– Och, mamo, to tylko dzięki tobie.

Stałyśmy tak, odbierając co chwilę gratulacje, aż przypomniałam sobie o Massimie.

– Czy coś się stało, skarbie? – zapytała, widząc zmianę nastroju na mojej twarzy.

– Massimo jest trochę zazdrosny – wyszeptałam. – Więc nie był szczególnie zachwycony faktem, że tańczę ze swoim byłym.

– Pamiętaj, Lauro, że nie możesz mu pozwalać na bezsensowne wybuchy władczości. Poza tym on musi zrozumieć, że nie należysz do niego.

Jak bardzo się myliła. Należałam do niego cała i bezgranicznie, nie chodziło tu o jego pozwolenie lub też nie, ale o to, jak bardzo zależało mi na tym, co czuł. Wiedziałam, że jego autorytarne podejście do mnie jest spowodowane wychowaniem i warunkami, w jakich żył, a nie chęcią zniewolenia mnie.

Wyszłam na dwór i przeszukałam cały kompleks, ale nigdzie go nie było. Czarne ferrari nadal stało na parkingu, więc nie wrócił do domu. Przez otwarte okno w jednym z budynków usłyszałam rozmowę po angielsku i rozpoznałam głos mojego brata. Poszłam w tę stronę.

– Dobry wieczór – powiedziałam, patrząc na kobietę w recepcji. – Szukam narzeczonego, przystojny, wysoki Włoch.

Dziewczyna uśmiechnęła się i spojrzała w monitor komputera.

– Apartament na trzecim piętrze numer jedenaście – oznajmiła, wskazując mi schody.

Dotarłam do drzwi i zapukałam, a chwilę później otworzył je mój rozbawiony brat.

– Młoda, a co ty tu robisz? Piotrusiowi znudziły się tańce? – wycedził ironicznie.

Zignorowałam go i weszłam do pomieszczenia, przechodząc przez korytarz do ogromnego salonu. Przy wielkiej ławie, na skórzanej kanapie siedział Massimo, obracając w palcach kartę kredytową.

– Dobrze się bawisz, kochanie? – zapytał i pochylił się nad stołem.

Na środku blatu dostrzegłam rozsypany biały proszek, który Czarny układał w krótkie paski. Stałam i wlepiałam oczy w ten obrazek, kiedy pojawił się mój brat z butelką chivasa.

– Fajny ten twój facet – rzucił, szturchając mnie ramieniem, i usiadł obok niego. – Umie się bawić.

Don Massimo pochylił się nad stołem i zatykając jedną dziurkę nosa, drugą wciągnął usypaną kreskę.

– Massimo, czy możemy pogadać?

– Jeśli chcesz mnie zapytać, czy możesz się przyłączyć, odpowiedź brzmi: nie.

Po tym stwierdzeniu mój brat wybuchł śmiechem.

– Moja siostra i koks to byłoby zabójcze połączenie.

Nigdy w życiu nie próbowałam narkotyków, nie z wyboru, tylko ze strachu. Widziałam, co robią z ludźmi i jak nieobliczalni się po nich stają. Widok ten przywołał najgorsze wspomnienia i uczucie lęku, którego nie chciałam już nigdy doznać.

– Kuba, czy możesz nas zostawić? – zapytałam brata.

Widząc moją minę, podniósł się niespiesznie z fotela i włożył marynarkę.

– I tak już miałem iść, bo ta blondyna przy trzecim stole nie daje mi spokoju.

Wychodząc, zwrócił się w stronę Czarnego:

– Jeszcze tu wrócę.

Stałam i patrzyłam, jak Massimo wciąga kolejną kreskę, popijając łyk bursztynowego płynu. Po chwili podeszłam i usiadłam obok.

– Czy tak zamierzasz spędzić ten wieczór? – zapytałam, siadając w fotelu.

– Twój brat to świetny facet – opowiedział, jakby zupełnie nie usłyszał pytania. – Bardzo mądry i ma ogromną wiedzę w zakresie finansów. Przyda nam się kreatywny księgowy w rodzinie.

Na myśl o tym, że Kuba mógłby należeć do mafii, zrobiło mi się niedobrze.

– Co ty bredzisz, Massimo, on nigdy nie będzie należał do rodziny.

Czarny zaśmiał się ironicznie i upił kolejny łyk.

– Nie ty będziesz o tym decydować, mała. – Jeśli będzie chciał, uczynię go bardzo szczęśliwym i bogatym człowiekiem.

Minusem mojego brata, prócz miłości do kobiet, była nieokiełznana miłość do pieniędzy.

– Czy kiedykolwiek będę miała coś do powiedzenia? Czy moje zdanie zostanie wzięte pod uwagę w jakiejkolwiek kwestii? Bo jeśli nie, to ja pierdolę takie życie! – wrzasnęłam i podniosłam się z miejsca. – Mam dość tego, że nie mogę mieć wpływu na nic, i tego, że od kilkunastu tygodni nie mam władzy nad swoim życiem.

Wściekła wyszłam z pokoju, trzaskając drzwiami, zeszłam po schodach i usiadłam w ogrodowej altanie.

– Kurwa mać – wysyczałam przez zęby.

– Kłopoty w raju? – zapytał Piotr, siadając koło mnie z butelką wina. – Czyżby twój przyjaciel cię wkurzył? – Upił łyk prosto z gwinta.

Patrzyłam na niego przez chwilę i już chciałam podnieść się z miejsca, kiedy zdecydowałam, że właściwie nie mam ochoty przed nim uciekać. Wyciągnęłam rękę, zabrałam mu wino i zaczęłam bez umiaru wlewać je w gardło.

– Spokojnie, Lari, przecież nie chcesz się tu poskładać.

– Już sama nie wiem, czego chcę. I jeszcze ty tutaj. Po co przyszedłeś?

– Wiedziałem, że tu będziesz. Ile to już lat – sześć?

– Osiem.

– Nie odzywałaś się do mnie, nie odpisywałaś na maile, nie odbierałaś telefonów. Nawet nie dałaś mi przeprosić ani wytłumaczyć.

Odwróciłam się do niego z irytacją i znowu zabrałam mu butelkę z rąk.

– Co wytłumaczyć? Próbowałeś się zabić, na moich oczach.

Zwiesił głowę.

– Fakt, byłem debilem. Po tym wszystkim poszedłem na terapię i od tamtego czasu nie biorę. Próbowałem poukładać sobie życie, ale po jakimś czasie doszedłem do wniosku, że byłaś chyba jedyną kobietą, z którą jestem w stanie żyć, i przestałem próbować. Nie wiem, co sobie myślałem, przychodząc tu, chyba liczyłem na to, że będziesz sama i może...

Podniosłam rękę, by zamilkł.

– Piotr, jesteś przeszłością, to miasto jest przeszłością, a moje życie teraz wygląda inaczej i nie chcę cię w nim.

Przechylił się i opadł na oparcie kanapy.

– Wiem, ale to nie zmienia faktu, że miło cię zobaczyć, zwłaszcza że z roku na rok stajesz się coraz piękniejsza.

Siedzieliśmy tak i gadaliśmy o tym, co wydarzyło się przez te wszystkie lata, o moich początkach w Warszawie i o jego szkole tańca. Jedna butelka wina, później kolejna i następna.

ROZDZIAŁ 18

Obudziło mnie świecące prosto w twarz jasne słońce i potężny ból głowy.

– O Boże – wyjęczałam, podnosząc się z łóżka.

Rozejrzałam się i uznałam, że z pewnością nie jestem w domu swoich rodziców. Przeszłam do salonu i widok stołu w apartamencie przypomniał mi wydarzenia ostatniej nocy. Massima pochylonego nad białym proszkiem i rozmowę z Piotrem, a później zupełnie nic. Wzięłam do ręki telefon i wybrałam numer Czarnego, nie odbierał. Cóż za konsekwencja, pomyślałam, choć w głębi duszy cieszyłam się, że nie muszę z nim rozmawiać, będąc na kacu gigancie.

Poszłam do łazienki i wzięłam długi prysznic, po wyjściu z niej podeszłam do okna i zobaczyłam czarnego SUV-a, a przed nim Paula palącego papierosa. Spojrzałam na miejsce, gdzie jeszcze wczoraj zaparkowane było czarne ferrari – zniknęło. Ubrałam się i zeszłam na dół.

– Gdzie don Massimo? – zapytałam Paula gaszącego niedopałek.

Nie odpowiedział mi, tylko wskazał fotel, a kiedy wsiadłam, zamknął drzwi. Podjechaliśmy pod dom moich rodziców, Paul zatrzymał się przed podjazdem, nie wjeżdżając na teren posesji. Mój kierowca wysiadł z samochodu i otworzył drzwi.

– Poczekam tutaj – powiedział, wsiadając do auta.

Z butami w ręku poszłam wjazdem pod górkę. Przycisnęłam dzwonek, po chwili drzwi otworzyła moja mama.

– Nie ma to jak wyjść po angielsku i wrócić rano – powiedziała, krzywiąc się lekko. – Chodź, zrobiłam śniadanie.

– Zaraz przyjdę – odparłam, idąc do swojego pokoju, by się przebrać.

Kiedy usiadłam przy stole, mama podała mi talerz z bekonem i jajkami.

– Smacznego.

Zapach jedzenia spowodował, że wszystko podeszło mi do gardła i popędziłam do łazienki.

– Lauro, dobrze się czujesz? – zapytała, pukając do drzwi.

Wyszłam, wycierając twarz ręką.

– Przeholowałam wczoraj z winem. Wiesz może, gdzie jest Massimo?

Mama popatrzyła na mnie pytająco.

– Myślałam, że z tobą. Jak tu przyjechałaś?

Nie było sensu kłamać, więc powiedziałam prawdę.

– Kierowca mnie przywiózł, mówiłam ci, że on ma interesy także tutaj, jeden z jego pracowników na mnie czekał. Boże, jak strasznie boli mnie głowa – wybełkotałam, opadając na krzesło przy stole.

– No to widzę, że po tańcu impreza przeniosła się w inne miejsce.

Siedziałam, patrząc na nią, i usiłowałam przypomnieć sobie, co się działo, niestety bezskutecznie. Zebrałam swoje rzeczy i po wypiciu herbaty z rodzicami szykowałam się do wyjazdu.

– Kiedy przyjedziesz? – zapytała mama, żegnając mnie.

– W przyszłym tygodniu wylatuję na Sycylię, więc pewnie nieprędko, ale będę dzwonić.

– Uważaj na siebie, kochanie – powiedziała, ściskając mnie mocno.

Przespałam całą drogę do Warszawy, budząc się dwa razy i usiłując bezskutecznie dodzwonić do Czarnego.

– Pani Lauro, jesteśmy. – Ze snu wyrwał mnie głos Paula.

Otworzyłam oczy i odkryłam, że jesteśmy na terminalu odlotów VIP-ów na Okęciu.

– Gdzie Massimo? – zapytałam, nie wysiadając z samochodu.

– Na Sycylii, samolot już czeka – powiedział, podając mi rękę.

Na dźwięk słowa samolot zaczęłam nerwowo szukać tabletek w mojej torebce, łyknęłam dwie i poszłam w stronę odprawy. Po trzydziestu minutach siedziałam już w prywatnym samolocie, otumaniona, czekając na start. Kac nie sprzyjał podróżom, ale w połączeniu z tabletkami na uspokojenie działał usypiająco.

Po prawie czterech godzinach dotarliśmy na Sycylię, gdzie na dobrze mi już znanym lotnisku czekał na mnie samochód. Kiedy dojechaliśmy do domu, na podjeździe powitał mnie Domenico.

– Cześć, Lauro! Dobrze, że już jesteś – powiedział, mocno mnie ściskając.

– Domenico, tak strasznie za tobą tęskniłam! Gdzie don Massimo?

– Jest w bibliotece, ma spotkanie, prosił, byś się odświeżyła. Zobaczycie się przy kolacji.

– Nie sądziłam, że wyjedziemy tak nagle, czy moje rzeczy z Polski już tu są?

– Przywiozą je jutro, ale myślę, że po uzupełnieniu przeze mnie twojej szafy niczego ci nie zabraknie.

Idąc korytarzem, zatrzymałam się przy drzwiach od pomieszczenia, w którym znajdował się Czarny. Ze środka dobiegała mnie głośna dyskusja i mimo ogromnej chęci, by tam wejść, powstrzymałam się przed tym.

Wzięłam prysznic i przyszykowałam się do kolacji. Nie do końca wiedząc, co stało się wczorajszej nocy, postanowiłam się wystroić, tak na wszelki wypadek. Weszłam do garderoby i wybrałam ulubiony komplet bielizny z czerwonej koronki. Sięgnęłam do szafy i zdjęłam z wieszaka luźną czarną sukienkę do samych kostek. Wsunęłam nogi w sandały na koturnach i ruszyłam w stronę tarasu. Przy zastawionym, oświetlonym świecami stole siedział Massimo pogrążony w rozmowie telefonicznej.

Podeszłam, pocałowałam go w szyję i usiadłam na fotelu obok. Nie przerywając rozmowy, wpatrywał się we mnie ciemnym, lodowatym spojrzeniem, które nie zwiastowało niczego dobrego.

Kiedy skończył, odłożył komórkę na stół i upił łyk z kieliszka, który stał przed nim.

– Ile pamiętasz z wczorajszej nocy, Lauro?

– Myślę, że najważniejsze, czyli ciebie przed stołem pełnym koksu – rzuciłam ironicznie.

– A później?

Zastanawiałam się przez chwilę i zaczęłam się bać. Nie miałam pojęcia, co działo się po drugiej butelce wina wypitej z Piotrem.

– Poszłam pogadać i piłam wino – odparłam, wzruszając ramionami.

– Nic nie pamiętasz? – dopytywał z półprzymkniętymi oczami.

– Pamiętam, że za dużo wypiłam. Kurwa, Massimo, o co ci chodzi? Powiesz mi, co się stało, czy nie? Urwał mi się film, czy to takie straszne? Byłam wkurzona na ciebie i na to, co zobaczyłam, poszłam do ogrodu i spotkałam tam Piotra. Chciał pogadać i napiliśmy się wina, to wszystko. Poza tym kolejny raz zostawiłeś mnie bez słowa, mam już dość tego, że ciągle znikasz.

Czarny wcisnął plecy w oparcie, a jego klatka piersiowa coraz mocniej falowała.

– To nie jest wszystko, mała. Kiedy twój brat wrócił do mnie po jakimś czasie, opowiedział mi, dlaczego tak zareagowałaś na widok kokainy. Chciałem cię znaleźć i wtedy was zobaczyłem. – Jego szczęki zacisnęły się. – Na początku faktycznie rozmawialiście, ale później twój kolega trochę przeholował z otwartością i zdecydowanie próbował wykorzystać stan, do jakiego cię doprowadził. – Urwał, a jego oczy stały się zupełnie czarne.

Podniósł się z fotela i cisnął kieliszkiem o kamienny bruk. Szkło rozpadło się na setki kawałków.

– Ten skurwysyn chciał cię wydymać, rozumiesz?! – wrzasnął, zaciskając ręce w pięści. – Byłaś już tak nieprzytomna, że sądziłaś, iż obok ciebie jestem ja. Poddałaś się temu, więc musiałem to przerwać.

Siedziałam przerażona i usiłowałam przypomnieć sobie, co się stało, ale w głowie miałam tylko czarną dziurę.

– Mama nic mi nie mówiła. Co się stało? Pobiłeś go?

Massimo zaśmiał się ironicznie, podszedł i przekręcając mnie wraz z fotelem, oparł ręce po obydwu jego stronach.

– Zabiłem go, Lauro – wysyczał przez zaciśnięte zęby. – A wcześniej przyznał się do tego, co ci robił w przeszłości, kiedy był naćpany. Gdybym to wiedział wcześniej, nie przekroczyłby progu pomieszczenia, w którym byłaś. – Widać było, jak emocje niemal rozrywają jego ciało. – Jak mogłaś nic mi o tym nie powiedzieć i pozwolić na to, bym jadł przy jednym stole z tym zwyrodnialcem?!

Osłupiała i przerażona próbowałam łapać powietrze. Modliłam się o to, by kłamał.

– Myślę, że od początku planował, by przelecieć cię tej nocy, ale moja obecność pokrzyżowała mu nieco szyki. Dlatego zaczekał na odpowiedni moment – miał przy sobie narkotyki, które, jak sądzę, podał ci w alkoholu. Żeby udowodnić, że nie kłamię, zrobimy ci badanie krwi.

Odsunął się i oparł obiema rękami o stół.

– Jak sobie pomyślę, co ten skurwiel ci zrobił, kiedy byłaś z nim, mam ochotę zabić go kolejny raz.

Nie wiedziałam, co czuję – strach mieszał się we mnie z gniewem i bezsilnością. Przeze mnie zginął człowiek, a może Czarny tylko blefuje, może kolejny raz chce dać mi nauczkę i przestraszyć mnie? Powoli podniosłam się z krzesła, Massimo podszedł do mnie, ale wyciągnęłam rękę, by go odprawić, i chwiejnym krokiem ruszyłam w stronę domu. Obijając się po ścianach, dotarłam do swojego pokoju i zamknęłam drzwi na klucz. Nie chciałam, by tu wchodził, nie chciałam go widzieć. Łyknęłam tabletkę, aby moje pędzące serce nieco zwolniło, rozebrałam się i położyłam do łóżka. Nie mogłam uwierzyć w to, co zrobił. Kiedy leki zadziałały, zasnęłam.

Następnego dnia obudziło mnie pukanie do drzwi.

– Lauro – usłyszałam głos Domenica. – Możesz otworzyć?

Podeszłam do drzwi i przekręciłam klucz. Młody Włoch wszedł do pokoju i popatrzył na mnie ze współczuciem.

– Domenico, chciałabym cię o coś poprosić, ale nie chcę, by don Massimo tym wiedział.

Stał i patrzył na mnie skonfundowany, zastanawiając się, co mi odpowiedzieć.

– To zależy od tego, czego dotyczyć będzie prośba.

– Chciałabym pojechać do lekarza, niezbyt dobrze się czuję, a nie chcę martwić Massima.

– Ale masz swojego lekarza, on może tu przyjechać.

– Chcę pojechać do innego, możesz to dla mnie zrobić? – Nie dawałam za wygraną.

Domenico stał i badawczo mi się przyglądał.

– Oczywiście, o której chcesz jechać?

– Daj mi godzinę – powiedziałam, wchodząc do łazienki.

Wiedziałam, że Czarny i tak się o wszystkim dowie, ale ja musiałam sprawdzić, czy faktycznie mówił prawdę i czy dwa dni temu byłam nie tylko pod wpływem alkoholu.

Przed trzynastą wsiedliśmy do samochodu i ruszyliśmy do prywatnej kliniki w Katanii. Doktor Di Vaio przyjął mnie niemal od razu. Nie był to kardiolog, którego już widziałam, ale lekarz ogólny, bo do takiego chciałam się udać. Wyjaśniłam mu, co chcę sprawdzić, i poprosiłam o wykonanie badań. W oczekiwaniu na ich wyniki Domenico zabrał mnie na późne śniadanie i o piętnastej ponownie stawiliśmy się w klinice. Lekarz zaprosił mnie do gabinetu, posadził na fotelu i spokojnie wpatrywał się w kartki.

– Pani Lauro, faktycznie w pani krwi są substancje odurzające, a dokładnie ketamina. Jest to substancja psychoaktywna wywołująca amnezję. I właśnie ten fakt mnie martwi, musimy zlecić pani szereg badań i skonsultować się z ginekologiem.

– Z ginekologiem? A po co?

– Jest pani w ciąży i musimy się upewnić, że dziecku nic się nie stało.

Zamknęłam oczy i próbowałam przetrawić to, co właśnie usłyszałam.

– Słucham?

Lekarz popatrzył na mnie zaskoczony.

– Nie wiedziała pani? Badania krwi wskazują na to, że jest pani w ciąży.

– Ale ja robiłam test kilkanaście dni temu, a wcześniej miałam okres, więc jak to możliwe?

Lekarz uśmiechnął się dobrotliwie i położył łokcie na biurku.

– Widzi pani, okres można mieć nawet przez trzy miesiące, będąc w ciąży. Wynik testu zaś zależy wielu czynników, między innymi od tego, kiedy doszło do zapłodnienia. Zlecimy badania i USG, ginekolog poda pani więcej szczegółów. Musimy tylko pobrać jeszcze jedną próbkę krwi.

Siedziałam, zaciskając coraz mocniej powieki, i czułam, że robi mi się słabo.

– Czy jest pan tego w stu procentach pewien? – zapytałam kolejny raz.

– Tego, że jest pani w ciąży? Absolutnie tak.

Próbowałam przełknąć ślinę, ale w ustach miałam całkiem sucho.

– Panie doktorze, obowiązuje pana tajemnica lekarska, prawda?

Potwierdził, kiwając głową.

– W takim razie życzę sobie, aby absolutnie nikogo nie informować o moich wynikach badań.

– Rozumiem, oczywiście tak będzie. Recepcjonistka pokieruje panią do pokoju zabiegowego, a później umówi do ginekologa.

Podałam mu rękę i na miękkich nogach wyszłam z gabinetu. Najpierw skierowałam się do pielęgniarki, by raz jeszcze oddać krew, a po chwili do poczekalni, gdzie siedział Domenico.

Minęłam go bez słowa i poszłam do samochodu. Kiedy do mnie dołączył, wpatrywał się we mnie pytająco. Wydarzenia ostatnich dni, moja złość, wszystko stało się nieważne, byłam w ciąży.

– Laura, i co? Wszystko dobrze?

Zebrałam w sobie wszystkie siły, które miałam, i ze sztucznym uśmiechem odparłam:

– Tak, mam anemię i dlatego ciągle czuję się zmęczona. Muszę brać żelazo i mi przejdzie.

Byłam jak w transie, niby wiedziałam, co się dzieje, ale nic nie rozumiałam. W głowie słyszałam dudnienie, a moja skóra zalewała się potem, by zaraz później obsypać gęsią skórką. Starałam się nie oddychać zbyt głośno, ale próby łapania spokojnego oddechu spełzały na niczym.

Samochód ruszył, a ja wyciągnęłam z kieszeni telefon i wybrałam numer Oli.

– Cześć, suko – usłyszałam urocze powitanie w słuchawce.

– Ola, jesteś bardzo zajęta przez najbliższy tydzień?

– Czy ja wiem...? Jeśli nie liczyć tego blondyna, który dyma się jak rakieta, to chyba nie za bardzo. Mój fagas wyjechał podbijać kolejne rynki kosmetyczne, więc zdecydowanie będę się nudzić. A co, masz dla mnie jakąś propozycję?

Domenico przyglądał mi się, nie rozumiejąc ani słowa, a ja usilnie próbowałam zachowywać się naturalnie.

– Przylecisz do mnie na Sycylię?

W słuchawce nastała niepokojąca cisza.

– Co się dzieje, Lari? Dlaczego już wyjechałaś, wszystko okej?

– Olo, po prostu powiedz, czy przylecisz – syknęłam zirytowana. – Ja wszystko załatwię, tylko zgódź się, błagam.

– Kochanie, no jasne, że przylecę, daj mi znać, kiedy i gdzie mam być. Czy ten Czarny półbóg coś ci zrobił? Jeśli tak, zabiję skurwysyna i gówno mi zrobi ta jego mafia.

Rozbawiona oparłam się o siedzenie.

– Nie, nic mi nie jest, po prostu potrzebuję cię na miejscu. Dam znać, jak wszystko załatwię, pakuj się.

Odłożyłam telefon do torby i popatrzyłam na Domenica.

– Chciałabym, żeby moja przyjaciółka przyleciała do mnie jutro, czy możesz zająć się jej transportem z Polski?

– Rozumiem, że zostanie na ślub?

Kurwa, ślub, przez rewelacje wczorajszej nocy i dzisiejszego dnia zupełnie o nim zapomniałam.

– Czy wszyscy o tym wiedzieli, tylko nie ja?

Domenico wzruszył przepraszająco ramionami i wystukał numer na klawiaturze telefonu.

– Wszystkim się zajmę – powiedział, przykładając słuchawkę do ucha.

Kiedy samochód zaparkował na podjeździe, wysiadłam, nie czekając, aż kierowca otworzy mi drzwi, i poszłam w stronę domu. Przeszłam przez plątaninę korytarzy i weszłam do biblioteki. Massimo siedział przy wielkim stole z kilkoma mężczyznami. Wszyscy zamilkli na mój widok. Czarny powiedział coś do nich i podniósł się z krzesła.

– Musimy porozmawiać – powiedziałam, zaciskając zęby.

– Mała, nie teraz, mam spotkanie. Możemy załatwić to wieczorem?

Stałam tam wpatrzona w niego i usiłowałam uspokoić nerwy. Wiedziałam, że w moim stanie wzburzenie nie jest wskazane.

– Potrzebuję samochodu, ale bez kierowcy, chcę się przejechać i pomyśleć.

Patrzył na mnie badawczo, mrużąc oczy.

– Domenico przyprowadzi ci auto, ale nie możesz jechać bez ochrony – wyszeptał. – Lauro, czy wszystko w porządku?

– Tak, chcę pomyśleć z dala od tego miejsca.

Odwróciłam się na pięcie i zamknęłam za sobą drzwi. Podeszłam do młodego Włocha, który stał w progu.

– Potrzebuję auta. Massimo powiedział, że ty mi je dasz, więc poproszę kluczyki.

Bez słowa odwrócił się i ruszył w stronę schodów prowadzących na podjazd. Kiedy wyszliśmy, zatrzymał mnie przy drzwiach.

– Zaczekaj, przyprowadzę twój samochód.

Po chwili przede mną zaparkowało wiśniowe porsche macan.

Wysiadł z niego Domenico i podając mi klucz, powiedział:

– To wersja turbo z bardzo mocnym silnikiem, jedzie prawie dwieście siedemdziesiąt na godzinę, ale lepiej, żebyś nie rozwijała takich prędkości – przestrzegł ze śmiechem. – Dlaczego chcesz jechać sama, Lauro? Może zostaniesz i pogadamy? Don Massimo będzie pracował do późna, napijemy się wina.

– Nie mogę – powiedziałam, zabierając mu kluczyki z ręki.

Wsiadłam do kremowego środka okazałego pojazdu i zamarłam: guziki, setki guzików, przełączników, pokręteł. Jakby nie można było dać kierownicy, pedałów i skrzyni biegów. Młody Włoch podszedł i zapukał w okno.

– Książkę masz w schowku, ale w wielkim skrócie – tu masz sterowanie klimatyzacją, skrzynia jest automatem, ale to chyba zauważyłaś – wymieniał po kolei wszystkie funkcje samochodu, a ja czułam, jak do oczu napływają mi łzy.

– Dobra, już wszystko wiem, cześć – przerwałam mu, odpalając samochód i wciskając pedał gazu.

Kiedy wyjechałam z posiadłości, ruszył za mną czarny SUV. Nie miałam ochoty na towarzystwo, tym bardziej na kontrolowanie mnie. Jak tylko znalazłam się na autostradzie, wcisnęłam mocniej gaz i poczułam moc, o której mówił Domenico. Pędziłam jak wariatka, wymijając kolejne auta, aż czarny samochód mojej ochrony zniknął w tylnym lusterku. Na pierwszym zjeździe zawróciłam w stronę Giardini-Naxos. Wiedziałam, że nie domyślą się, iż wracam do miasta.

Stanęłam na parkingu przy promenadzie i wysiadłam. Wsunęłam na nos ciemne okulary i ruszyłam w stronę plaży. Usiadłam na piasku, a z moich oczu popłynął potok łez. Co ja najlepszego zrobiłam? Przyjechałam tu dwa miesiące temu na wakacje, a zostałam kobietą głowy mafii, a teraz urodzę mu dziecko. Ryczałam; to nie był płacz, tylko dziki ryk i rozpacz. Siedziałam bez ruchu, a kolejne godziny mijały jak minuty. Przez głowę przelatywały mi setki myśli na sekundę, również takich, by pozbyć się problemu, który nosiłam w sobie. Co ja powiem mojej mamie, jak mam powiedzieć to Massimowi, co teraz będzie? Jak mogłam być taka głupia, po co szłam z nim do łóżka i po jaką cholerę mu zaufałam?

– Kurwa mać – jęknęłam, chowając głowę między zgiętymi kolanami.

– Znam to słowo.

Podniosłam głowę i zobaczyłam, jak Czarny siada mnie obok na piasku.

– Mała, nie możesz uciekać ochronie, oni nie robią tego na złość tobie, tylko po to, by cię chronić. – Jego oczy były pełne troski i przenikały mnie pytająco.

– Przepraszam, musiałam pobyć całkiem sama. Nie wzięłam pod uwagę, że to auto także ma nadajnik, bo ma, prawda?

Massimo pokiwał twierdząco głową.

– Będą mieli duże kłopoty, skoro cię zgubili, musisz zdawać sobie z tego sprawę. Jeśli umiała ich zgubić mała dziewczynka, to jak mają cię chronić?

– Zabijesz ich? – zapytałam przerażona.

Czarny zaśmiał się i przeciągnął ręką po włosach.

– Nie, Lauro, to nie jest powód, by kogoś zabić.

– Jestem dorosła i umiem o siebie zadbać.

Przytulił mnie ramieniem i przyciągnął do siebie.

– Nie wątpię, a teraz powiedz mi, co się dzieje, po co byłaś u lekarza?

Bardzo ci dziękuję, Domenico, pomyślałam zachwycona jego dyskrecją.

Tkwiłam w uścisku, wtulając się w jego szyję. Zastanawiałam się, czy powiedzieć mu prawdę, czy na razie wygodniej będzie mi skłamać.

– Za dużo tego wszystkiego, byłam w klinice, żeby sprawdzić, czy masz rację, i miałeś. W mojej krwi była ketamina, dlatego nic nie pamiętam. Massimo, czy ty go naprawdę zabiłeś? – Podniosłam się i zdjęłam okulary.

Czarny przekręcił się w moją stronę i złapał mnie delikatnie za głowę obiema rękami.

– Uderzyłem go, a później zabrałem nad staw przy stajni. Chciałem go tylko wystraszyć, ale gdy zacząłem, nie byłem w stanie przestać, zwłaszcza że przyznał się do wszystkiego. Tak, Lauro, zabiłem go, a resztą zajęli się ludzie Karla.

– Jezu – wyszeptałam, a z moich oczu popłynęły łzy. – Jak mogłeś? Po co?

Massimo wstał i podniósł mnie za barki. Jego oczy były prawie zupełnie czarne, a wzrok lodowaty.

– Bo chciałem. Nie myśl już o tym, jak to powiedziałaś kiedyś: nie masz wehikułu czasu, więc nic już z tym nie zrobisz.

– Zostaw mnie, chcę jeszcze tu posiedzieć bez ciebie – wydusiłam, siadając na plaży.

Wiedziałam, że nie odpuści, a ja muszę powiedzieć coś, co go przekona i zapewni mi chwilę spokoju. Paradoksalnie najbardziej wcale nie martwiłam się śmiercią Piotra, lecz wyłącznie tym, że urodzę dziecko mężczyźnie, który stoi przede mną.

– Przeze mnie zabiłeś człowieka. Zafundowałeś mi wyrzuty sumienia, których nie jestem w stanie znieść. Mam ochotę teraz wsiąść w samolot i nigdy więcej cię nie zobaczyć. Więc albo uszanujesz moją prośbę, albo będzie to nasze ostatnie spotkanie.

Stał przez moment, patrząc na mnie, po czym ruszył w stronę deptaka.

– Olga ląduje jutro o dwunastej – powiedział, odchodząc, i za chwilę zniknął w czarnym SUV-ie.

Słońce zaczęło zachodzić, a ja przypomniałam sobie, że prawie nic dziś nie jadłam. Teraz nie mogłam pozwolić sobie na taki tryb życia. Wstałam i poszłam deptakiem w stronę kolorowych knajp. Idąc chodnikiem, uświadomiłam sobie, że jestem obok restauracji, w której pierwszy raz widziałam Massima. Na ten widok zrobiło mi się gorąco, a ciało przeszył dreszcz. To było tak niedawno, a mimo to od tego czasu tak wiele się zmieniło, właściwie wszystko.

Weszłam do środka i usiadłam przy stoliku z widokiem na morze. Kelner pojawił się nadzwyczaj szybko, witając mnie płynną angielszczyzną, i zniknął, pozostawiając kartę. Wertowałam ją, zastanawiając się, co mogę zjeść, czy jest coś, czego nie mogę i co powinnam, biorąc pod uwagę mój stan. W końcu zdecydowałam się na najbardziej bezpieczne danie, czyli pizzę.

Podkuliłam nogi i wzięłam do ręki telefon. Chciałam porozmawiać z mamą. W innych okolicznościach byłaby pierwszą osobą, do której bym zadzwoniła z radosną nowiną, ale nie teraz. Bo wiadomość o ciąży wcale nie była radosna, a ja musiałabym zdemaskować wszystkie swoje kłamstwa, co prawdopodobnie sprawiłoby, że serce by jej pękło.

Po zjedzeniu pizzy i wypiciu szklanki soku podałam kelnerowi kartę kredytową, wbijając wzrok w niemal już czarne morze.

– Panno Biel, przepraszam – usłyszałam za plecami. – Nie poznałem pani w tym kolorze włosów. – Odwróciłam się do mężczyzny i popatrzyłam pytająco.

Młody kelner stał obok stolika i trzęsącymi się rękami oddawał mi kartę.

– Nie bardzo rozumiem, a skąd miał pan wiedzieć, jak wyglądam?

– Mamy pani zdjęcie jako gościa VIP przekazane nam przez ludzi don Massima. Raz jeszcze przepraszam, płatność nie została ściągnięta.

– Poproszę jeszcze sok pomidorowy – powiedziałam, odwracając głowę.

Na myśl o powrocie do rezydencji i spotkaniu z Czarnym aż ściskało mnie w żołądku.

Następna godzina minęła niepostrzeżenie, a ja zdecydowałam, że już pora wracać i iść spać. Jutro będzie już przy mnie Olo i wszystko będzie dobrze, będę mogła płakać, ile będę chciała.

– Widzę, że bardzo się nudzisz, pozwól, że dotrzymam ci towarzystwa – powiedział młody brunet, siadając obok na fotelu. – Słyszałem, jak rozmawiałaś z kelnerem, skąd jesteś?

Popatrzyłam na obcego mężczyznę wzrokiem pełnym gniewu i frustracji.

– Nie mam ochoty na towarzystwo.

– Nikt nie ma, jeśli chce być sam, ale czasami warto się wyrzygać na przypadkową osobę, bo jej ocena nie będzie dla ciebie istotna, a tobie ulży.

Rozbawił mnie i zirytował zarazem.

– Rozumiem twój bajer na wyrozumiałego kumpla, ale ja po pierwsze, naprawdę chcę zostać sama, a po drugie, możesz mieć kłopoty, że tu usiadłeś, więc dobrze ci radzę, żebyś poszukał innego obiektu.

Mężczyzna nie dawał za wygraną i przysunął fotel bliżej mnie.

– Wiesz, co sądzę?

Gówno mnie to obchodziło, ale wiedziałam, że nie zamilknie.

– Uważam, że facet, o którym myślisz, nie zasługuje na ciebie.

Przerwałam mu, zwracając się do niego:

– Myślę o tym, że jestem w ciąży i w sobotę wychodzę za mąż, więc łaskawie wstań z miejsca i zobacz, czy nie ma cię przy barze.

– W ciąży? – usłyszałam głos zza pleców.

Facet wstał jak poparzony i niemal uciekł od stolika, a jego miejsce niespiesznie zajął Massimo.

Moje serce waliło jak szalone, a on patrzył na mnie ogromnymi czarnymi oczami. Złapałam oddech i odwróciłam się w stronę morza, by uniknąć kontaktu wzrokowego.

– A co miałam mu powiedzieć? Że zaraz go zabijesz? Prościej i bezpieczniej jest kłamać. Poza tym co ty tutaj robisz?

– Przyjechałem na kolację.

– Czyżby w domu zabrakło jedzenia?

– Zabrakło ciebie przy stole, zresztą jutro wyjeżdżam i chciałem się pożegnać.

Odwróciłam się do niego i skrzywiłam się, marszcząc brwi.

– Jak to wyjeżdżasz?

– Muszę pracować, mała, ale nie martw się, zdążę cię poślubić – powiedział, puszczając do mnie oko. – Chciałem zabrać cię ze sobą, ale skoro twoja przyjaciółka przyjeżdża, zróbcie sobie wieczór panieński. Karta kredytowa, którą dostałaś razem z kluczami od mieszkania, jest twoja i zacznij jej w końcu używać. Nie masz jeszcze sukni ślubnej.

Jego ciepły głos i troska uspokajały mnie i upewniały w tym, że jeszcze nie czas, by się dowiedział. Byłam zupełnie pogubiona – jaki on naprawdę był? – a jednocześnie uwielbiałam w nim tą nieobliczalność.

– Kiedy wrócisz? – W moim głosie słychać było, że ewidentnie zmiękłam.

– Jak dogadam się z rodziną, która trzyma Palermo. Śmierć Emilia sprawi mi trochę kłopotów, ale nie zajmuj tym swojej ślicznej główki – powiedział, wstając z miejsca i całując mnie w czoło. – Jeśli już zjadłaś i jesteś gotowa, to chodźmy, chciałbym pożegnać się z tobą w domu.

Doszliśmy do samochodu, a ja podałam mu kluczyki od porsche.

– Nie podoba ci się? – zapytał, otwierając mi drzwi.

Wsiadłam do środka i czekałam, aż wejdzie.

– Nie o to chodzi, jest piękny, ale strasznie skomplikowany, poza tym lubię, kiedy prowadzisz.

Przez chwilę wahałam, się czy zapiąć pas, czytałam kiedyś, że kobiety w ciąży nie powinny tego robić.

– Skąd wiedziałeś, gdzie jestem?

Czarny zaśmiał się i ruszył z piskiem, a ja poczułam moc silnika turbo.

– Pamiętaj, dziecinko, że ja zawsze wiem, co robisz.

Po kilku minutach parkowaliśmy na odnowionym podjeździe. Czarny wysiadł z samochodu i otworzył mi drzwi.

– Pójdę do siebie – wymamrotałam, delikatnie pocierając brzuch.

– Owszem, ale zmieniłem ci pokój, więc pozwól, że cię zaprowadzę – oznajmił, łapiąc mnie za rękę.

– Lubiłam tamten – powiedziałam, gdy ciągnął mnie przez korytarz.

ROZDZIAŁ 19

Stanęliśmy przed drzwiami na ostatnim piętrze, a Massimo złapał za klamkę i otworzył je. Moim oczom ukazało się pomieszczenie zajmujące całe piętro domu.

Ściany wyłożone były ciemnym drewnem od podłogi aż po sufit, na środku stała wielka jasna kanapa w kształcie litery C, a przed nią, nad kominkiem, wisiał telewizor. Dalej były już tylko okna i schody prowadzące na antresolę, gdzie znajdowała się sypialnia z olbrzymim czarnym łóżkiem wspartym na czterech kolumnach – przypominało to sypialnię króla. Dalej była garderoba i łazienka, a zaraz za nią taras z widokiem na morze.

– Od dziś tu jest twoje miejsce, Lauro, przy mnie – powiedział, przypierając mnie do balustrady, gdy stałam oszołomiona widokiem, patrząc na horyzont. – Kazałem przenieść twoje rzeczy, ale dzisiejszej nocy raczej nic ci nie będzie potrzebne.

Czułam, jak jego usta błądzą po mojej szyi, a ocierające się o moje plecy biodra zaczynają falować. Odwróciłam się do niego przodem i złapałam głęboki wdech.

– Massimo, nie dziś.

Czarny oparł się rękami po obydwu stronach barierki, zamykając mnie w uścisku. Patrzył pytająco, niemal przenikając mnie czarnymi oczami.

– Co się dzieje, mała?

– Źle się czuję, chyba odczuwam jeszcze skutki sobotniej imprezy.

Widziałam, że moje argumenty nie są szczególnie przekonujące, więc zmieniłam strategię.

– Mam ochotę przytulić się do ciebie, umyć się, pooglądać telewizję i iść spać. Poza tym za parę dni jest nasz ślub i zachowajmy chociaż resztki dobrego wychowania i wstrzymajmy się z tym do soboty.

Massimo stał rozbawiony i patrzył na mnie, nie mogąc uwierzyć w to, co słyszy.

– Resztki dobrego wychowania? Jestem z rodziny mafijnej, pamiętasz? Dobrze, kochanie, będzie tak, jak zechcesz, poza tym widzę, że coś nie gra, więc dziś zadowolę się umyciem twoich pleców.

Rozbawiony prowadził mnie przez apartament.

– O nie, umyć się idę sama, oboje wiemy, jak skończy się nasz wspólny prysznic.

Godzinę później oboje już leżeliśmy w łóżku, oglądając telewizję.

– Nauka włoskiego i tak cię nie minie. Skoro masz tu mieszkać, powinnaś znać ten język. Od poniedziałku się tym zajmiemy – powiedział, włączając lokalne wiadomości.

– Ty także będziesz uczył się polskiego? Czy już zawsze, nawet w swoim kraju, będę mówiła po angielsku?

– Skąd wiesz, że już się nie uczę? – zapytał, przytulając mnie i przeczesując moje włosy palcami. – Cieszę się, że Olga będzie z tobą przez kilka dni, myślę, że przyda się wam trochę swobody. Ale nawet nie licz na to, że ochrona zostanie w domu, i nie uciekaj im, bo nie chcę się denerwować. – Zacisnął dłoń na mojej ręce. – Jeśli będziecie chciały nurkować czy iść na imprezę, powiedz o tym Domenicowi, on wszystko zorganizuje, Lauro – powiedział poważnym tonem. – Pamiętaj, że już wiele osób wie, kim jesteś. Bardzo zależy mi na twoim bezpieczeństwie, ale bez twojej współpracy ochrona się nie uda.

Zastanowił mnie sens tych słów i strapiona mina Czarnego.

– Czy coś mi grozi?

– Mała, twoje życie jest zagrożone od momentu, kiedy sprowadziłem cię do siebie, dlatego pozwól mi zająć się tym, aby nigdy nic złego ci się nie stało.

Instynktownie złapałam się za brzuch pod kołdrą. Wiedziałam, że teraz jestem odpowiedzialna nie tylko za siebie, lecz także za małego człowieka rosnącego we mnie.

– Zrobię, co tylko sobie życzysz.

Massimo ze zdziwieniem podniósł się nieco i popatrzył na mnie, marszcząc brwi.

– Lauro, nie poznaję cię, skąd ta nagła uległość?

Wiedziałam, że ma prawo do informacji o naszym dziecku, wiedziałam też, że ta rozmowa mnie nie ominie, ale nie chciałam robić tego teraz, przed jego wyjazdem. Czułam, że to nie jest odpowiedni moment.

– Zrozumiałam, że masz rację. Jestem mądrą dziewczynką, pamiętaj.

Pocałowałam go i wcisnęłam się z powrotem pod jego ramię.

Około siódmej rano obudziło mnie delikatne szturchanie, nabrzmiała erekcja Massima napierała na moje wtulone w jego biodra pośladki. Odwróciłam lekko głowę w jego stronę i z rozbawieniem odkryłam, że nadal śpi. Wsunęłam powoli rękę pomiędzy nas i chwyciłam dłonią jego członek. Zaczęłam go masować od nasady aż po czubek. Czarny jęknął cicho i przekręcił się na plecy. Położyłam się na boku, wspierając na łokciu, i obserwowałam jego reakcję na to, co robię. Zaciskałam rękę coraz szybciej i coraz mocniej napierałam na jego męskość. W pewnym momencie otworzył oczy, a kiedy mnie zobaczył, uspokoił się i na powrót je zamknął. Wsunął dłoń pod kołdrę i delikatnie zaczął pocierać moje koronkowe majtki.

– Mocniej – wyszeptał.

Wykonałam jego polecenie i poczułam, jak ręka, którą mnie dotykał, przesuwa się i dociera do mojej wilgotnej szparki. Wciągnął powietrze i zaczął się bawić, wijąc się w rozkoszy, a jego członek rósł i był coraz twardszy.

– Dosiądź mnie – powiedział, oblizując wargi i zrzucając kołdrę na podłogę.

Moim oczom ukazała się niewiarygodna poranna erekcja, aż zrobiło mi się gorąco.

– Nic z tego, kochanie – odparłam, całując go po brodzie. – Chcę cię zaspokoić w ten sposób.

– A ja chcę wejść w ciebie.

Po tych słowach poczułam, jak się przekręca i przywiera do mnie swoim ciałem. Odsunął koronkę majtek i brutalnie wszedł we mnie. Krzyknęłam, wbijając mu paznokcie w plecy. Mocno i intensywnie posuwał mnie, aż przypomniał sobie, że nie może skończyć, bo nie mamy prezerwatyw. Wyciągnął go i głośno dysząc, przesunął się nad moją głowę, opierając rękami o ścianę za łóżkiem.

– Skończ – wydyszał i wsunął mi penisa do gardła.

Ciągnęłam mocno i szybko, a moje palce delikatnie głaskały jego jądra.

Po chwili poczułam, jak jego ciało napina się, a fala lepkiego nasienia zalewa mi gardło. Głośno krzyczał, wbijając dłonie w zagłowie łóżka. Kiedy skończył, opadł obok mnie i próbował dogonić swój oddech.

– Możesz mnie tak budzić codziennie – rzekł rozbawiony.

Próbowałam wszystko przełknąć, ale czułam, jak zawartość żołądka podchodzi mi do gardła.

Wyskoczyłam z łóżka i pobiegałam do łazienki, trzaskając drzwiami. Pochyliłam się nad sedesem i zaczęłam wymiotować. Kiedy skończyłam, oparłam się o ścianę i przypomniałam sobie, że jestem w ciąży. Boże, co za dramat, pomyślałam, jeśli każde obciąganie ma kończyć się rzyganiem, chyba przez najbliższe miesiące nie będę tego robić.

W drzwiach łazienki stanął Massimo i zaplótł ręce na piersiach.

– Zaszkodziła mi wczoraj ta pizza, już w nocy czułam, że coś jest nie tak.

– Pizza ci zaszkodziła?

– Tak, poza tym narkotyki zmieniają smak i zapach spermy, więc weź to pod uwagę, kiedy następnym razem będziesz miał ochotę dziabnąć sobie krechę – powiedziałam, wstając i idąc po szczoteczkę do zębów.

Czarny stał oparty o futrynę i badawczo mi się przyglądał.

Skończyłam myć zęby i pocałowałam go w policzek, przechodząc obok.

– Jest strasznie wcześnie, chyba jeszcze poleżę.

Wślizgnęłam się pod kołdrę i włączyłam telewizor, a on nadal stał w progu, odwrócony tym razem w stronę sypialni. Przelatywałam kolejne kanały, czując na sobie jego wzrok.

– Przed moim wyjazdem chciałbym, żeby zbadał cię lekarz – rzucił, przechodząc do garderoby.

Na te słowa aż stanęło mi serce. Nie wiedziałam, jakiego lekarza chce wezwać, ale nawet znachor nie wyczytałby ciąży z badania pulsu. A przynajmniej taką miałam nadzieję.

Po dwudziestu minutach stanął obok łóżka. Wyglądał tak samo jak pierwszego dnia, kiedy widziałam go na lotnisku. Czarny garnitur i ciemna koszula idealnie pasowały do koloru jego oczu i opalenizny. W tym stroju był władczy, nieustępliwy i wyjątkowo gangsterski. Zachowując resztki spokoju i kierując wzrok w stronę telewizora, powiedziałam:

– Nie sądzę, by niestrawność była dobrym powodem, by wzywać lekarza, ale zrobisz, jak zechcesz. Sama postawię sobie diagnozę i rozpiszę leczenie. Krople żołądkowe, gorzka herbata i suchary, czy tobie też mam coś przepisać na stany niepokoju w stosunku do mnie?

Massimo zbliżył się do mnie, lekko się uśmiechając.

– Lepiej zapobiegać, niż leczyć, prawda? – Złapałam go za pasek spodni. – Czy obciąganie z rana nie było wystarczającym lekarstwem, panie Torricelli? A może jesteś nie dość usatysfakcjonowany?

Czarny ze śmiechem gładził moją twarz.

– Jestem tobą wciąż nienasycony, ale teraz niestety nie mam czasu, by się zaspokoić do końca. Szykuj się na noc poślubną, będziemy musieli wszystko nadrobić, mała.

Pochylił się i złożył na moich ustach długi i namiętny pocałunek, po czym ruszył w stronę schodów.

– Pamiętaj, obiecałaś mi, że nie będziesz uciekać i dasz się ochraniać. W telefonie mam aplikację, dzięki której wiem, gdzie jesteś. Taką samą kazałem wgrać w twój, dzięki temu będziesz spokojniejsza. Domenico wszystko ci pokaże. Jeśli nie chcesz jeździć porsche, kierowcy będą cię wozić, ale nie bierz żadnego ze sportowych wozów, boję się, że sobie z nimi nie poradzisz, kochanie. Zaplanowałem dla was kilka niespodzianek, żebyście się nie nudziły, poszukaj ich. Są w miejscach, które są naszymi pierwszymi. Do zobaczenia w sobotę.

Kiedy znikał, schodząc po schodach, poczułam, jak do oczu napływają mi łzy. Zerwałam się z łóżka i pobiegałam za nim. Wskoczyłam na niego i zaczęłam go szaleńczo całować, uwieszona na nim jak małpka.

– Kocham, cię, Massimo.

Jęknął i oparł mnie o ścianę, wciskając język do samego gardła. – Lubię, że mnie kochasz, a teraz uciekaj do łóżka.

Stałam ze szklistymi oczami, patrząc, jak otwiera drzwi.

– Wrócę – wyszeptał, zamykając je za sobą.

Tkwiłam tak jeszcze przez chwilę, zastanawiając się, czy za każdym razem, kiedy będzie wyjeżdżał, ja będę się modliła o to, by szczęśliwie wrócił. Odpędziłam złe myśli i poszłam w stronę tarasu. Nad Sycylią wstawał kolejny piękny dzień. Zachmurzone nieco niebo ustępowało miejsca słońcu, które coraz śmielej przedzierało się przez chmury. Usiadłam na fotelu i patrzyłam na lekko kołyszące się morze. Poczułam, jak po moich plecach delikatnie przesuwa się miękki koc.

– Przyniosłem ci herbatę z mlekiem – powiedział Domenico, siadając obok. – A do tego kilka lekarstw na twoją anemię.

Postawił przede mną na stoliku fiolki z medykamentami i zaczął wymieniać:

– Kwas foliowy, cynk, żelazo i całą resztę potrzebną w pierwszym trymestrze.

Siedziałam, wgapiając się w niego szeroko otwartymi oczami.

– Wiesz, że jestem w ciąży?

Młody Włoch z uśmiechem pokiwał głową i wygodnie usadowił się w fotelu.

– Nie martw się, tylko ja wiem. I nie mam zamiaru dzielić się z nikim tą wiedzą, bo uważam, że to akurat jest tylko wasza sprawa.

– Ale nie powiedziałeś Massimowi? – zapytałam z przerażeniem.

– Oczywiście, że nie. Lauro, są rzeczy, do których nawet rodzina nie ma prawa się mieszać. To ty musisz mu o tym powiedzieć, nikt inny.

Odetchnęłam z ulgą i upiłam łyk z kubka.

– Modlę się o dziewczynkę – powiedziałam ze smutnym uśmiechem.

Domenico odwrócił się w moją stronę i zaśmiał dobrotliwie.

– Dziewczynka ostatecznie też może być głową rodziny – odparł ironicznie, unosząc brwi.

Uderzyłam go w ramię.

– Nawet tak nie mów, to nie jest śmieszne.

– Myślałaś już o imieniu?

Zastygłam, patrząc na niego. O ciąży wiem od wczoraj i zupełnie nie przyszło mi do głowy, by o tym pomyśleć.

– Na razie muszę iść do lekarza, żeby się wszystkiego dowiedzieć, a później będę się zastanawiać nad takimi szczegółami.

– Zarezerwowałem ci wizytę na jutro, godzina piętnasta, w tej samej klinice co ostatnio. A teraz ubieraj się i chodź na śniadanie. Moje wtajemniczenie zobowiązuje mnie do tego, bym szczególnie dbał o twoją dietę.

Kiedy przechodziliśmy przez sypialnię, dostrzegłam ogromne pudło, które leżało na łóżku.

– Co to? – zapytałam, odwracając się do Domenica.

– Prezent od don Massima – wyjaśnił, uśmiechając się znacząco i znikając na schodach. – Czekam w ogrodzie.

Rozpakowałam karton i moim oczom ukazały się dwa mniejsze pudełka z logo Givenchy na wierzchu. Wyjęłam je i otworzyłam. To były zabójcze kozaki, które miała na sobie żona Karla, kiedy się poznałyśmy. Byłam szaleńczo zakochana w tych butach, ale nikt normalny nie wydałby na nie prawie siedmiu tysięcy złotych. Aż podskoczyłam z zachwytu na ich widok – obie pary były z tego samego modelu, różniły się tylko kolorem. Złapałam je w dłonie, mocno przytulając, i poszłam do garderoby. Popatrzyłam na dziesiątki pięknych rzeczy na wieszakach. Za kilka miesięcy w nic się nie zmieszczę, pomyślałam. Ominie mnie pijaństwo w sylwestra, imprezy z Olo i jak ja, do cholery, wyjaśnię to rodzicom? Zrezygnowana usiadłam w wielkim fotelu, nadal ściskając kozaki, a potok myśli przelewał mi się przez głowę.

Olśniło mnie: muszę pojechać do mamy, zanim jeszcze będzie widać, a później zawsze wykręcę się pracą, to tylko kilka miesięcy. Mój genialny plan miał jednak jedną wadę – dziecko w końcu przyjdzie na świat i trudno mi będzie wyjaśnić ten fenomen rodzicom.

– O Boże, ale kibel – rzuciłam, wstając z fotela.

Póki jeszcze moja figura była niemal nienaganna, postanowiłam aktywnie korzystać z zawartości szafy. Na pierwszy dzień z Olgą wybrałam jasne kozaki, które podarował mi Czarny. Dobrałam do nich białe szorty i zwiewną szarą koszulę z długim, podwijanym rękawem. Delikatnie pomalowałam oczy i starannie uformowałam mojego genialnie obciętego blond boba. Kiedy skończyłam, było już dobrze po dziesiątej. Przepakowałam się w kremową torbę od

Prady i wsunęłam na nos złote aviatory. Wychodząc, stanęłam przed lustrem, które było obok drzwi, i aż jęknęłam. Dzisiejszy strój kosztował tyle, co mój pierwszy samochód, oczywiście nie licząc niebotycznie drogiego zegarka, bo z nim osiągałam wartość mieszkania. Czułam się atrakcyjna i bardzo markowa, tylko czy to wciąż byłam ja?

Nie sądziłam, że Domenico tak się przejmie moim stanem. Niemal na siłę, jak moja mama, wsadzał mi do gardła kolejne potrawy.

– Domenico, kurwa, czy ty wiesz, że ciąża to nie choroba głodowa? – syknęłam z irytacją, kiedy dokładał mi na talerz kolejną porcję jajek. – Nie chcę już jeść, zemdli mnie znowu. Jedźmy, bo się spóźnię.

Młody Włoch popatrzył na mnie z żalem.

– Może weź na drogę jabłko?

– Jezu! Sam sobie weź i przestań już, psychopato.

Droga do Katanii była zadziwiająco krótka, a może zwyczajnie miałam o czym myśleć. Żeby Massimo był spokojniejszy, zdecydowałam się na samochód z kierowcą.

Zaparkowaliśmy przy terminalu przylotów. Cieszyłam się, że będę z Olo sama, Domenico wyczuł, że tego potrzebuję, i został w posiadłości. Kiedy zobaczyłam, jak moja przyjaciółka wychodzi, nie czekałam na otwarcie drzwi, tylko rzuciłam się w jej stronę.

– Czy to są kozaki Givenchy, na które mnie nie stać? – zapytała, kiedy wpadłam w jej ramiona i mocno przycisnęłam ją do siebie. – Przytrzymywanie mnie nic ci nie da i tak ci je zabiorę.

– Cześć, kochana. Dobrze, że jesteś.

– No wiesz, wezwałaś mnie w takim tempie i takim tonem, zwyczajnie wiedziałam, że nie mam wyjścia.

Kierowca wziął bagaż i otworzył przed nami drzwi.

– Poważniejsza sprawa – rzuciła Olga, wsuwając się na siedzenie. – Mamy kierowcę? Aż jestem ciekawa, co będzie dalej.

– Ochrona, służba i kontrola – wyjaśniłam, wzruszając ramionami. – Nadajniki, pewnie podsłuchy i gangsterzy na każdym kroku. Witaj na Sycylii. – Rozłożyłam szeroko ręce i sarkastycznie się uśmiechnęłam.

Olga skrzywiła się nieco i popatrzyła na mnie, jakby próbowała prześwietlić mi głowę.

– Co się dzieje, Lari? Dawno już nie słyszałam cię takiej jak wczoraj.

– Chciałam ci wcisnąć jakiś kit, ale uważam, że nie ma sensu. Wychodzę za mąż w sobotę i chciałabym, żebyś była moją druhną.

Siedziała, gapiąc się na mnie z szeroko otwartymi ustami.

– Pojebało cię?! – wrzasnęła. – Ja rozumiem wybuch miłości do mafiosa i to, że chcesz z nim spróbować, zwłaszcza że daje ci życie jak z bajki, ma kutasa po kolana i wygląda jak bóg, ale ślub? Po dwóch miesiącach znajomości? To ja bezgranicznie wierzę w instytucję rozwodu, a nie ty. Ty zawsze chciałaś romantycznie, raz na całe życie, dom, dzieci. Co się z tobą dzieje? On ci kazał, tak? Ja go, kurwa, na strzępy rozerwę za to zmuszanie cię do wszystkiego. Wyjechałaś z kraju, zmienił cię w lalkę jak z „Vogue'a", a teraz ślub! – darła się, ledwo łapiąc oddech.

Odwróciłam się do szyby, nie mogąc już słuchać jej krzyków.

– Jestem w ciąży.

Olga zamilkła i wytrzeszczyła oczy tak, że byłam przekonana, iż za chwilę stoczą się na dywanik.

– Co jesteś?

– Wczoraj się dowiedziałam, dlatego chciałam, żebyś przyjechała. Massimo jeszcze o niczym nie wie.

– Możemy się zatrzymać? Muszę zajarać.

Poprosiłam kierowcę o zatrzymanie się w najbliższym możliwym miejscu. Olo jak poparzona wyskoczyła z samochodu, kiedy wreszcie stanął, i trzęsącymi się rękami zapaliła papierosa. Po wypaleniu jednego bez słowa wzięła kolejnego i zaciągając się, zaczęła:

– Żyjesz jak w klatce, złotej... ale to wciąż klatka, a teraz jeszcze to. Czy ty zdajesz sobie sprawę, w co się pakujesz?

– Co mam teraz zrobić twoim zdaniem? Stało się, nie usunę dziecka. – Siedziałam na fotelu, patrząc na nią, a ton mojego głosu szedł w górę. – Wrzeszczysz na mnie, jakbyś sądziła, że jestem upośledzona i nie wiem, co zrobiłam. Tak, byłam głupia, tak, nie uważałam, tak, spierdoliłam, ale wehikułu czasu nie mam. No, chyba że ty masz, to dawaj, ale jak nie, to zamknij się wreszcie i zacznij mnie wspierać. Kurwa mać!

Olga stała, patrząc na mnie, kiedy zalałam się łzami.

– Chodź do mnie – powiedziała, gasząc papierosa. Kocham cię, a dziecko... – Tu urwała na chwilę. – Przynajmniej będzie śliczne, po takich rodzicach nie może być inaczej.

Resztę drogi przejechałyśmy w ciszy, jakby każda z nas musiała poukładać sobie w głowie to, co usłyszała. Wiedziałam, że ma rację. Jej słowa były wypowiedzianymi moimi myślami, ale to nie zmieniało faktu, że życie zupełnie wymknęło mi się spod kontroli.

Kiedy dojeżdżałyśmy do domu, zwróciłam się w jej stronę.

– Postarajmy się dobrze bawić, nie chcę już myśleć o tym wszystkim.

– Przepraszam – wydusiła zza ciemnych okularów. – Ale nie przygotowałaś mnie na te newsy.

Auto wjechało na podjazd, na którym już czekał Domenico. Olo rozglądała się na boki, zaszokowana tym, co widzi.

– Ja pierdolę, jak w *Dynastii*, ty tu mieszkasz tylko z nim czy może prowadzicie hotel?

Rozbawiła mnie tym, co powiedziała, i poczułam, że wrócił jej humor.

– No wiem, trochę to przerażające, ale spodoba ci się, chodź – powiedziałam, kiedy młody Włoch otworzył drzwi od mojej strony.

Przedstawiłam ich sobie i z zaciekawieniem patrzyłam, jak od razu przypadli sobie do gustu. To, że tak się stanie, było raczej oczywiste, bo Olga tak jak ja kochała modę i szarmanckich przystojnych facetów.

– On jest chyba gejem – rzuciła, kiedy przechodziłyśmy przez korytarz. – I dobrze, że nas nie rozumie – wydusiła ze śmiechem.

– Rozczaruję cię, ale słowo gej jest takie samo w wielu językach, więc prawdopodobieństwo, że zrozumiał, jest duże – wyszeptałam.

Przechodząc koło mojego starego pokoju, przypomniałam sobie poranne słowa Massima, który mówił o naszych pierwszych miejscach i niespodziance.

– Poczekajcie chwilę – powiedziałam, łapiąc za klamkę.

Weszłam do środka i poczułam spokój. Wszystko było takie moje, znajome i nieruszone. Wymieniona pościel i brak rzeczy w garderobie – tylko to było inaczej. Na łóżku leżała czarna koperta. Usiadłam na materacu i otworzyłam ją. W środku znajdował się voucher do luksusowego spa i adnotacja: „To, co lubisz". Przytuliłam papier do serca i poczułam tęsknotę za Czarnym

– nawet z dala ode mnie potrafił mnie zaskakiwać. Wyciągnęłam telefon i wybrałam numer Massima.

– Będziemy na końcu korytarza – poinformował Domenico, pociągając Olo za sobą. Po trzech sygnałach usłyszałam znajomy akcent.

– Myślę o tobie – wyszeptałam do słuchawki.

– Ja o tobie też, mała. Stało się coś?

– Nie, tylko znalazłam kopertę i chciałam podziękować.

– Tylko jedną? – zapytał zaskoczony.

– A to jest ich więcej?

– Postaraj się bardziej, Lauro, pierwszych razów chyba było więcej niż jeden. Olga już dotarła?

– Tak, dziękuję, już jesteśmy w domu.

– Bawcie się dobrze, kochanie, i nie martw się, wszystko układa się, jak należy.

Wcisnęłam czerwoną słuchawkę i ruszyłam w poszukiwaniu reszty niespodzianek.

Przez głowę przelatywało mi wiele opcji, ale nie wiedziałam, od czego zacząć. Najlogiczniej było iść po śladach naszej wspólnej przeszłości.

– Biblioteka – wyszeptałam i ruszyłam korytarzem. Na fotelu, na którym siedziałam pierwszej nocy, leżała kolejna czarna koperta. Otworzyłam ją i znalazłam kartę kredytową z dopiskiem: „Wydaj wszystko". O Boże, nawet nie chcę myśleć, ile jest na niej pieniędzy, pomyślałam. Potem poszłam do ogrodu w stronę leżanki, na której to ja pocałowałam Massima.

Na materacu leżał czarny papier, a wewnątrz zaproszenie na nasz ślub i krótki tekst, na który czekałam: „Kocham Cię". Przytuliłam kopertę i ruszyłam w stronę domu w poszukiwaniu przyjaciółki i młodego Włocha.

Znalazłam ich stojących na tarasie sypialni na końcu korytarza, niedaleko mojego starego pokoju. Widać było, że przypadli sobie do gustu.

– Szampan na śniadanie o trzynastej – powiedziała Olo, wznosząc kieliszek z moët rosé. – Twój mafioso o nas zadbał.

Wskazała ręką na ogromną wazę z lodem, w której tkwiło kilka butelek mojego ulubionego trunku. Domenico wzruszył przepraszająco ramionami i podał mi szklankę soku pomidorowego.

– Zamówiłem z Francji wino musujące bezalkoholowe, ale będzie dopiero jutro.

– No, już bez przesady – powiedziałam, siadając w wielkim białym fotelu. – Przez kilka miesięcy obejdę się bez smaku alkoholu.

Olo wcisnęła się obok mnie i przytuliła ramieniem.

– Ale po co? Poza tym skoro za kilka dni masz wziąć ślub, a Massimo nic nie wie o dziecku, warto zachować choć pozory. Gazowana woda o smaku szampana na pewno ci nie zaszkodzi.

Przerażała mnie myśl o tym, że muszę przearanżować i podporządkować całe życie nienarodzonej istocie, a to był dopiero początek.

Wiedziałam, że najtrudniejsze czeka mnie za kilka miesięcy.

– Domenico, chciałabym zjeść lunch w mieście, zarezerwujesz nam coś?

Młody Włoch nalał kolejną lampkę mojej przyjaciółce, po czym zniknął.

– A właściwie dlaczego nie powiedziałaś Czarnemu o dziecku?

– Bo dopóki on nie wie, ja mam wybór. Ola, ja nie chciałam tego dziecka, ale wiem też, że nie jestem w stanie się go pozbyć. Poza tym Massimo wyjeżdżał i nie chciałam, by ze względu na mnie zmienił plany, powiem mu po ślubie.

– Myślisz, że się ucieszy?

Milczałam przez chwilę, patrząc na morze.

– Wiem, że oszaleje z radości. Bo właściwie to ta nieplanowana ciąża była zaplanowana przez niego. – Skrzywiłam się i wzruszyłam ramionami, a Olga patrzyła na mnie z szeroko otwartymi oczami.

– Że co, kurwa?

Opowiedziałam jej historię mojego implantu i naszej pierwszej nocy na jachcie. Wyjaśniłam, dlaczego mnie okłamał. Wspomniałam, że miałam wtedy dni płodne, i o teście, który nic nie pokazał.

– No więc wydaje mi się, że jakby to idiotycznie nie zabrzmiało, zaszłam w ciążę, kiedy kochaliśmy się pierwszy raz.

Olo siedziała przez chwilę w ciszy, analizując całą opowieść. Potem wzięła łyk z kieliszka i powiedziała:

– Nie chcę wchodzić w irracjonalny ton wróżbity, ale wiesz, że takie przypadki rzadko się zdarzają. Może to przeznaczenie? Może właśnie tak miało być, Lari. To ty mi zawsze mówiłaś, że wszystko w życiu jest po coś. Myślałaś już o imieniu?

– To wszystko dzieje się tak szybko, że jeszcze się nad tym nie zastanawiałam.

– Ale polskie czy włoskie?

Patrzyłam na nią, szukając odpowiedzi na jej pytanie.

– Nie wiem, chciałabym to jakoś połączyć, ale chyba zaczekam z tym na Massima. Nie rozmawiajmy już o tym, chodź, zjemy coś.

Popołudnie upłynęło nam na plotkach i wspomnieniach z dzieciństwa. Zawsze wiedziałyśmy, że będziemy matkami, ale w planach była raczej świadoma decyzja, a nie wpadka. Kiedy wróciłyśmy do domu, było już późno, a Olgę wyraźnie dopadało zmęczenie.

– Śpij dziś ze mną – poprosiłam, patrząc na nią oczami spaniela.

– Oczywiście, kochanie.

Złapałam ją za rękę i pociągnęłam po schodach na górę. Kiedy weszłyśmy do apartamentu na ostatnim piętrze, aż ją zamurowało.

– O kurwa! – wydusiła z naturalnym dla siebie wdziękiem. – Lari, jak myślisz, ile on ma pieniędzy?

Wzruszyłam ramionami i poszłam w stronę schodów prowadzących na antresolę.

– Nie mam pojęcia, ale obrzydliwie dużo. Trochę mnie to przytłacza, ale nie będę ukrywać, że łatwo przyzwyczaić się do luksusu. Nigdy natomiast o nic go nie poprosiłam, nie musiałam, dostaję nawet to, czego nie potrzebuję.

Usiadłyśmy na łóżku, a ja wskazałam na otwarte drzwi do garderoby.

– Chcesz zobaczyć prawdziwą przesadę? Idź tam. Za zawartość moich szaf można kupić kilka mieszkań w Warszawie.

Kiedy przebiegła przez drzwi, poszłam za nią. Światło rozbłysło, a jej oczom ukazała się ponadpięćdziesięciometrowa garderoba. Na ścianie naprzeciwko wejścia były półki z butami, od podłogi do sufitu, od Louboutina po Pradę. Przymocowano do nich ruchomą drabinę, dzięki której bez trudu mogłam zdejmować to, co znajdowało się na samej górze. Na środku pomieszczenia stała podświetlana wyspa z szufladami kryjącymi zegarki, okulary i biżuterię, a nad nią wisiał gigantyczny kryształowy żyrandol. Wnętrze było czarne, a wieszaki oddzielone od siebie taflami luster. Moje rzeczy zajmowały całą prawą stronę, a Massima lewą. W rogu obok wejścia do łazienki stał ogromny, miękki pikowany fotel, na który opadła zszokowana Olga.

– Ja pierdolę. Nie wiem, co powiedzieć, ale na pewno ci nie współczuję.

– Ja sobie też nie, ale czasem myślę, że nie zasługuję na to wszystko.

Olo wstała z fotela, podeszła do mnie i złapała za ramiona.

– Co ty bredzisz?! – krzyknęła, potrząsając mną. – Lari, jesteś z milionerem, kochasz go, a on ciebie, dajesz mu wszystko, czego on pragnie, a teraz dasz mu dziecko. Nie musisz być tak bogata jak on, by dawać mu to, czego on chce i potrzebuje. A skoro on może i chce obdarowywać ciebie, to jaki ty widzisz problem? Masz złe podejście! – Pogroziła mi palcem. – Dla niego dziesięć tysięcy to jak dla ciebie sto złotych, nie mierz go swoją miarą finansową, bo skala jest inna.

Pomyślałam, że brzmi to dość logicznie.

– Jakbyś miała tyle kasy co on, nie chciałabyś mu dać całego świata? – kontynuowała.

Pokiwałam zgodnie głową.

– Sama widzisz, więc bądź wdzięczna za to, co masz, i nie myśl o głupotach. Chodź spać, mamusiu, bo padam na twarz.

ROZDZIAŁ 20

Następnego dnia zdecydowanie zbyt późno jadłyśmy śniadanie, wylegując się w łóżku do południa.

– Musisz coś dla mnie zrobić – powiedziałam, odwracając się do Olgi. – Mam dziś wizytę u ginekologa, ale na moją prośbę jest ona na twoje nazwisko, więc zasadniczo to ty dziś jesteś pacjentką.

Ola popatrzyła na mnie, unosząc jedną brew.

– Nie wiem, na ile Massimo jest w stanie kontrolować to, co robię. Plan jest taki, by powiedzieć mu, że zapomniałaś recepty na tabletki antykoncepcyjne, i jedziemy do kliniki. Dzięki temu nie zaskoczy go moja obecność tam, jeśli sprawdzi, gdzie się znajduję.

Olo nadal jadła słodką bułkę, którą popijała kawą.

– Jesteś jebnięta, wiesz o tym? I tak się dowie, ale spoko – rób, jak uważasz.

– Dzięki, a po badaniu pojedziemy do Taorminy na zakupy. Chcę ubrać moją druhnę, no i suknię ślubną muszę znaleźć – powiedziałam z uśmiechem. – Wiesz, co to znaczy?

– Zakupy! – krzyknęła Olo i zaczęła tańczyć obok krzesła z pączkiem w zębach.

– Dostałyśmy od Massima kartę kredytową, którą mamy wyczyścić. Trochę się boję jej zawartości. Dobra, idę do niego zadzwonić, chcę już mieć to z głowy. – Ruszyłam w stronę ulubionej leżanki.

Czarny zadziwiająco łatwo łyknął bajeczkę o tabletkach Olgi, upewniając się tylko, że to nic poważnego, a chodzi wyłącznie o antykoncepcję, i kontynuował rozmowę, zmieniając temat na nasz ślub. Powiedział, że nie mamy wesela i że będzie to bardzo kameralna uroczystość. Na koniec dziwnie zamilkł.

– Massimo, czy wszystko w porządku? – zapytałam zaniepokojona.

– Tak, po prostu chciałbym być już w domu.

– To jeszcze tylko trzy dni i będziesz w Taorminie.

W słuchawce zapadła wymowna cisza, a on, wzdychając, wydusił z siebie:

– Nie chodzi o miejsce, tylko o to, że nie ma cię obok. Dom jest tam gdzie ty, a nie gdzie budynek, mała. Zwłaszcza że w Palermo też mamy apartament.

„Mamy" – słysząc te słowa, zrobiło mi się ciepło i dobrze, tęskniłam za nim. Uświadamiałam sobie to dopiero wtedy, kiedy rozmawiałam z nim przez telefon.

– Muszę kończyć, Lauro, do piątku możesz nie mieć ze mną kontaktu, ale nie martw się i korzystaj z aplikacji w telefonie, jeśli poczujesz taką potrzebę.

Wróciłam do stołu, przyciskając telefon do siebie.

– Ale ty go kochasz, to zaskakujące – powiedziała Olo, bujając się na krześle. – Słyszysz jego głos w telefonie i gdybyś mogła, zrobiłabyś mu loda przez słuchawkę z tej miłości.

– Przestań pieprzyć i chodź, znajdziemy coś do ubrania w mojej garderobie. Zaraz po wizycie u lekarza jedziemy wydać trochę kasy, więc wyglądajmy jak lalki z „Vogue'a".

Grzebanie w szafie zajęło nam zdecydowanie zbyt dużo czasu i gdyby nie Domenico, pewnie spóźniłabym się na wizytę u lekarza.

Gotowe do wyjścia stanęłyśmy na progu domu. Ja włożyłam te same kozaki co wczoraj, tyle tylko, że czarne, a do tego czarną lekką sukienkę bez ramiączek. Olga natomiast postawiła na styl bogatej dziwki, wkładając jasne króciutkie szorty Chanel z wysokim stanem, które niemal zupełnie odkrywały jej pośladki, i top w tym samym kolorze. Wygrzebała do tego niebotycznie wysokie szpilki Giuseppe Zanottiego ze złotymi wstawkami i jasne okulary. Zdecydowanie nie wyglądałyśmy jak ciężarna i jej przyjaciółka utrzymanka.

Doktor Ventura był zdziwiony, że do gabinetu weszły dwie kobiety. Wyjaśniłam mu szybko, że potrzebuję wsparcia koleżanki, bo narzeczony wyjechał. Przystał, by pozostała w pomieszczeniu w trakcie badania, które i tak odbywało się za parawanem. Kiedy skończyliśmy, ubrałam się i usiadłam obok Olgi. Lekarz wziął do ręki wydruki i włożył okulary.

– Zdecydowanie jest pani w ciąży, to początek szóstego tygodnia – tak pokazuje USG i badania. Płód rozwija się prawidłowo, ma pani zadowalające wyniki badań, ale martwi mnie pani chore serce. Możemy mieć przez to trudności przy porodzie. Niezbędna będzie jak najszybsza konsultacja kardiologiczna i zmiana leków, a najlepiej w ogóle się nie denerwować. Żadnych gwałtownych emocji i niepokojów – zastrzegł i zwrócił się do Olo. – Proszę zadbać o przyjaciółkę. Najbliższy czas będzie najważniejszy dla rozwoju dziecka, przepiszę pani suplementy i jeśli nie ma pani pytań, widzimy się za dwa tygodnie.

– Właściwie to mam jedno: dlaczego chudnę?

Doktor Ventura oparł się o krzesło i zdjął okulary.

– To często się zdarza, kobiety potrafią gwałtownie tyć, ale także mocno chudnąć na początku ciąży. Proszę jeść racjonalnie, nawet jeśli nie jest pani głodna. Jeśli przez cały dzień nie będzie pani miała apetytu, proszę wtedy zjeść coś na siłę, bo dziecko potrzebuje pokarmu do wzrostu.

– A seks? – zapytała Olga.

Lekarz odchrząknął i popatrzył na mnie pytająco.

– Z moim narzeczonym oczywiście. Czy są jakieś przeciwwskazania?

Uśmiechając się przyjaźnie, odpowiedział:

– Nie ma żadnych, proszę uprawiać seks do woli.

– Bardzo panu dziękujemy – powiedziałam. Ścisnęłam mu dłoń i pożegnałyśmy się.

– No to piona, jesteśmy w ciąży – ucieszyła się Olga, kiedy już jechałyśmy w stronę Taorminy. – Trzeba to opić, to znaczy ja będę pić, a ty będziesz patrzeć.

– Jesteś głupia. – Zamilkłam, przeprowadzając w głowie rachunek sumienia. – Boże, jak to dobrze, że dziecko jest zdrowe – tyle ostatnio piłam i jeszcze te narkotyki.

Olo skrzywiła się i obróciła na fotelu.

– Jakie narkotyki, Lari? Przecież ty nigdy nic nie brałaś.

Opowiedziałam jej pokrótce historię z wesela, oszczędzając szczegółów dotyczących śmierci Piotra.

– Co za złamas – skwitowała. – Ja zawsze ci mówiłam, że to dupek – oby skonał, chuj jeden.

No i skonał, odparłam w myślach, potrząsając głową, aby wyrzucić z niej to wspomnienie.

Po drodze na zakupy zabrałyśmy z posiadłości Domenica, nikt tak jak on nie znał tajników najlepszych i najdroższych butików w mieście. Taormina jest cudownym, niezwykle pięknym miejscem, niestety zupełnie nie ma tam gdzie zaparkować.

– Dobra, wysiądziemy tu i przejdziemy się – powiedział nasz przewodnik, otwierając drzwi.

Z auta, które jeździło za nami, wysiedli dwaj ochroniarze, którzy tym razem szli w odpowiednio dużej odległości od nas.

– Domenico, czy oni zawsze będą za mną łazić? – zapytałam, krzywiąc się.

– Niestety tak, ale w końcu przyzwyczaisz się do tego. Zaczynamy od panny młodej czy druhny?

Wiedziałam, że nie będzie mi łatwo znaleźć sukienkę, dlatego postanowiliśmy zacząć ode mnie. Właściwie to z jednej strony było mi wszystko jedno, skoro i tak nie będzie mnie nikt widział, a z drugiej chciałam wyglądać oszałamiająco dla Massima. Zaliczaliśmy kolejne markowe sklepy, ale w żadnym nie było nawet na czym oka zawiesić. Gdyby nie fakt, że Olga była załadowana torbami jak nomada, pewnie trochę bym się wściekała, ale jej radość wynagradzała mi brak sukni.

– Dobra, tu i tak nic nie będzie – powiedział Domenico. – Pójdziemy do atelier mojej znajomej projektantki, zjemy tam lunch i jestem jakoś dziwnie spokojny, że znajdziesz u niej to, czego szukasz.

Poszliśmy wąskimi uliczkami, klucząc po kolejnych schodach i zaułkach. Stanęliśmy przed maleńkimi drzwiami w kolorze oberżyny. Młody Włoch wstukał kod i weszliśmy na górę.

Chyba dobrze znał właścicielkę, skoro dała mu dostęp do swojej pracowni, pomyślałam.

To było jedno z najbardziej magicznych miejsc, jakie widziałam. Cały dom był otwartą przestrzenią, wspartą jedynie na kilku kolumnach ozdobionych lampami, które do złudzenia przypominały białe i szare pompony. Na wieszakach leniwie zwisały dziesiątki sukien: wieczorowych, ślubnych i koktajlowych. W rogu niedaleko okien wychodzących na zatokę wisiało ogromne lustro. Sięgało od podłogi do sufitu, a biorąc pod uwagę, że strop był bardzo wysoki, miało około czterech metrów. Przed nim leżał czerwony dywan, na końcu którego stała monumentalna biała kanapa z pikowanym siedziskiem. Nagle w atelier pojawiła się wysoka, smukła i niezwykle piękna kobieta. Długie czarne, proste włosy luźno wisiały wzdłuż szczupłej twarzy, miała nienaturalnie wielkie usta i oczy jak lalka z japońskich mang. Po prostu idealna. Ubrana w wąską krótką sukienkę eksponowała niebotycznie długie nogi i absolutny brak piersi – zupełnie jak u mnie. Widać było, że dba o siebie i dużo ćwiczy, ale jej sylwetka nadal była kobieca i seksowna.

Domenico podszedł do niej, a ona gorąco i serdecznie go powitała. Stali objęci kilka, może kilkanaście sekund, jakby żadne z nich nie chciało pierwsze zwolnić uścisku.

Powoli podeszłam bliżej i wyciągnęłam rękę.

– Cześć, jestem Laura.

Piękna Włoszka puściła Domenica i z promiennym uśmiechem ucałowała mnie w oba policzki.

– Wiem, kim jesteś, i zdecydowanie lepiej ci w blondzie – powiedziała. – Jestem Emi i miałam okazję oglądać twoją twarz na dziesiątkach obrazów w domu Massima.

Tym tekstem trochę starła mi uśmiech z twarzy: w domu Massima – a co ona robiła w jego domu i czemu są na ty? Przypomniała mi się Anna, zjawiskowo piękna była dziewczyna Czarnego. Czy Emi też zaliczała się do jego kolekcji? Domenico raczej nie naraziłby mnie na taki stres, choć może...? – głowa pękała mi od natłoku napływających myśli.

– A właśnie, Domenico – zwróciła się w stronę młodego Włocha. – Co u twojego brata? Dawno się z nim nie widziałam i coś czuję, że potrzebuje kilku garniturów.

– Brata? – powtórzyłam po niej, marszcząc brwi, i pytająco patrząc na Domenica.

Odwrócił się do mnie i spokojnie, bez żadnych emocji powiedział:

– Ja i Massimo mieliśmy tego samego ojca, więc jesteśmy przyrodnimi braćmi. Jak chcesz, opowiem ci o tym w domu, a teraz zajmijmy się wreszcie ślubem.

Stałam, wgapiając się na nich, podczas gdy Olga ruszyła w stronę wieszaków. Już nie wiedziałam, co bardziej mnie interesuje: relacja Emi z Massimem, czy fakt, że Domenico jest jego bratem.

– Lauro – zwróciła się do mnie. – Myślałaś już o czymś? Jakiś wzór? Materiał?

Wzruszyłam ramionami, wykrzywiając usta.

– Kochanie – powiedział Domenico, klepiąc ją w tyłek. – Zaskocz nas.

Zbaraniałam zupełnie, bo też byłam przekonana, że on jest gejem, a tymczasem taka sytuacja.

– Poczekajcie – powiedziałam, machając rękami, a wszyscy troje popatrzyli na mnie. – Wyjaśnijcie mi, bo już się pogubiłam – kim wy wszyscy dla siebie jesteście?

Oboje wybuchnęli śmiechem, a śliczna Włoszka objęła Domenica.

– My jesteśmy – zaczęła rozbawiona – przyjaciółmi, nasze rodziny znają się od lat. Ojciec Massima i Domenica przyjaźnił się z moim od czasów podstawówki. Nawet kiedyś podkochiwałam się w Massimie, ale on nie był zainteresowany i młodszy brat mnie wyrwał. – Ucałowała policzek Domenica. – Jeśli interesują cię szczegóły, sypiamy ze sobą. Co prawda trochę rzadziej od czasu twojego pojawienia się, ale jakoś dajemy radę – oznajmiła, puszczając do mnie oko. – Chcesz wiedzieć coś jeszcze czy ruszymy z tematem sukienki? Nie bzykam się z Massimem, jeśli to chodziło ci po głowie, wolę młodszych.

Byłam zawstydzona, ale z drugiej strony ulżyło mi po tej jakże lapidarnej informacji i zdecydowanie poprawił mi się humor.

– Chciałabym dużo koronki, a najlepiej, żeby cała z niej była. Koronkowa i włoska, klasyczna, lekka i zmysłowa.

– Masz bardzo sprecyzowane potrzeby, a tak się składa, że ostatnio uszyłam na pokaz suknię, która może ci się spodobać. Chodź. – Złapała mnie za rękę i pociągnęła za wielką kotarę. – Domenico, zamów lunch i wyciągnij wino z lodówki, zawsze łatwiej jest myśleć po lampce.

Po dziesięciu minutach szarpania się z sukienką i upięciu miliona szpilek, by ją dopasować, wyszłam i stanęłam na podeście ustawionym na środku czerwonego dywanu między kanapą a lustrem.

– O kurwa – jęknęła Olga. – Lari, wyglądasz...

Urwała, a po jej policzkach pociekły strumienie łez.

– Jesteś taka śliczna, kochanie – wyszeptała, stając za mną.

Podniosłam wzrok i gdy popatrzyłam na swoje odbicie, aż mnie zamurowało. Pierwszy raz w życiu miałam na sobie suknię ślubną i pierwszy raz w życiu widziałam tak zachwycającą kreację.

Nie była biała, tylko delikatnie brzoskwiniowa, zupełnie bez pleców, pokryta delikatną koronką. W pasie niezwykle dopasowana i od bioder luźno puszczona z bardzo długim trenem, co najmniej dwumetrowym. Na przodzie idealnie skrojona w kształcie litery v pasowała do małych piersi i umożliwiała niezakładanie stanika. Pod biustem znajdowało się delikatne kryształowe zdobienie, które ożywiało całość, lekko migocąc. Była idealna, doskonała i wiedziałam, że zrobi wrażenie na Czarnym.

– Musisz mieć welon – powiedziała Emi. – I to taki, co zasłoni plecy, bo wiesz, jesteśmy na Sycylii, tutaj księża mają świra. – Popukała się w czoło wskazującym palcem. – Mam coś odpowiedniego do niej. – Projektantka zniknęła wśród wieszaków i po chwili nałożyła mi delikatną, niemal zupełnie przezroczystą koronkę, która zakryła mnie całą jak kokon. Tkanina była na tyle prześwitująca, że całą mnie było dokładnie widać, a skrywała ciało na tyle, by nie burzyć spokoju księdza.

– Teraz się nie przyczepi – orzekła, kiwając głową.

Olga siedziała na kanapie, popijając trzeci kieliszek wina.

– Nie sądziłam, że uda się za pierwszym razem i pójdzie tak łatwo, ale wyglądasz zajebiście.

To fakt, wyglądałam niesamowicie i wiedziałam, że Massimo będzie tego samego zdania. Im dłużej na siebie patrzyłam, tym bardziej docierało do mnie, że wychodzę za mąż, i powoli zaczynałam odczuwać radość.

– Dobra, zdejmij to ze mnie, bo zaraz i ja się popłaczę – powiedziałam, schodząc z podwyższenia i wlokąc za sobą welon razem z trenem.

Kiedy uwolniliśmy mnie z sukienki, na stół stojący niedaleko kanapy wjechały pyszności z owoców morza. Wszyscy usiedliśmy na białych krzesłach i zabraliśmy się do jedzenia.

– Do jutra będzie gotowa i dopasowana – powiedziała Emi między kęsami. – Domenico przywiezie ci ją do posiadłości, mam nadzieję, że na dzisiejszą noc mi go wypożyczysz.

Zaśmiałam się i mocno przytuliłam Olo, która siedziała na krześle obok.

– Ja mam już kompana na samotne noce, tak że bierz śmiało. – Zwróciłam wzrok na młodego Włocha. – Chyba nawet lepiej będzie, jak zostaniesz od razu i przypilnujesz, żeby Emi skończyła na czas.

– Ciągle kogoś pilnuję. Jak nie uciekającej dziewczyny brata, to mojej przy maszynie, już taki los. Jeden jest donem, drugi niańką.

Emi szturchnęła go ramieniem i rzuciła prowokujące spojrzenie.

– Jak nie chcesz, możesz nie pilnować.

Domenico pochylił się w jej stronę i wyszeptał coś na ucho, a ona oblizała wymownie wargi. Byłam zazdrosna – nie o mojego asystenta, a raczej szwagra, ale o to, że w tej chwili są razem i mogą się sobą cieszyć. Nie wiem, czy kiedykolwiek z Massimem będziemy mogli być tacy przy innych.

– A co ze mną? – zapytała Olga. – W całej górze ciuchów, które kupiliśmy, nie ma sukienki, która będzie pasować do twojej.

Emi odłożyła widelec, zjadając wcześniej kawałek ośmiornicy, i poszła w stronę jednego z wieszaków.

– Widzę, że styl na dziwkę jest ci bliski – zauważyła, wracając z sukienką. – Ale tu to nie przejdzie, zwłaszcza w tym kościele, który wybrał Massimo. Spróbuj przymierzyć tę.

Olo skrzywiła się i wzięła sukienkę, a stojąc już za kotarą, rzuciła:

– Lari, zobacz jak ja się dla ciebie poświęcam.

Jednak kiedy wyszła i stanęła przed lustrem, zmieniła zdanie. Sukienka, którą miała na sobie, była w identycznym kolorze jak moja, ale zdecydowanie różniła się krojem i długością – ołówkowa, elegancka kreacja na ramiączkach z delikatnego, matowego jedwabiu. Idealnie podkreślała jej wydatną pupę, płaski brzuch i ogromne piersi.

– Dobrze, że nie ma wesela, bo jestem spętana w kolanach – powiedziała, drobiąc do nas. – Taniec to raczej tylko wolny w tej kiecce, ale kreacja wygląda świetnie.

Odetchnęłam z ulgą, widząc, jak wspaniale wygląda moja przyjaciółka, i wiedząc, że jesteśmy gotowe na ten dzień.

Kiedy kończyliśmy jeść, było już bardzo późno, a nad Taorminą zapadła noc.

– Lauro – zwrócił się do mnie Domenico, kiedy żegnałam się z Emi. – Jeśli coś się będzie działo, dzwoń.

– Ależ co się ma dziać? – zapytała zirytowana Olo. – Jesteś gorszy i bardziej przewrażliwiony niż jej matka.

– Odprowadzę was do samochodu – zaproponował.

– Wiesz co, ja nie jestem zmęczona i chciałabym się przejść, co ty na to, Ola?

– Właściwie czemu nie, wieczór jest ciepły, a ja jestem tu dwa dni i nic jeszcze nie widziałam.

Domenico nie był szczególnie zachwycony naszym pomysłem, ale zabronić nam tego nie mógł, zwłaszcza że cały czas towarzyszyła mi ochrona.

– Daj mi chwilę, zadzwonię po chłopaków. Jak zejdziecie na dół, poczekajcie na nich, proszę, jeśli jeszcze nie będą tam stali. Albo wiecie co, zejdę z wami.

– Domenico, ty jesteś chory! – wrzasnęłam, wypychając go za drzwi. – Ja sobie prawie trzydzieści lat radziłam bez facetów z bronią i tym razem też mam taki zamiar. Nie denerwuj mnie!

Stał skrzywiony z rękami założonymi na piersiach.

– Tylko poczekaj na nich – wysyczał przez zęby, kiedy zamykałam drzwi.

– Widzimy się jutro. Pa! – krzyknęła Olga i zeszłyśmy po schodach.

Poczekałyśmy chwilę na smutnych panów i kiedy pojawili się w oddali, ruszyłyśmy uliczką przed siebie.

Wieczór był cudowny i ciepły, a na ulicach niewielkiego miasta tłoczyły się tysiące turystów i mieszkańców. Taormina tętniła życiem, muzyką i cudownymi zapachami włoskiego jedzenia.

– Przeprowadziłabyś się? – zapytałam Olgę, łapiąc ją pod rękę.

– Tu? – pisnęła zaskoczona. – Czy ja wiem, niby nic mnie nie trzyma w Polsce, ale tu prócz ciebie nic mnie nie ciągnie.

– A to za mało?

– Niby nie, ale pamiętasz, ile zajęło mi przeprowadzenie się do Warszawy? Ja nie lubię zmian, a tych drastycznych się boję.

No tak, pamiętam, jak długo namawiałam ją, by zamieszkała ze mną.

W Warszawie żyłam od ośmiu lat. Uciekłam tu z Lublina przed chorą miłością Piotra. Kiedy przeprowadziłam się do stolicy, nie miałam gdzie mieszkać, a praca, którą mi zaproponowano, odpowiadała moim aspiracjom zawodowym, ale finansowym zupełnie nie. Mama wciąż nie może przeżyć tego, że wtedy tak wybrałam, choć pewnie teraz już wydaje jej się to dobrym posunięciem. Z jednej strony była posada menedżera sprzedaży w hotelu pięciogwiazdkowym, który zaproponował mi głodową stawkę, ale miałam wizytówki i połechtane ego. Z drugiej ekskluzywny salon kosmetyczny, który chciał, bym była ich stylistką, a dla mnie oznaczało to ciągłe „służenie" bogatym, nadętym babom. Paradoks polegał na tym, że jako menedżer zarabiałam trzykrotnie mniej, niż w owym salonie mi zaproponowano. Niestety, perspektywa kariery wygrała i zdecydowałam się na hotelarstwo. Później były już kolejne hotele i następne nieudane związki; hotelarstwo to zajęcie dwadzieścia cztery godziny na dobę, siedem dni w tygodniu. To może być zajebiste rozwiązanie dla singla, ale dla osoby w związku to dramat. Wybór między czasem z ukochaną osobą a pracą jest nieustający i bardzo męczy. Więc albo zawalałam związek, albo pracę. W końcu, kiedy postanowiłam być sama i dorobiłam się stołka dyrektora sprzedaży, coś we mnie pękło. A że miałam sporo odłożonych pieniędzy, mogłam pozwolić sobie na rzucenie tego w cholerę i poszukanie zajęcia, które przyniesie mi więcej radości. Martin bardzo dopingował mnie w tej decyzji, uważał, że jestem ciągle wykorzystywana, a prawda jest taka, że potrzebował kucharki i sprzątaczki na pełny etat.

– Laura, ale wiesz... – Głos Olo wyrwał mnie z objęć wspomnień. – Jeśli chcesz, ja mogę tu przylatywać, a jak się dziecko urodzi, to być tu jakiś czas. Co prawda nie mam pojęcia o dzieciach, boję się ich i uważam, że jak się obsrają, to trzeba uciekać, ale dla ciebie jakoś to zniosę.

– Kurwa, powiedz mi lepiej, jak ja to zniosę? – rzuciłam, potrząsając głową. – Normalnie zadzwoniłabym po mamę, żeby przyjechała z odsieczą, ale przecież jak ona to wszystko zobaczy – tych ludzi z bronią, ten dom, samochody, to albo mnie zabije, albo siebie, albo ich.

– A co z mamą Massima? Nie pomoże ci?

– Wiesz co, jego rodzice nie żyją. Zginęli w wypadku łodzi, prawdopodobnie to był zamach, ale nie udowodniono, że w wybuchu i zatonięciu jachtu udział miały osoby trzecie. Podobno mama była niesamowita, ciepła i bardzo kochała Czarnego. Sporadycznie mówi o rodzicach, ale zawsze jak opowiada o niej, oczy mu się zmieniają. A tata to wiesz, głowa rodziny mafijnej, raczej autorytet niż oparcie emocjonalne. Z jego rodziny, jak się dziś okazało, znam tylko Domenica.

– Ciekawe po co ukrywali fakt, że są braćmi? – rzuciła, pociągając mnie w kolejną uliczkę.

– Nie sądzę, aby to ukrywali, po prostu nie powiedzieli mi o tym, a mi nie przyszło do głowy, żeby zapytać. Wydaje mi się, że Massimo wybrał go na mojego opiekuna, bo najbardziej mu ufa.

– A pamiętasz, jak kiedyś Mariusz, ten co pracował w nieruchomościach, też załatwił ci opiekuna? – Roześmiała się w głos. – To był dopiero hit, koleś okazał się totalnym psychopatą.

Przytaknęłam i skrzywiłam się na to wspomnienie. Spotykałam się kiedyś z facetem, który bardzo chciał się pokazać przede mną i tym samym zdobyć moje serce. Żył zdecydowanie ponad stan, jak się później okazało, ale na początku postanowił zagrać pod publiczkę i kiedy szliśmy z Olgą do klubu, oznajmił, że nie może iść, ale wyśle z nami swojego „człowieka". Mariusz dał mu pieniądze, żeby o nas zadbał, i początkowo faktycznie tak było, płacił, pilnował i odganiał adoratorów. Ale później wypił o jednego drinka za dużo i wyszedł z niego świr. Dobierał się do mnie i do Olgi, robiąc sceny, krzycząc i ubliżając nam, a że ona zna niemalże każdego ochroniarza w klubie, to po chwili dostał w twarz i poszedł z płaczem do domu.

– To był numer. A ja wolę tę imprezę, co poszłyśmy na nią tylko we dwie i wszyscy myśleli, że jesteśmy prostytutkami.

– Tak! – wrzasnęła. – Ubrałyśmy się wtedy na biało i ten koleś miał urodziny. Srogo było! – Przytuliłam mocniej jej rękę.

– Wiesz, że już tak nie będzie? – powiedziałam z żalem. – Teraz wszystko się zmieni, będę miała męża, dziecko, cały pakiet, i to w niespełna trzy miesiące.

– Moim zdaniem przesadzasz – uznała Olga. – Zobacz, możesz spokojnie zatrudnić opiekunkę, przy częstych wyjazdach Massima i tak będziesz musiała o niej pomyśleć, bo nie dasz sobie z tym wszystkim rady sama. Poza tym z kim zostawisz dziecko, jak na przykład będziecie szli na jakąś oficjalną kolację? Już zacznij się nad tym zastanawiać.

– Po co? – Wzruszyłam ramionami. – I tak wiem, że to Czarny dokona wyboru, a ja nie będę miała nic do powiedzenia. W grę będzie wchodzić bezpieczeństwo jego dziecka. – Pokręciłam głową z przerażeniem. – Boże, on wtedy już całkiem postrada zmysły z niepokoju.

Ola śmiała się w głos, a ja dołączyłam do niej.

– Albo zamknie was w piwnicy, tak dla zupełnej pewności.

Chodziłyśmy jeszcze przez godzinę, wspominając nie tak dawne czasy, aż zrobiło się bardzo późno. Postanowiłyśmy zaczekać chwilę i pozwolić naszej ochronie nas dogonić; kiedy tak się stało, poprosiłam o odstawienie nas do domu.

ROZDZIAŁ 21

Następnego dnia obudziłam się sama w łóżku, Olgi nigdzie nie było. Po co wstała tak wcześnie?, zastanawiałam się, szukając telefonu na szafce nocnej, aby sprawdzić która godzina.

– Co do cholery?! – zaklęłam, widząc na wyświetlaczu trzynastą.

Nie sądziłam, że można tyle spać, ale lekarz wspominał o symptomach silnego zmęczenia, że podobno jest to naturalne dla stanu, w którym się znajdowałam.

Silnie zamulona poszłam do łazienki ogarnąć się nieco, po czym ruszyłam w poszukiwaniu przyjaciółki. Wyszłam do ogrodu i spotkałam Domenica, który popijał kawę.

– Dzień dobry, jak się czujesz? Mam dla ciebie gazety – powiedział, przesuwając stos w moją stronę.

– Nie wiem, jak się czuję, bo nie mogę się obudzić. Gdzie Olga?

Młody Włoch wyjął telefon z kieszeni, zadzwonił i za chwilę chłopak z obsługi podał mi herbatę z mlekiem.

– Olga opala się na plaży. Co chcesz na śniadanie?

Zasłoniłam ręką usta, na myśl o jedzeniu cała zawartość żołądka podeszła mi do gardła. Skrzywiłam się i machnęłam dłonią do Domenica.

– Niedobrze mi, na razie nic nie chcę, dzięki. Idę na plażę. – Chwyciłam butelkę wody i poszłam na pomost.

Zeszłam po schodach i zrobiło mi się ciepło. Przycumowana przy pomoście motorówka przypomniała mi, jak w panice uciekałam spod prysznica przed napalonym Massimem i jego sterczącym kutasem.

– Czemu gapisz się na tę łódkę, jakbyś chciała ją wydymać? – usłyszałam głos i zobaczyłam, jak wpół naga Ola wyłania się z wody.

– Bzykaliście się na niej, przyznaj – nie dawała za wygraną.

Z tajemniczym uśmiechem, lekko unosząc brwi, odwróciłam się do niej, kiedy podeszła bliżej.

– Fajne masz cycki – zauważyłam. – Już wiem, czemu Domenico siedział taki spięty.

– Był tu i przyniósł mi butelkę wina, tak bardzo chciał patrzeć mi w oczy. Żałuj, że tego nie widziałaś. Wyspałaś się? – zapytała, kładąc się na leżaku.

Położyłam się obok niej, wystawiając twarz do słońca.

– Nie wiem, mogłabym chyba przespać cały dzień. Chore.

– I tak nie masz nic do roboty, więc śpij albo idź po kostium, złapiemy trochę słońca przed ślubem.

Nie wiedziałam, czy mogę się opalać, nawet nie przyszło mi do głowy, by zapytać lekarza.

– Ale ja chyba nie mogę się w ciąży opalać?

– Nie mam pojęcia, daleko mi do bycia matką. Zapytaj wujka Google'a.

Faktycznie, było to najlogiczniejsze posunięcie. Wyjęłam telefon z kieszeni i wstukałam moje pytanie. Po chwili przeglądania stron obróciłam się na bok w stronę Olo.

– No to się poopalałam, słuchaj: „Pod wpływem słońca nasza skóra wytwarza witaminę D, bardzo potrzebną dla rozwoju dziecka. Wystarczy, że przyszła mama będzie spacerowała w półcieniu. Opalanie nie jest wskazane, między innymi dlatego, że trudno się całkowicie zabezpieczyć przed szkodliwym promieniowaniem ultrafioletowym; skóra kobiety w ciąży jest bardzo wrażliwa i słońce może ją podrażniać, powodować przebarwienia, a poza tym organizm się odwadnia, co nie jest korzystne dla dziecka".

Olga odwróciła się w moją stronę i spuszczając okulary z nosa, rzuciła:

– Waliłaś wino litrami, już będąc w ciąży, bo o niej nie wiedziałaś, a opalanie ma ci zaszkodzić? Absurd.

– Teraz już wiem i nie zamierzam ryzykować wielkiej hormonalnej plamy na brodzie. Mamy zaproszenie do spa, więc wybieraj – albo leżysz tu i starzejesz się pod wpływem promieniowania UV, albo jedziemy się nieco ogarnąć.

Skończyłam, a ona stała już przy moim leżaku z torbą w ręce, nakładając pareo.

– To co? Idziemy?

Po godzinie byłyśmy gotowe do wyjścia, a Domenico podstawił moje wiśniowe porsche.

Wysiadł z niego i lekko się skrzywił.

– Nie uciekaj im. – Wskazał na czarnego SUV-a, który właśnie podjechał, parkując za moim autem. – Massimo strasznie się później na nich wścieka i dostają baty.

Pogłaskałam go po ramieniu i otworzyłam drzwi.

– Tę kwestię już mam omówioną z donem, więc bądź spokojny. Zaprogramowałeś mi w nawigacji drogę do spa?

Domenico pokiwał głową i uniósł rękę w geście pożegnania.

– Pierdolony statek kosmiczny – powiedziała Olga, rozglądając się wewnątrz samochodu. – Na chuj komu tyle guzików, przecież to samochód. Kierownica, pedały, skrzynia biegów i fotele. Do czego jest ten?

– Nie wciskaj, Boże! Za chwilę wystrzeli nas jak z katapulty albo zamienimy się w samolot. – Uderzyłam ją w rękę, kiedy chciała dotknąć kolejnego przycisku. – Nie ruszaj tego. – Pokręciłam głową. – To samo powiedziałam, kiedy go dostałam, ale podobno jest bezpieczny i w ogóle. – Wzruszyłam ramionami w geście rezygnacji.

Kiedy wyjechałyśmy na autostradę, postanowiłam pokazać jej, co podoba mi się w moim macanie, i wcisnęłam pedał gazu. Silnik ryknął, a auto wyrwało do przodu, wbijając nas w fotele.

– Ależ to zapierdala! – krzyknęła rozbawiona Ola i podkręciła muzykę.

– Zobaczysz zaraz, w jaką panikę wpadną chłopaki za nami, już raz im uciekłam.

Pędziłam slalomem, wymijając auta jadące zdecydowanie wolniej niż ja. W tej chwili bardzo się cieszyłam, że to mężczyźni uczyli mnie jeździć. Mój tata przykładał zawsze wielką wagę do bezpiecznej i pewnej jazdy, dlatego zarówno ja, jak i mój brat skończyliśmy kursy jazdy ekstremalnej. Nie miała na celu zrobić z nas piratów, ale nauczyć reagowania w sytuacjach zagrożenia. W pewnym momencie usłyszałam za sobą policyjne syreny i zobaczyłam dwóch mężczyzn w nieoznakowanym alfa romeo.

– Zajebiście świetnie – syknęłam, zjeżdżając za nimi w miejsce, które wskazali.

Człowiek w mundurze podszedł do szyby i powiedział kilka słów po włosku. Rozłożyłam ręce i po angielsku starałam się wyjaśnić mu, że zupełnie go nie rozumiem. Nie miałam szczęścia, bo ani on, ani jego kolega nie znali innego języka. Porozumiewając się na migi, wywnioskowałam, że mam pokazać mu dokumenty. Wyciągnęłam dowód rejestracyjny i podałam policjantowi.

– O kurwa – syknęłam, odwracając się do Olgi. – Nie wzięłam prawa jazdy z drugiej torebki.

Popatrzyła na mnie z wyrzutem i poprawiła biust.

– To pójdę zrobić im laskę, co ty na to?

– Nie rozśmieszaj mnie, Olo, ja mówię poważnie.

Nagle za nami zatrzymał się czarny SUV i wysiadło z niego dwóch chroniących mnie mężczyzn. Ola, patrząc na tę scenę, skwitowała ją:

– Teraz to dopiero mamy przejebane.

Wszyscy czterej podeszli do siebie, podając sobie dłonie na powitanie. Wyglądało to trochę jak spotkanie znajomych na trasie, a nie policyjna kontrola. Przez chwilę rozmawiali ze sobą, po czym funkcjonariusz podszedł do mojego okna, oddając dokumenty wozu.

– *Scusa* – wymamrotał, dotykając palcem daszka czapki.

Olga ze zdziwieniem popatrzyła na mnie.

– Jeszcze nas przeprosił, zaskakujące.

Policja odjechała, a jeden z moich ochroniarzy podszedł do okna i pochylając się, tak by mnie widzieć, spokojnie powiedział:

– Jeśli chce pani testować auto, pojedziemy na tor, ale mamy pozwolenie od don Massima, by zabrać je pani przy kolejnej próbie ucieczki, więc albo przesiądzie się pani do nas, albo będzie jechać spokojnie.

Skrzywiłam się i pokiwałam głową.

– Przepraszam.

Dalsza część drogi przebiegła bez pośpiechu i bez żadnych ekscesów. Kiedy dotarłyśmy do spa, zaskoczył nas luksus i mnogość oferowanych zabiegów. Dzięki temu, że w ofercie wypisane były także te dla ciężarnych, mogłam bez obaw skorzystać z dobrodziejstw proponowanych przez to niezwykle piękne miejsce.

Spędziłyśmy tam prawie pięć godzin. Każdy mężczyzna słysząc to, prawdopodobnie popukałby się w głowę, ale kobieta wie, ile czasu zajmuje dbanie o siebie. Zabieg na twarz, na ciało, masaż, a później standardowo: pedicure, manicure i fryzjer. Z uwagi na sobotnią uroczystość wybrałam kolory zbliżone do tego, który miała sukienka. Musiałam być najbardziej gotowa, jak to możliwe, dlatego zaufałam kunsztowi fryzjera i poprosiłam o ufarbowanie odrostów. Ku mojej radości Marco, stuprocentowy gej, poradził sobie doskonale z powierzonym mu zadaniem, co zachęciło mnie, by dodatkowo lekko przyciąć włosy. Pachnące, śliczne i zrelaksowane usiadłyśmy na tarasie, a kelner podał nam kolację.

– Mało jesz, Lari, dziś to dopiero twój pierwszy posiłek. Wiesz, że tak nie można?

– Daj mi spokój, ciągle chce mi się rzygać, ciekawe, czy ty byś wtedy jadła z apetytem. Poza tym denerwuję się już sobotą.

– Masz wątpliwości? Pamiętaj, że nie musisz tego robić, przecież dziecko nie oznacza ślubu, a ślub wiecznego związku.

– Kocham go, chcę wyjść za niego za mąż i jak najszybciej powiedzieć mu, że będziemy mieli dziecko, bo już męczy mnie to, że on jeszcze nie wie – oznajmiłam, odstawiając talerz.

Po przystawce, zupie, daniu głównym i deserze ledwo się ruszałam. Poturlałyśmy się do samochodu i z niemałym trudem do niego wsiadłyśmy.

– Znowu mnie mdli, ale tym razem z przejedzenia – powiedziałam, odpalając silnik.

W tylnym lusterku zobaczyłam, jak rozbłysły światła ciemnego SUV-a i ruszyłam z miejsca. Włączyłam nawigację i nastawiłam zapamiętany przez Domenica adres pod nazwą „dom". Z uwagi na późną porę ruch był mały, a samochodów na autostradzie niewiele. Wcisnęłam guzik od tempomatu i oparłam głowę na lewej ręce wspartej na łokciu o szybę. Automatyczna skrzynia miała taki plus i minus zarazem, że człowiek nie wiedział, co zrobić z rękami, a przynajmniej z jedną. Olga dłubała w telefonie, zupełnie nie zwracając na mnie uwagi, a mnie z przejedzenia chciało się spać.

Jadąc wzdłuż zbocza Etny, widziałam strużkę wylewającej się lawy, widok niesamowity i przerażający jednocześnie. Zapatrzona w niecodzienny obrazek zupełnie nie zauważyłam, że jadący za mną SUV niebezpiecznie się do nas zbliżył. Kiedy odwróciłam wzrok i popatrzyłam w lusterko, poczułam uderzenie w tył samochodu.

– Co oni, kurwa, robią?! – wrzasnęłam.

Wtedy kolejny raz auto stuknęło w porsche, próbując zepchnąć nas z drogi. Wcisnęłam gaz w podłogę i ruszyłam pędem autostradą. Rzuciłam Oldze moją torebkę i wydyszałam ze zdenerwowania:

– Znajdź tam telefon i dzwoń do Domenica.

Spanikowana Olo trzęsącymi się rękami grzebała w torebce i po dłuższej chwili znalazła komórkę. Ciemny SUV nie dawał za wygraną, pędził za nami, ale silnik w moim wozie dzięki Bogu był mocniejszy, co dawało szansę na ucieczkę.

– Wystarczy, że wybierzesz numer, telefon połączony jest z zestawem głośnomówiącym.

Olga wcisnęła zieloną słuchawkę, a ja, słysząc kolejne sygnały, modliłam się, by w końcu odebrał.

– Co wy tam tyle robicie? – usłyszałam w słuchawce głos przyszłego szwagra.

– Domenico, gonią nas! – wrzasnęłam, kiedy go usłyszałam.

– Lauro, co się dzieje, kto was goni, gdzie jesteś?

– Nasza ochrona zwariowała i próbują nas staranować, co ja mam, kurwa, robić?!

– To nie oni, dzwonili do mnie pięć minut temu, że ciągle czekają pod spa.

Poczułam, jak fala przerażenia zalewa moje ciało, nie mogłam spanikować, ale nie miałam pojęcia co teraz.

– Nie rozłączaj się – powiedział.

W tle usłyszałam, jak krzyczy coś po włosku i po chwili wrócił do mnie.

– Ochrona już ruszyła, zaraz zobaczę cię na lokalizacji. Nie bój się, niebawem cię dogonią. Z jaką prędkością jedziesz?

Przerażona popatrzyłam na wyświetlacz.

– Dwieście siedem na godzinę – wydukałam, przejęta cyframi, jakie zobaczyłam.

– Posłuchaj, nie wiem, jakie auto cię goni, ale skoro myślałaś, że to nasze, prawdopodobnie goni cię range rover. Nie ma takich osiągów jak twój samochód, więc jeśli czujesz się na siłach, żeby jechać szybciej, możesz ich zgubić.

Wcisnęłam pedał gazu i poczułam, jak auto przyspiesza, a światła goniącego mnie samochodu zostają z tyłu.

– Za piętnaście kilometrów będzie zjazd z autostrady na Mesynę, zjedź nim. Moi ludzie już jadą w twoją stronę, a ochrona jest jakieś trzydzieści kilometrów za tobą. Pamiętaj, że po zjeździe będą bramki, więc zacznij hamować, ale jeśli nie zgubisz ich do tego czasu, pod żadnym pozorem nie otwieraj okien i nie wysiadaj z samochodu. Auto jest kuloodporne, więc nic ci się w nim nie stanie.

– Co? Będą do mnie strzelać?

– Nie wiem, czy będą, ale mówię ci, żebyś nie ruszała się z miejsca, bo w środku nic ci nie grozi.

Słuchałam tego, co mówi, i czułam, jak dzwoni mi w uszach, a serce wali jak szalone. Trzymałam się resztkami sił. Spojrzałam w lusterko i zobaczyłam, że światła samochodu pomału znikają; przycisnęłam gaz jeszcze mocniej. Trudno, albo zginę w wypadku, albo mnie zabiją, pomyślałam. Na trasie pojawił się znak z informacją o zjeździe.

– Domenico, jest zjazd!

Usłyszałam, jak mówi coś po włosku, a po chwili odezwał się po angielsku:

– Świetnie, oni już dojeżdżają do bramek. Czarne bmw i czterech ludzi w środku. Paula znasz, jak go zobaczysz, zatrzymaj się najbliżej, jak to możliwe.

Zaczęłam hamować na zjeździe z autostrady i modliłam się, by już czekali. Kiedy przejechałam kolejny zakręt, zobaczyłam, jak czarne bmw zatrzymuje się i wybiega z niego czterech mężczyzn. Wcisnęłam hamulec i po chwili zatrzymałam się, niemal wjeżdżając w tył auta ludzi Domenica.

Paulo otworzył drzwi i wyciągnął mnie trzęsącą się z samochodu, przełożył na tylne siedzenie i z piskiem ruszył w stronę bramki. Starałam się miarowo oddychać, by uspokoić serce. W zestawie usłyszałam głos Domenica, który po włosku spokojnie rozmawiał z moim kierowcą.

W tym zamieszaniu zupełnie zapomniałam o Oldze. Siedziała nieruchomo z oczami wbitymi w przednią szybę.

– Olo, co jest? – wyszeptałam, łapiąc ją za ramię.

Odwróciła się do mnie, a jej oczy były szklane od napływających łez. Rozpięła pas i przeszła na tylne siedzenie, padając z płaczem w moje ramiona.

– Co to, kurwa, było, Lari?

Siedziałyśmy wtulone w siebie, zalane łzami i trzęsłyśmy się, jakby w samochodzie było trzydzieści stopni na minusie. Czułam, jak bardzo była przerażona, pierwszy raz widziałam ją w stanie takiej histerii. Mimo tego, jak jeszcze przed chwilą sama się czułam, wiedziałam, że teraz muszę się nią zająć.

– Już jest wszystko okej, jesteśmy bezpieczne, chcieli nas tylko wystraszyć.

Sama nie do końca wierzyłam w to, co mówię, ale musiałam ją uspokoić za wszelką cenę.

Wjechaliśmy na podjazd, na którym już czekał Domenico. Jak tylko samochód zatrzymał się, otworzył drzwi za kierowcą, gdzie siedziałam. Wysunęłam się z miejsca i wpadłam w jego ramiona.

– Nic ci nie jest? Dobrze się czujesz? Lekarz już jest w drodze.

– Nic mi nie jest – wyszeptałam, nie odrywając się od niego.

Ola wysiadła z samochodu i wcisnęła się pod jego drugie ramię.

Domenico zabrał nas do wielkiego salonu na parterze. Po dwudziestu minutach zjawił się lekarz, który zmierzył mi ciśnienie i podał leki na serce, nie stwierdzając żadnych obrażeń, po czym zajął się Olgą. Ciągle nie mogła sobie poradzić z tym, co zaszło, dlatego zaordynował jej leki uspokajające i nasenne. Domenico wziął ją pod rękę i odprowadził na wpół przytomną do jej sypialni. Kiedy zniknęli, doktor zalecił mi niezwłoczną wizytę u ginekologa, by sprawdzić, czy z dzieckiem wszystko w porządku. Czułam się bardzo dobrze, o ile po takiej przygodzie można się czuć dobrze, dlatego byłam spokojna o wynik badania. Uderzenie nie było mocne, pas bardziej obtarł mi obojczyk, niż napiął się na brzuchu, ale podzielałam zdanie, że warto się upewnić. Po chwili wrócił Domenico, a lekarz pożegnał się i zniknął.

– Lauro, posłuchaj mnie, musisz mi dokładnie powiedzieć, co się stało.

– Wyszłyśmy ze spa, boy dał mi kluczyki od auta...

– Jak wyglądał boy? – wtrącił, przerywając mi.

– Nie mam pojęcia, wyglądał jak Włoch, nie przyjrzałam mu się. Kiedy wsiadłyśmy, za nami ruszył SUV, ciemny. Myślałam, że to ochrona. Potem, gdy wjechałyśmy na autostradę, zaczął się ten horror, a resztę znasz, bo całą drogę rozmawiałam z tobą.

Kiedy skończyłam, zadzwonił jego telefon, a on wściekły wyszedł z pokoju.

Zaniepokojona poszłam za nim. Domenico niemal wybiegł przez drzwi wejściowe i skierował się w stronę mojej ochrony, która właśnie zaparkowała na podjeździe. Gdy mężczyźni zbliżyli się do niego, najpierw silnym ciosem powalił jednego, a później drugiego, dodatkowo jeszcze go kopiąc. Ludzie z bmw, którzy stali już obok, przytrzymali na ziemi kierowcę, a Domenico w szale okładał jego partnera pięściami.

– Domenico! – krzyknęłam przestraszona tym, co widzę.

Powoli podniósł się ziemi, zostawiając na bruku niemal nieprzytomnego mężczyznę, i podszedł do mnie.

– Mój brat i tak ich zabije – oznajmił, wycierając o spodnie ręce umazane krwią. – Odprowadzę cię do pokoju, chodź.

Usiadłam na wielkim łóżku, a Domenico poszedł się umyć. Poczułam, że leki zaczynają działać, a ja jestem lekko otępiała i chce mi się spać.

– Lauro, nie martw się, taka sytuacja już się nie powtórzy. Znajdziemy tego, kto cię gonił.

– Obiecaj mi, że ich nie zabijesz – wyszeptałam, patrząc mu w oczy.

Skrzywił się i oparł o futrynę drzwi.

– Ja mogę ci to obiecać, ale decyzja należy do Massima. Nie myśl o tym teraz, najważniejsze, że nic ci nie jest.

Usłyszałam pukanie do drzwi, Domenico zszedł na dół i wrócił z kubkiem gorącego kakao.

– Normalnie dałbym ci alkohol – powiedział, stawiając kubek na szafce obok mnie. – Ale sytuacja jest taka, że zostaje ci tylko mleko. Muszę iść, ale zaczekam, aż się przebierzesz i położysz do łóżka.

Poszłam do garderoby i włożyłam koszulkę Czarnego, wróciłam i weszłam pod kołdrę.

– Dobranoc, Domenico, dziękuję ci za wszystko.

– Przepraszam – powiedział, znikając na schodach. – Pamiętaj, że przy łóżku masz guzik. Jeśli czegoś będziesz potrzebować, wciśnij go.

Obróciłam się na bok i włączyłam telewizor, zgasiłam pilotem wszystkie zapalone światła i przyłożyłam głowę do poduszki. Oglądałam przez chwilę kanał informacyjny i nawet nie wiem, kiedy zasnęłam.

Przebudziłam się w środku nocy, a telewizor nadal cicho grał. Obróciłam się po pilota, który leżał na nocnej szafce, i zamarłam. Na fotelu obok łóżka siedział Massimo, przyglądając mi się. Przez chwilę leżałam, patrząc na niego, niepewna, czy nadal śpię, czy może to dzieje się naprawdę.

Po kilku sekundach Czarny podniósł się i padł na kolana, wtulając głowę w mój brzuch.

– Kochanie, przepraszam – wyszeptał, obejmując mnie mocno ramionami.

Wysunęłam się z jego uścisku i klęknęłam obok, przytulając go do siebie.

– Nie wolno ci ich zabić, rozumiesz? Nigdy o nic cię nie prosiłam, ale teraz błagam cię. Nie chcę, by przeze mnie zginęła kolejna osoba.

Massimo nie odezwał się nawet słowem, tylko tkwił wtulony we mnie. Siedzieliśmy tak w milczeniu kilkanaście minut, a ja wsłuchiwałam się w jego uspokajający oddech.

– To moja wina – rzekł, odsuwając się i biorąc mnie na ręce.

Podniósł się i położył mnie na łóżku, okrywając kołdrą, po czym usiadł obok. Dopiero teraz naprawdę się obudziłam i mogłam docenić widok przede mną. Widać, że przyjechał tu w pośpiechu, bo nie zdążył nawet przebrać się ze smokingu. Pogłaskałam poły jego marynarki.

– Byłeś na imprezie?

Czarny spuścił głowę i wyciągnął z kołnierzyka rozwiązaną wcześniej muszkę.

– Zawiodłem cię. Obiecałem, że będę cię chronił, że nigdy nic ci się nie stanie. Wyjechałem na trzy dni, a ty cudem uniknęłaś śmierci. Jeszcze nie wiem, kto siedział za kierownicą ani jak do tego doszło, ale przyrzekam, że znajdę tego, kto chciał to zrobić – warknął i podniósł się z łóżka. – Nie wiem, Lauro, czy to wszystko jest dobrym pomysłem. Kocham cię najbardziej na całej kuli ziemskiej, ale nie wyobrażam sobie, byś przeze mnie straciła życie. Sprowadzając cię tu, wykazałem się najpodlejszym egoizmem, a teraz, kiedy sytuacja jest tak niestabilna, jak widać, nie mogę być już niczego pewien.

Patrzyłam na niego przerażona tym, co mówił.

– Uważam, że musisz na jakiś czas wyjechać. Szykuje się sporo zmian i póki one się nie dokonają, nie jesteś bezpieczna na Sycylii.

– Co ty gadasz, Massimo? – powiedziałam, zrywając się z łóżka. – Teraz chcesz mnie gdzieś wysłać, dwa dni przed ślubem?

Odwrócił się do mnie i złapał mnie mocno, wpatrując mi się w oczy.

– Czy ty tego w ogóle chcesz? Lauro, może faktycznie powinienem być sam. Ja wybrałem takie życie, a tobie tego wyboru nie dałem. Skazuję cię na bycie ze mną, na trwanie w ciągłym niebezpieczeństwie.

Puścił mnie i zaczął iść w stronę schodów.

– Byłem głupi, sądząc, że będzie inaczej, że nam się uda. – Przystanął i obrócił się. – Zasługujesz na kogoś lepszego, mała.

– Kurwa, nie wierzę! – krzyknęłam, podbiegając do niego. – Teraz cię takie myśli naszły? Po prawie trzech miesiącach, po oświadczynach i po tym, jak zrobiłeś mi dziecko?!

PODZIĘKOWANIA

Każdy w życiu ma osobę, która wierzy w niego bardziej, niż powinna.

Dla mnie taką osobą jest moja siostra z wyboru – Anna Mackiewicz.

Dziękuję Ci, Kochanie, za to, że skutecznie i regularnie popychałaś mnie do wydania książki.

Dziękuję za wiarę.

Mamo, Tato – Wam dziękuję za to, jaka jestem, że umiem mówić o seksie, miłości i emocjach.

Bardzo Was kocham!

Dziękuję bazie kitesurfingowej Red Sea Zone za zapewnienie mi miejsca do pisania i pięknych zdjęć na okładkę, które wykonał Jan Szlagowski (18 lat) w tandemie ze swoim tatą Piotrem Camelem Szlagowskim.

Panowie, jesteście super.

Ale najbardziej chciałam podziękować mężczyźnie, który zostawił mnie, złamał mi serce i zainspirował do działań, dzięki którym teraz trzymasz tę książkę w rękach.

KM – dziękuję.